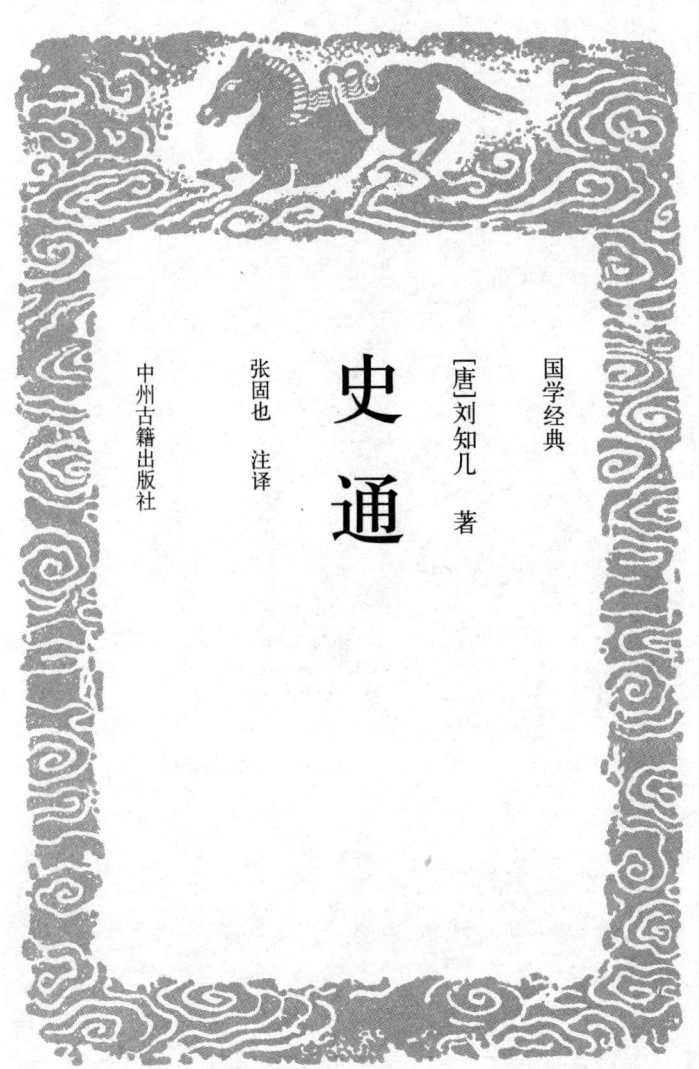

国学经典

史通

[唐]刘知几 著

张固也 注译

中州古籍出版社

史　通

通史

前 言

一

《史通》是唐代刘知几编撰的我国历史上第一部史学理论专著。刘知几（661—721），字子玄，彭城（今江苏徐州）人。他出身于累代官宦并以文词知名的世家，族祖刘胤之、伯父刘延祐都曾任著作郎及弘文馆学士，参与编撰唐国史及实录。刘知几本人自幼酷爱文史，博览群书，十七岁时已把《左传》、《史记》、《汉书》等唐前基本的史籍读完，且善于独立思考，时常有精到的心得与卓越的见解。但他这时因准备科举考试，还不能专心研究历史。刘知几在二十岁时考中了进士，被任为获嘉县（今河南获嘉）主簿。从这时起，他才对历史进行广博的阅读与深入的研究。《自叙》（凡引《史通》一律简称篇名）述及他对史学兴趣之浓厚与用功之精勤：

> 洎年登弱冠，射策登朝，于是思有余闲，遂其本愿。旅游京洛，颇积岁年，公私借书，恣情披阅。至如一代之史，分为数家，其间杂记小书，又竞为异说，莫不钻研穿凿，尽其利害。

刘知几在获嘉县主簿任上，曾两次上书，提出四项政治改革的建议：裁撤冗官，刺史应当久任，不要轻易颁下赦令，不要对官吏滥授阶勋。这些建议，都切中时弊，但武则天看了他的上书，却只是"嘉其直"而"不能用"（《新唐书·刘子玄传》），以致他在这个九品小官任上一连十九年没有升迁。直到武则天圣历二年（699），他才从获嘉县调到京城长安任右补阙、定王府仓曹，并参加《三教珠英》的编纂工作。

长安二年（702），武则天诏令编撰唐史，刘知几遂任著作佐郎，兼修国史。这一年他四十二岁，已经研习历史三十年，具备良好的史学修养，终于如愿以偿成为一名专职的史官。此后至中宗时期，他的职务数有变迁，担任过左史、著作郎、凤阁（中书）舍人、太子中允、率更令等职，除长安末任凤阁舍人时暂停史职外，其他时间都不离史馆，用他自己的话说是"三为史臣，再入东观"（《自叙》）。这在唐代是令人羡慕的职位，而对刘知几来说，则是得到了实现成为优秀史家理想的平台。但是，现实却与他的愿望相悖。当时朝廷内部争夺倾轧，政治败坏，史馆也不是一方净土。当权大臣以监修国史的头衔颐指气使，滥竽充数的同事观望推诿，刘知几虽然身任史官，却不能按照自己的见解修撰史书，时常由于与他们的意见不合、自己的主张不能实现而深怀不满。于是他在履行史官职责，完成自己的修史任务的同时，将更多精力放在私撰《史通》上。据《自叙》说：

> 长安中年，会奉诏预修《唐史》。及今上（中宗）即位，又敕撰《则天大圣皇后实录》。凡所著述，常欲行其旧议。而当时同作诸士及监修贵臣，每与其凿枘相违，龃龉难入。故其所载削，皆与俗沉浮。虽自谓依违苟从，然犹大为史官所嫉。嗟乎！虽任当其职，而吾道不行；见用于时，而美志不遂。郁怏孤愤，无以寄怀。必寝而不言，嘿而无述，又恐殁世之后，谁知予者？故退而私撰《史通》，以见其志。

特别是在景龙元年至景龙三年（707—709），复位后的唐中宗驾回西京长安，刘知几请求滞留东都洛阳，在这三年中得以专心致志地写作《史通》。景龙二年初，朝廷征召他到西京修史，他感叹"小人道长，纲纪日坏，仕于其间，忽忽不乐"，给监修国史萧至忠等人写信，痛陈史馆存在五大弊端，想要辞去史职，并把这封信全文写进《忤时》，编为《史通》的末篇。景龙四年，一部伟大的史学理论著作终于横空出世！这位刚刚五十而知天命的作者自负地写道：

> 若《史通》之为书也，盖伤当时载笔之士，其义不纯，思欲辨其指归，殚其体统。夫其书虽以史为主，而余波所及，上穷王道，下掞人伦，总括万殊，包吞千有。自《法言》已降，迄于《文心》而往，固以纳诸胸中，曾不蒂芥者矣。夫其为义也，有与夺焉，有褒贬焉，有鉴诫焉，有讽刺焉。其为贯穿者深矣，其为网罗者密矣。其所商略者远矣，其所发明者多矣。（《自叙》）

《史通》成书后不久，唐中宗被自己的妻女毒死，唐睿宗继位，立李隆基为太子。因"几"（幾）字与"基"字谐音，刘知几连自己名字的使用权也被放弃，改以字行。此后他相继担任过秘书少监、太子左庶子兼崇文馆学士、散骑常侍等官职，仍兼修国史，与友人吴兢等先后修成《唐书》、《则天实录》、《中宗实录》、《睿宗实录》等，又与柳冲等改定《氏族志》。

开元九年（721），刘知几六十一岁。这年他的长子刘贶任太乐令，因犯罪被流放边城。他上诉辩理，竟触唐玄宗之怒，被贬为安州都督府别驾，不久就含恨离世。

综观刘知几的一生，可以说是抑郁不得志，但是他留下的《史通》这部史学巨著却为他树立起一座永远的丰碑。

二

《史通》二十卷，其中《内篇》十卷三十六篇，《外篇》十卷十三篇，共四十九篇，与两《唐书·刘子玄传》记载相吻合。宋本《内篇》末多三篇，有目无文，是否原书篇目，难以断言。

刘知几为何采取这种全书编撰结构？这个问题对于深入认识《史通》一书的性质至关重要。

近人傅振伦先生曾经讨论《史通》与刘勰《文心雕龙》之间的关系，颇多发明。其大意以为，一方面从思想上说，"《史通》一书，即就《文心·史传》篇意推广而成"；另一方面从编撰结构上说，"其书亦全模拟之"。（《刘知几年谱》第21页，中华书局1963年版）关于后一点的论证，他只是比较二书部分篇名近似，既不尽妥当，也不很全面。后来有些学者做过补充论述，仍然未尽准确。其实，从编撰结构上"全模拟之"的，主要是《内篇》。

刘勰《文心雕龙》共五十篇，学界一般按照《序志》篇的说法，分为三部分：《原道》至《辨骚》五篇为"文之枢纽"，是全书的绪论及理论核心；《明诗》至《书记》二十篇为"论文叙笔"，是文体论；《神思》至《程器》二十四篇为"割情析采"，是文学创作论、批评论；加上《序志》篇凑成"大易之数，其为文用四十九篇而已"。拿《内篇》来做简单比较，可以一目了然地看出：前两篇《六家》、《二体》综论上古至唐初各种史书体裁，以引出下面对纪传体史书的具体讨论，也反映了作者对史书的总体看法，与《文心》前五篇地位相当。《载言》至《序例》八篇都是讨论史体的，但不是目录学意义上的纪传体、编年体之类的史体，而是组成纪传体的内部诸体，即本纪、世家、列传、表历、书志，加上虽非一体但也属纪传史组成部分的论赞及序例，还有建议增设的载言，显然相当于《文心》的文体论。《题目》至《辨职》二十五篇讨论了史书编撰过程中经常遇见的各种问题，包括如何起书名篇题（《题目》），如何确定记事范围（《断限》），如何分类编排（《编次》），如何称呼历史人物（《称谓》），如何采编史料（《采撰》），如何记载言词文章（《载文》），如何给史书作注（《补注》），如何避免因袭致误（《因习》），如何记载邑里（《邑里》），如何记载口头俚语（《言语》），如何穿插精妙评论（《浮词》），如何简要叙述史事（《叙事》），如何评判人物等级高下（《品藻》），如何做到直书而没有曲笔（《直书》、《曲笔》），如何看待并学习前人史书（《鉴识》、《探赜》、《模拟》），哪些历史事件和人物可以入史（《书事》、《人物》），如何看待史才（《核才》），如何写序传（《序传》），如何把握史书篇幅（《烦省》），正史以外还有哪些史料（《杂述》），史官的职责如何（《辨职》），等等，对史书编撰方法谈得面面俱到，甚至连各篇的先后顺序都相当讲究，完全可以与《文心》文学创作论、批评论相媲美。最后的《自叙》与《文心·序志》相对应，就不用多说了。所不同的是，纪传史内部诸体寥寥无几，比文体数量少得多，《内篇》无法凑出《文心》那样的五十篇。刘知几另撰《外篇》十三篇，再加书前《叙录》，全书就达到"大易之数"五十篇了，这是否也在有意模仿刘勰呢？

通过以上编撰结构的分析，可以看出，更准确地说，《史通》是一部以讨论纪传体史书的内部体例和编撰方法为中心的史学理论著作。

至此，可以对《史通》之所以出现在唐代并由刘知几来完成，谈点粗浅的认识。前贤讨论这一问题，主要以为唐初以前史书编撰成就巨大（如《隋书·经籍志》著录史书之多），零星、单篇史论极其丰富（如《文心雕龙·史传》），客观上需要有人来做一番总结性的评论工作；而刘知几博览群书，精研史学，又喜谈名理，也具备对史学进行总结的主观条件。这当然都是很有道理的，但还应该进一步指出，唐初正史观念的变化和史馆制度的确立对于《史通》的创作具有更直接的影响。从历史的角度来看，刘知几是把"六家"、"二体"都看作"古今正史"的，但作为唐初史家，他显然已经把纪传体视作唯一的正史,这正是他以纪传体内部体例和编撰方法为中心展开讨论的根本原因。唐初最终确立了史馆制度,国史编撰被垄断,而要集体分工合作完成修史任务,史书体例和编撰方法的讨论益显其重要。尽管刘知几极言史馆之弊及其本人如何与监修、史官们意见不合,但他"三为史臣,再入东观"的经历和与同事们的争论,无疑极大地丰富了他的史学阅历,深化了他的史学见解。同时,史馆制度不允许另起炉灶私撰国史,他也只能聊抒议论,否则他很可能会像前人那样,在自撰史书前写篇史例略作交代而已。他在《叙录》中自述创作动机是"职司其忧"(又见《史官建置》),又说书名是模仿汉人在白虎阁讨论经义而成《白虎通》,"予既在史馆而成此书,故便以《史通》为目",这不已明示其为史馆的职务之作了吗!不过,在当时监修国史的权贵大臣眼中,刘知几这是替领导操心的越位之举,所谓"获罪于时,固其宜矣"。

三

近代以来,旧式纪传体早已退出历史舞台,新式史书体例和史学理论层出不穷,《史通》既然只是一部以讨论纪传体内部体例和编撰方法为中心的史学理论著作,是否就不再适应时代的需要了呢?绝非如此!因为史书编撰形式可以变化,但不同时代、不同民族、不同体裁的史书所遵循的史学原则,所蕴含的理论因子却是可以相通和借鉴的。刘知几这部光辉的史学理论著作比较系统地总结了唐前史学发展的历史,提出了史书编撰的义例,特别是总结和发扬了古代史学的优良传统,提出了许多史学理论和主张。这些史学论述在中国史学史上占有崇高地位,发挥了继往开来的重大作用,至今仍闪耀着理论光芒。

首先,《史通》第一次对中国史学作了比较全面系统的总结。刘知几总结先秦以来史官制度和史书编撰的发展,并加以理论思考，创造性地将"正史"流派高度概括为"六家"、"二体"，又把"偏记、小说"分为十类，对各体各类史书的源流特征、长短得失一一作出评述。这些论述涉及许多重要的理论课题，如他引经入史，把《尚书》、《春秋》、《左传》纳入史书范畴，对于清代章学诚"六经皆史说"产生深远影响。他在总结中善于进行归纳比较，如记言和记事、纪传和编年、通史和断代、官修史书和私撰杂史、古史和近代史书等相互之间的异同关系，分析精到，引人入胜。

其次，《史通》提出了一整套史学批评的原则和理论。刘知几认为，史学批评要打破门户之见，"精于《公羊》者，尤憎《左氏》；习于太史者，偏嫉孟坚。夫能以彼所长而攻此所短，持此之是而攻彼之非，兼善者鲜矣"（《杂说下》）。门户之见不打破就不能克服史学批评的片面性。史学批评切忌穿凿，"妄生穿凿，轻究本源，是乖作者之深旨，误生人之耳目"（《探赜》）。刘知几还提出一些重要的批评理论和标准，如"质文递变"（《六家》）、"适俗随时"（《杂说中》）的史学发展观，"彰善贬恶"（《辨职》）的史学价值观，"文之将史，其流一焉"（《载文》）的文史观，"史无例，则是非莫准"（《序例》）的体例观，"文约而事丰"（《叙事》）、"事简而意深"（《言语》）的记事标准等。这些对于任何时代、任何体裁的史学批评都是适用的，甚至对于一般的学术研究都有一定的指导意义。

第三，《史通》提倡实事求是的史学精神，表彰"直书"，贬斥"曲笔"。刘知几在《直书》、《曲笔》等篇中特别强调这一精神，赞赏史家"宁为兰摧玉折，不作瓦砾长存"、"仗气直书，不避强御"的浩然正气，主张"以实录直书为贵"、"爱而知其丑，憎而知其善，善恶必书，斯为实录"（《惑经》）。对过去史书中那些阿时媚势，诬善讳恶的曲笔，痛加斥责。这一基本精神贯穿全书，"善恶必书"、"不掩恶，不虚美"，不能"饰非文过"、"曲笔诬书"

等说法俯拾即是。特别是"实"字使用了一百七十多次,仅在"求实"意义上使用"实录"一词就不下三十处,以至于有学者将刘知几的史学概括为"实录史学"。"直书"、"实录"固然是中国史学肇始之初就被提倡的,但刘知几大声疾呼、身体力行,在继承诠释、发扬光大这一中国史学优良传统方面作出了极大的贡献。直到今天,仍然是史学工作者所要注意的问题。

第四,《史通》批判了盲目崇拜古代、迷信圣人的观念,具有进化的历史观。《疑古》篇对《尚书》提出了十条怀疑,认为舜继尧、禹继舜等都不是如史书所说的禅让。《惑经》篇列举《春秋》十二处讲不通的地方,五处虚美的地方,指出孟子、司马迁、班固推崇孔子有"虚美"之处。他指责二书对历史的讳饰,对孔夫子不实事求是的写作态度颇不满意。他说:"观夫子修《春秋》也,多为贤者讳。""国家事无大小,苟涉嫌疑,动称耻讳,厚诬来世,奚独多乎?"(《惑经》)《书志》、《汉书五行志错误》等篇对汉代董仲舒、班固等人的庸俗神意史观进行批判。这些都集中体现了刘知几不盲目崇拜古代、不迷信圣人和经典的批判精神和卓越的史学见解。

最后,《史通》全面阐述了著名的"史才三长"理论。《旧唐书·刘子玄传》记载,礼部尚书郑惟忠问刘知几为什么自古以来文士多史家少,刘知几回答说:"史才须有三长,世无其人,故史才少也。三长,谓才也、学也、识也。"这段话对史家须具备的自身条件讲得比较全面。《史通》中虽然没有如此完整的表述,但在其史学评论中处处都贯彻了这样的精神,而且就才、学、识分别进行了极为周详的阐述。刘知几谈论史才,主要是组织史料和文字表达的能力,《载文》、《言语》、《浮词》、《叙事》、《品藻》、《核才》等篇,都在比较集中地讨论这些问题。他谈论史学,是指史家的知识学问以及取得知识学问的能力和途径,也就是掌握和鉴别史料的问题。他主张"学者有博闻旧事,多识其物"(《杂述》),并能"详其是非","练其得失,明其真伪"(《采撰》)。他谈论史识,主要指史家对历史和史书的见解和观点,以及秉笔直书、忠于史实的品质和献身精神。三者当中,他特别强调史识,说:"夫人识有通塞,神有晦明,毁誉以之不同,爱憎由其各异。"(《鉴识》)后来章学诚在"三长"基础上,更明确地提出"史德"的概念,实际上也是从刘氏所论"史识"中分立出来的。直到今天,适应时代需要,努力提高自己的才、学、识,仍然是对史学工作者和其他从事学术研究者的基本要求。

四

《史通》成书后,立即在学界产生巨大影响。开元年间吴兢编撰其家藏书目,特地增设"文史"类目,最能说明这一问题。但也有不少人斥其"工诃古人"。唐末柳璨的《史通析微》、宋代孙何的《驳史通》都是专门为批驳刘知几而作。所以,尽管南宋时《史通》已有刻本,但流传并不很广泛。

明代中叶以后,《史通》才又逐渐受到学者重视。今存最早的《史通》版本,是明嘉靖十四年(1535)的陆深刻本。陆氏所据为不知刻于何时的蜀刻本,又没有别本可供比勘,讹脱较多。他又采自以为精粹者,编为《史通会要》三卷,收入《俨山外集》中,亦颇鲁莽割裂。其后万历五年(1577)张之象据无锡秦柱家藏的宋版校刻,较陆深本精善。又有万历三十年(1602)张鼎思刻本,曾经影印在《四部丛刊》中,此本据家藏抄本作过校补,但第五卷中《补注》、《因习》两篇,仍有大段脱误(后来郭孔延刻《史通评释》,即据张之象本补刻了这两篇的全文)。至于就书中文义加以评释的,明代主要有李维桢、郭孔延的《史通评释》,陈继儒的《史通订注》,王惟俭的《史通训故》三家。清代整理研究《史通》的人更多，比较重要的也有三家：黄叔琳的《史通训故补》、纪昀的《史通削繁》、浦起龙的《史通通释》，都产生在乾隆时期。上述诸家的校订、评释各有其价值，但在各种版本中，张之象刻本无疑是一部较为完善的祖本，中华书局1961年曾影印出版；而浦氏《通释》可谓集此前各本整理研究之大成，1978年、2009年上海古籍出版社印行的王煦华校点本最为通行。此外，清代考据家何焯、卢文弨、顾广圻等人对《史通》进行文字校订，其中以卢校最精，收入《群书拾补》。

上个世纪以来，《史通》整理研究成果丰富。在浦氏《通释》基础上进行订补的，有陈汉章的《补释》、杨明照的《补》、彭仲铎的《增释》，今附录在王煦华校点本之后。单行的考订校释著作有：程千帆《史通笺记》（中华书局1980年），专就有疑义处旁征博引，阐幽抉微；张振珮《史通笺注》（贵州人民出版社1985年）和赵吕甫《史通新校注》（重庆出版社1990年）都是搜集众本，汇聚群说，对全书进行精密的校勘、注释、评论，各擅胜场。研究《史通》内容或刘知几生平思想的有：吕思勉《史通评》（商务印书馆1934年，后收入《吕思勉史学四种》）、傅振伦《刘知几年谱》（商务印书馆1934年）、张舜徽《史通平议》（中华书局1983年版《史学三书平议》内）、许冠三《刘知几的实录史学》（香港中文大学出版社1983年）、林时民《刘知几史通之研究》（台北：文史哲出版社1987年）、张三夕《批判史学的批判——刘知几及其史通研究》（台北：文津出版社1992年）、彭雅玲《史通的历史叙述理论》（台北：文史哲出版社1993年）、许凌云《刘知几评传》（南京大学出版社1994年）、曾凡英《史家龟鉴——史通与中国文化》（河南大学出版社2000年），诸家虽各有侧重，观点有异，但都是深入研究《史通》必须参考的学术著作。

此外，为普及或给一般读者提供方便的有：刘虎如《史通选注》（商务印书馆1927年），侯昌吉、钱安琪《史通选译》（巴蜀书社1990年），姚松、朱恒夫《史通全译》，刘占召《史通评注》（中央编译出版社2010年）。其中《史通全译》吸收前人校释成果较多，《史通评注》汇聚各家评议较全，对学术研究者亦有一定帮助。

最后，对译注情况作几点说明：一、本次译注以浦起龙《史通通释》为底本，但张之象本文字义长，疑属浦氏臆改者，尽量回改，一般不出校记，少数有必要的在注释中略作说明。这方面最典型的一例，如《鉴识》中有大段文字浦本等都错入《曲笔》，张本不误，今据以改正。二、为尽量完整地反映《史通》面貌，每篇都有多少不等的选文，重要的篇目不作删节，原注大多移入注释中。三、每篇原文之后，包括题解、注释、译文三部分。题解力求简明扼要，突出重点，有所深入。注释以帮助读者理解原文为目的，简略注明史籍、史事以及典故出处等，少数字词略注字义读音。译文照顾到原文四六对仗的风格，尽量做到相互呼应，以方便读者弄懂一些没有出注的原文字词之义，并更好地领略古人文章之美。但这样一来，有时会产生同义反复的弊端，请读者见谅。四、译注过程中参考了上述今人校释考订著作，其中尤以参考《史通全译》为多，因系普及性译注，未能一一注明，特此说明。

张固也
2012年6月

目 录

叙录 ... 19

内 篇

六家第一 ... 22
二体第二 ... 38
载言第三 ... 44
本纪第四 ... 46
世家第五 ... 50
列传第六 ... 55
表历第七 ... 58
书志第八 ... 61
论赞第九 ... 69
序例第十 ... 72
题目第十一 ... 76
断限第十二 ... 80
编次第十三 ... 82
称谓第十四 ... 88
采撰第十五 ... 91

载文第十六 — 96
补注第十七 — 103
因习第十八 — 108
邑里第十九 — 114
言语第二十 — 117
浮词第二十一 — 123
叙事第二十二 — 127
品藻第二十三 — 136
直书第二十四 — 140
曲笔第二十五 — 145
鉴识第二十六 — 152
探赜第二十七 — 160
模拟第二十八 — 165
书事第二十九 — 168
人物第三十 — 175
核才第三十一 — 180
序传第三十二 — 184
烦省第三十三 — 188
杂述第三十四 — 192
辨职第三十五 — 199
自叙第三十六 — 203

外 篇

史官建置第一 — 215
古今正史第二 — 227
疑古第三 — 251

惑经第四 —————————————————— 270
申左第五 —————————————————— 289
点烦第六 —————————————————— 294
杂说上第七 ————————————————— 296
杂说中第八 ————————————————— 302
杂说下第九 ————————————————— 310
汉书五行志错误第十 ————————————— 315
五行志杂驳第十一 —————————————— 319
暗惑第十二 ————————————————— 323
忤时第十三 ————————————————— 329

叙 录

长安二年，余以著作佐郎兼修国史①，寻迁左史②，于门下撰起居注。会转中书舍人③，暂停史任，俄兼领其职。今上即位④，除著作郎、太子中允、率更令⑤，其修史皆如故。又属大驾还京⑥，以留后在都⑦。无几，驿征入京，专知史事，仍迁秘书少监⑧。

自惟历事二主⑨，从宦两京，遍居司籍之曹⑩，久处载言之职⑪。昔马融三入东观⑫，汉代称荣；张华再典史官⑬，晋朝称美。嗟予小子，兼而有之。是用职司其忧⑭，不遑启处⑮。尝以载削余暇⑯，商榷史篇⑰，下笔不休，遂盈筐箧⑱。于是区分类聚，编而次之。

昔汉世诸儒，集论经传，定之于白虎阁，因名曰《白虎通》⑲。予既在史馆而成此书，故便以《史通》为目。且汉求司马迁后，封为"史通子"，是知史之称"通"，其来自久。博采众议，爰定兹名⑳。凡为廿卷，列之如左，合若干言㉑。于时岁次庚戌，景龙四年仲春之月也。

[注释]

① 著作佐郎：官名。秘书省下设著作局、太史局。著作郎掌撰写碑志、祝文、祭文等，佐郎为其副贰，官阶为从六品上。著作局不负史任，所以刘知几说是兼修国史。② 迁左史：门下省设有起居郎，掌修起居注，记录皇帝言行。

高宗、武后时，曾两度将起居郎改名为左史。其官阶仍为从六品上，所以句中"迁"指平级调动。③转中书舍人：中书省下设中书舍人，掌起草诏书等，官阶为正五品上。所以句中"转"指按年资正常升转。④今上：指唐中宗李显。长安五年（705）正月复位，复唐国号，改元神龙。⑤太子中允、率更令：官名。都是太子东宫属官，品阶分别为正五品上、从四品上。⑥大驾还京：京，西京长安。中宗复位时在东都洛阳，次年十月驾还西京长安。⑦留后在都：都，东都洛阳。唐代实行两都制，皇帝不在东都时，仍设专门的留守机构，称为留后。浦谓"都"上脱"东"字。按，从此句前后两"京"上俱无"西"字，可见"都"与"京"对言，并无脱字。⑧秘书少监：秘书省负责编校经籍图书、国史实录，长官为秘书监，少监为其副贰。⑨惟：思考。二主：指武后、中宗。⑩司籍之曹：负责管理文书典籍的机构。⑪载言之职：起居郎、中书舍人相当于古代的"左史记言"，此处泛指各种史职。⑫马融三入东观：马融（79—116），字季长，东汉扶风茂陵（今陕西兴平）人。安帝时两为校书郎中，桓帝时复拜议郎，三次在东观校书著述。⑬张华再典史官：张华（232—300），字茂先，西晋范阳方城（今河北固安）人。仕魏为著作佐郎，入晋官至司空，仍领著作，所以说"再典史官"。⑭是用：所以。职司其忧：职责掌管考虑修史问题。浦改"司"作"思"。《诗·唐风·蟋蟀》有"职思其忧"之句。但陆德明《经典释文·序录》说："不在其位，不谋其政，既职司其忧，宁可视成而已。"刘知几应系取义于此。又，《史官建置》篇："秘监职司其忧。"同作"司"字不误。⑮不遑启处：语出《诗·小雅·四牡》："王事靡盬，不遑启处。"原意是说公家的差事没有止息的时候，没有闲暇安居休息。⑯载削：指编撰史书。⑰商榷：探究，讨论。⑱箧（qiè）：小箱，书箱。⑲《白虎通》：东汉章帝时诏令诸儒在白虎观讨论五经同异，命班固撰集其事，成《白虎通义》，古书中常作省称。⑳爰：发语词。㉑合若干言：原注："除所阙篇，凡八万三千三百五十二字，注五千四百九十八字。"

[译文]

武后长安二年（702），我以著作佐郎的身份兼修国史，不久改任左史，在门下省修撰起居注。正好升转中书舍人，暂时停止修史任务，随即又兼任修史职责。当今皇帝即位，我被授予著作郎、太子中允、率更令等官职，原来兼任的修史职务都一直照旧。又适逢皇帝大驾返回西京，我以留守官员的身份滞留东都。过了不久，朝廷派驿马征召我到西京，专门负责修史，并迁转为秘书少监。

我自思先后侍奉二位君主，随从他们在两个京城做官，在各个掌管文书典籍的机构工作，长期担任史官的职务。从前马融三次入东观校书，在汉代称为荣耀；张华再次担任史官，在晋朝当作美事。可叹我这样的小子，却兼有这两种经历。所以在其位谋其政，总在忧虑史书的编撰，不敢片刻休息。我曾经用编撰史书的闲暇，探讨前人史书，下笔不能停止，于是稿子装满了书箱。在这里，我把它们分门别类，依次编排成书。

从前汉代的儒生们，聚集讨论经传异同，在白虎观编定成书，因而命名为《白虎通》。我既然在史馆写成此书，所以就用《史通》作为书名。况且汉代寻求司马迁的后代，封为"史通子"，这说明史家被称为"通"，由来已久。我广泛采纳众人的意见，才确定了这个书名。全书共为二十卷，列在下面，合计若干个字。这是干支次序的庚戌岁，即景龙四年（710）春季第二个月。

内 篇

六家第一

　　自古帝王编述文籍,《外篇》言之备矣。古往今来, 质文递变①, 诸史之作, 不恒厥体②。权而为论③, 其流有六: 一曰《尚书》家, 二曰《春秋》家, 三曰《左传》家, 四曰《国语》家, 五曰《史记》家, 六曰《汉书》家。今略陈其义, 列之于后。

　　《尚书》家者, 其先出于太古。《易》曰: "河出《图》, 洛出《书》, 圣人则之。"④故知《书》之所起远矣。至孔子观书于周室, 得虞、夏、商、周四代之典, 乃删其善者, 定为《尚书》百篇⑤。孔安国曰⑥: "以其上古之书, 谓之《尚书》。"《尚书璇玑钤》曰⑦: "尚者, 上也。上天垂文象, 布节度, 如天行也。"王肃曰⑧: "上所言, 下为史所书, 故曰《尚书》也。"推此三说, 其义不同。盖《书》之所主, 本于号令, 所以宣王道之正义⑨, 发话言于臣下, 故其所载, 皆典、谟、训、诰、誓、命之文⑩。至如《尧》、《舜》二典直序人事，《禹贡》一篇唯言地理，《洪范》总述灾祥，《顾命》都陈丧礼，兹亦为例不纯者也⑪。

又有《周书》者⑫，与《尚书》相类，即孔氏刊约百篇之外，凡为七十一章。上自文、武，下终灵、景。甚有明允笃诚⑬，典雅高义；时亦有浅末恒说，滓秽相参，殆似后之好事者所增益也。至若《职方》之言，与《周官》无异；《时训》之说，比《月令》多同⑭。斯百王之正书，五经之别录者也⑮。

自宗周既殒⑯，《书》体遂废，迄乎汉、魏，无能继者。至晋广陵相鲁国孔衍⑰，以为国史所以表言行，昭法式，至于人理常事，不足备列。乃删汉、魏诸史，取其美词典言，足为龟镜者⑱，定以篇第，纂成一家。由是有《汉尚书》、《后汉尚书》、《汉魏尚书》⑲，凡为二十六卷。至隋秘书监太原王劭⑳，又录开皇、仁寿时事，编而次之，以类相从，各为其目，勒成《隋书》八十卷。寻其义例，皆准《尚书》。

原夫《尚书》之所记也㉑，若君臣相对，词旨可称，则时之言，累篇咸载。如言无足纪，语无可述，若此故事㉒，虽有脱略，而观者不以为非。爰逮中叶㉓，文籍大备，必翦截今文，模拟古法，事非改辙，理涉守株㉔。故舒元所撰汉、魏等"书"㉕，不行于代也。若乃帝王无纪，公卿缺传，则年月失序，爵里难详，斯并昔之所忽，而今之所要。如君懋《隋书》，虽欲祖述商、周，宪章虞、夏㉖，观其所述，乃似《孔子家语》、临川《世说》，可谓画虎不成反类犬也。故其书受嗤当代，良有以焉。

《春秋》家者，其先出于三代。按《汲冢琐语》记太丁时事㉗，目为《夏殷春秋》。孔子曰："疏通知远，《书》之教也。""属辞比事，《春秋》之教也。"知《春秋》始作，与《尚书》

同时。《琐语》又有《晋春秋》，记献公十七年事[28]。《国语》云，晋"羊舌肸习于春秋[29]"，悼公使傅其太子。《左传》昭二年，晋韩宣子来聘[30]，见鲁《春秋》，曰："周礼尽在鲁矣。"斯则春秋之目，事匪一家[31]。至于隐没无闻者，不可胜载。又按《竹书纪年》[32]，其所纪事皆与鲁《春秋》同。《孟子》曰："晋谓之乘，楚谓之梼杌，而鲁谓之春秋，其实一也[33]。"然则乘与纪年、梼杌，其皆春秋之别名者乎。故《墨子》曰："吾见百国春秋[34]。"盖皆指此也。

逮仲尼之修《春秋》也，乃观周礼之旧法，遵鲁史之遗文；据行事，仍人道；就败以明罚，因兴以立功；假日月而定历数[35]，籍朝聘而正礼乐[36]；微婉其说，志晦其文，为不刊之言[37]，著将来之法。故能弥历千载，而其书独行。

又按儒者之说《春秋》也，以事系日，以日系月；言春以包夏，举秋以兼冬，年有四时，故错举以为所记之名也。苟如是，则晏子、虞卿、吕氏、陆贾[38]，其书篇第，本无年月，而亦谓之春秋，盖有异于此者也。

至太史公著《史记》，始以天子为本纪。考其宗旨，如法《春秋》[39]。自是为国史者，皆用斯法。然时移世异，体式不同，其所书之事也，皆言罕褒讳，事无黜陟[40]。故马迁所谓整齐故事耳，安得比于《春秋》哉[41]。

《左传》家者，其先出于左丘明。孔子既著《春秋》，而丘明受经作传。盖传者，转也，转受经旨，以授后人。或曰传者，传也[42]，所以传示来世。案孔安国注《尚书》，亦谓之传。斯则传者，亦训释之义乎。观《左传》之释经也，言见经文而事详传内[43]，或传无而经有，或经阙而传存。其言简而要，其事详而博，信圣人之羽翮[44]，而述者之冠冕也。

逮孔子云没，经传不作。于时文籍，唯有《战国策》及《太史公书》而已㊺。至晋著作郎鲁国乐资㊻，乃追采二史，撰为《春秋后传》。其书始以周贞王，续前传鲁哀公后，至王赧入秦，又以秦文王之继周，终于二世之灭㊼，合成三十卷。

当汉代史书，以迁、固为主，而纪传互出，表志相重，于文为烦，颇难周览。至孝献帝，始命荀悦撮其书为编年体㊽，依《左传》著《汉纪》三十篇。自是每代国史，皆有斯作，起自后汉，至于高齐。如张璠㊾、孙盛㊿、干宝㉛、徐广㉜、裴子野㉝、吴均㉞、何之元㉟、王劭等，其所著书，或谓之春秋，或谓之纪，或谓之略，或谓之典，或谓之志。虽名各异，大抵皆依《左传》以为的准焉。

《国语》家者，其先亦出于左丘明。既为《春秋内传》㊱，又稽其逸文，纂其别说，分周、鲁、齐、晋、郑、楚、吴、越八国事，起自周穆王，终于鲁悼公，别为《春秋外传国语》，合为二十一篇。其文以方《内传》，或重出而小异。然自古名儒贾逵㊲、王肃㊳、虞翻㊴、韦曜之徒㊵，并申以注释，治其章句，此亦六经之流，三传之亚也㊶。

暨纵横互起，力战争雄，秦兼天下，而著《战国策》。其篇有东西二周、秦、齐、燕、楚、三晋、宋、卫、中山，合十二国，分为三十三卷。夫谓之策者，盖录而不序，故即简以为名。或云，汉代刘向以战国游士为之策谋，因谓之《战国策》。

至孔衍，又以《战国策》所书，未为尽善。乃引太史公所记，参其异同，删彼二家，聚为一录，号为《春秋后语》。除二周及宋、卫、中山，其所留者，七国而已。始自秦孝公，终于楚、汉之际，比于《春秋》，亦尽二百三十余年行事。始衍撰《春秋时国语》，复撰《春秋后语》，勒成二书，各为十卷。今行于世者，唯《后语》存焉。按其书序云："虽左氏莫能加。"世人皆尤其不量力㉒，不度德。寻衍之此义，自比于丘明者，当谓《国语》，非《春秋传》也。必方以类聚㉓，岂多嗤乎！

当汉氏失驭，英雄角力。司马彪又录其行事㉔，因为《九州春秋》，州为一篇，合为九卷。寻其体统，亦近代之《国语》也。

自魏都许、洛㉕，三方鼎峙；晋宅江、淮㉖，四海幅裂。其君虽号同王者，而地实诸侯。所在史官，记其国事，为纪传者则规模班、马，创编年者则议拟荀、袁㉗。于是《史》、《汉》之体大行，而《国语》之风替矣。

《史记》家者，其先出于司马迁。自五经间行㉘，百家竞列，事迹错糅㉙，前后乖舛㉚。至迁乃鸠集国史，采访家人㉛，上起黄帝，下穷汉武，纪、传以统君臣，书、表以谱年爵，合百三十卷。因鲁史旧名，目之曰《史记》㉜。自是汉世史官所续，皆以《史记》为名。迄乎东京著书，犹称《汉记》㉝。

至梁武帝，又敕其群臣，上自太初㉞，下终齐室，撰成《通史》六百二十卷。其书自秦以上，皆以《史记》为本，而别采他说，以广异闻；至两汉已还，则全录当时纪传，而上下通达，臭味相依；又吴、蜀二主皆入世家，五胡及拓拔氏列于《夷狄传》㉟。大抵其体皆如《史记》，其所为异者，唯无表而已。其后元魏济阴王晖业㊱，又著《科录》二百七十卷，其断限亦起自上古，而终于宋年。其编次多依放《通史》，而取其行事尤相似者，共为一科，故以《科录》为号。皇家显庆中，符玺郎陇西李延寿抄撮近代诸史，南起自宋，终于陈，北始自魏，卒于隋，合一百八十篇，号曰《南》、《北史》。其君臣流例㊲，纪传群分，皆以类相从，各附于本国。凡此诸作，皆《史记》之流也。

寻《史记》疆宇辽阔，年月遐长，而分以纪传，散以书表。每论家国一政，而胡、越相悬；叙君臣一时，而参、商是隔㉘。此其为体之失者也。兼其所载，多聚旧记，时采杂言，故使览之者事罕异闻，而语饶重出。此撰录之烦者也。况《通史》已降，芜累尤深，遂使学者宁习本书，而怠窥新录。且撰次无几，而残缺逾多，可谓劳而无功，述者所宜深诫也。

《汉书》家者，其先出于班固。马迁撰《史记》，终于"今上"㉙。自太初已下，阙而不录。班彪因之，演成《后记》㉚，以续前编。至子固，乃断自高祖，尽于王莽，为十二纪、十志、八表、七十列传，勒成一史，目为《汉书》。昔虞、夏之典，商、周之诰，孔氏所撰，皆谓之"书"。夫以"书"为名，亦稽古之伟称。寻其创造，皆准子长，但不为"世家"，改"书"曰"志"而已。自东汉以后，作者相仍㉛，皆袭其名号，无所变革，唯《东观》曰"记"，《三国》曰"志"。然称谓虽别，而体制皆同。

历观自古，史之所载也，《尚书》记周事，终秦穆；《春秋》述鲁文，止哀公；《纪年》不逮于魏亡；《史记》唯论于汉始。如《汉书》者，究西都之首末㉜，穷刘氏之废兴，包举一代，撰成一书，言皆精练，事甚该密。故学者寻讨，易为其功。自尔迄今，无改斯道。

于是考兹六家，商榷千载，盖史之流品，亦穷之于此矣。而朴散淳销，时移世异，《尚书》等四家，其体久废，所可祖述者，唯《左氏》及《汉书》二家而已。

[题解]

本篇开宗明义，对历代史书作通盘式论述，可以说是全书的总纲。它将唐代以前历史著作按体裁分成六个流派，即《尚书》家记言，《春秋》家记事，《左传》家编年，《国语》家国别史，《史记》家纪传通史，《汉书》家纪传断代史，并进而探讨其源流演变，品评其优劣得失。这突破了传统的经、史界限和"左史记言，右史记事"的狭隘观念，把《尚书》等经籍纳入史家视野，扩大了史书范围，对后世影响极大。他认为"诸史之作，不恒厥体"，史书体裁应适合时代变化的要求，并在篇末说其他四家"其体久废，所可祖述者，唯《左氏》及《汉书》二家而已"。将这两家释经、续史的著作提升为必须"祖述"的两大史体，这是作者的一大创见，并很自然地导入下一篇《二体》。

[注释]

①质文递变：指时代不同，有时崇尚朴质，有时讲究文采，两种风尚交替变化。质，朴质。文，文采。②厥（jué）：其。③榷：大致，约略。④"河出"三句：引自《易·系辞传》。相传古有龙马在黄河出现，背负图形，伏羲根据它画出八卦；有神龟在洛水出现，背负图书，大禹根据它编成《尚书·洪范》里的"九畴"。刘知几将这一传说附会为《尚书》的起源，并不可信。则，效法。⑤《尚书》百篇：相传《尚书》原有三千二百四十篇，孔子删定为百篇。西汉初仅存二十八篇，为《今文尚书》。唐代以来传世的《古文尚书》五十八篇，已包括今文在内。⑥孔安国：孔子后裔，汉武帝时经学博士，官至临淮太守。曾为孔壁发现的《古文尚书》作传，但今本一般认为出于后人伪托。⑦《尚书璇玑钤》：西汉末经师附会儒家经典，造作纬书。《璇玑钤》为《尚书纬》之一，已佚。⑧王肃（195—265）：字子雍，东海郯（tán，今山东郯城北）人。三国时曹魏经学家，曾遍注群经，排斥郑玄学说，时称王学。其中包括《尚书传》等。⑨王道：儒家称仁治天下为王道，与以力假仁的霸道相对而言。⑩典、谟、训、诰、誓、命：《尚书》包括的各种文体，也是篇名中常用字。⑪为例不纯：《汉书·艺文志》说："左史记言，言为《尚书》。"刘知几据以认为其中《尧典》等篇杂记人事、地理、灾祥、丧礼，与全书体例不符。后人以为《尚书》本无固定体例，刘氏此说不确。⑫《周

书》：即《逸周书》，今存六十一篇。唐宋人多以为是晋代出土的汲冢书，但汉代已常见称引，应系相传旧本。⑬允：诚信。笃：厚实。⑭"至若"四句：《职方》、《时训》是《逸周书》中的两篇，内容分别与《周礼·夏官·职方氏》、《礼记·月令》相似。⑮五经：汉代以后对《易》、《书》、《诗》、《礼》、《春秋》五部经书的合称。⑯宗周：周王室为天下诸侯的宗主，所以周朝又称宗周。殒（yǔn）：衰落，灭亡。⑰孔衍（268—320）：字舒元，孔子后裔。东晋经学家，著有仿续《尚书》、《春秋》之书多种。⑱龟镜：借鉴、参照。龟，古人认为是灵物，灼其腹甲，视其裂纹以预卜吉凶。⑲汉魏：指三国时蜀汉和曹魏。⑳王劭：字君懋，太原人。隋炀帝时官至秘书监，专掌国史修撰。㉑原：推究，考察。㉒故事：旧事。㉓中叶：唐初人所谓"中叶"，多指秦汉魏晋时期，或下延至南北朝。㉔守株：此用《韩非子·五蠹》中宋人守株待兔的故事，比喻墨守成规而不知变通。㉕书：这里特指《尚书》体著作。㉖"虽欲"二句：这里的商、周、虞、夏特指《尚书》中的四代文献。㉗《汲冢琐语》：晋武帝时，在汲郡（今河南卫辉西南）战国魏王墓中发现一批竹书，其中有《琐语》十一篇。太丁：又称文丁，商代第二十八个君王。㉘献公：春秋时晋国国君，公元前676—前651年在位。㉙羊舌肸（xī）：又称杨肸、叔向，晋悼公（前572—前558年在位）时大夫。㉚韩宣子：名起，晋大夫。聘：周代诸侯国君派使者访问别国。㉛匪：同"非"。㉜《竹书纪年》：汲冢书中有《纪年》十三篇，因写在竹简上，又称《竹书纪年》。记载夏、商、周至战国魏安釐王二十年（前257）事，体裁接近《春秋》。宋代亡佚，清代以来有多种辑本。㉝"晋谓"四句：出《孟子·离娄下》。乘（shèng）：晋国史书别名。梼杌（táo wù）：楚国史书别名。㉞吾见百国春秋：此句不见于传本《墨子》，清孙诒让《墨子间诂》据《隋书·李德林传》及《史通》本文补。㉟历数（shù）：原指自然界的岁时节候次序。古人又以为帝王相承和天象运行次序相应，有"天之历数在尔躬"之类说法。这里指帝王继承的次序。㊱籍：通"藉"，凭借。朝聘：古代诸侯定期朝见天子称朝聘。㊲刊：古代在竹简上写字，有错就用书刀削去，叫做"刊"。㊳晏子：名婴，字平仲，春秋时齐国大夫，著《晏子春秋》。虞卿：战国时游士，曾任赵国上卿，不得志，退而著书，号《虞氏春秋》。吕氏：即吕不韦（？—前235），战国末卫人，入秦为丞相，始皇时被放逐而自杀。曾招集门客编著《吕氏春秋》，又称《吕览》。陆贾：楚人，曾协助刘邦平定天下，拜为太中大夫。著有《新语》、《楚汉春秋》等书。㊴如法：遵循、效法。法，别本或作“昔”。㊵黜陟（chù zhì）：原指官员的贬黜和升迁。这里指对历史人物的贬抑和褒扬。㊶“故马”二句：语出《史记·太史公自序》：“余所谓述故事，整齐其世传，非所谓作也。而君比之于《春秋》，谬矣。”这是司马迁的自谦之词。㊷传者，传也：意即传（zhuàn）就是传（chuán），传给后人看。㊸言：字句。《春秋》记事极简，一般没有人物对话，所以“言”字不指言论。㊹羽翮（hé）：鸟羽的茎，引申为翅膀。㊺《太史公书》：《史记》本名。㊻乐资：晋人，生平不详。㊼“其书”五句：周贞王前468年即位，鲁哀公前469年卒，周赧王前256年降秦，秦文王（始皇祖父）前250年即位三日而卒，秦二世胡亥前207年自杀。赧王降后，尚有东周君，前249年为秦所灭，所以乐资以秦文王接续周。㊽荀悦（148—209）：字仲豫，颍川（今河南许昌）人。㊾张璠（fán）：约为魏晋时人，著有《后汉纪》三十卷。㊿孙盛：字安国，东晋中都（今山西平遥）人，著有《晋阳秋》三十卷。(51)干宝：字令升，东晋河西新蔡（今河南新蔡）人，著有《晋纪》二十卷。(52)徐广：字野民，宋东莞（今山东莒县）人，著有《晋纪》四十五卷。“广”旧本作“贾”，浦谓字误，据改。(53)裴子野（467—528）：字几原，南朝河东闻喜（今山西闻喜）人，著有《宋略》二十卷。(54)吴均（469—520）：南朝吴兴故障（今浙江安吉）人，著有《齐春秋》三十卷。(55)何之元：南朝庐江灊（qián，今安徽霍山）人，著有《梁典》三十卷。(56)《春秋内传》：据韦昭《国语序》，《国语》“其文不止于经，故号曰《外传》”；而《左传》又称为《内传》。(57)贾逵（30—101）：字景伯，东汉扶风平陵（今陕西咸阳西北）人，著有《左氏传解诂》三十篇、《国语解诂》二十一篇等。(58)王肃：前已有注。著有《春秋外传章句》二十二卷。(59)虞翻（163—233）：字仲翔，三国吴会稽余姚（今浙江余姚）人，著有《春秋外传国语注》二十二卷。(60)韦曜（204—273）：即韦昭，晋避司马昭讳改。字弘嗣，三国吴吴郡云阳（今江苏丹阳）人。韦昭参考郑众、贾逵、王肃、虞翻、唐固等五家旧注，撰成《国语注》二十二卷，为今存最早的注本。(61)六经：《易》、《书》、《诗》、《礼》、《乐》、《春秋》的合称。三传：《春秋左氏传》、《春秋公羊传》、《春秋穀梁传》的合称。⑫尤：责怪、批评。⑬必：假如。方：道，引申为各种事物。⑭司马彪：字绍统，西晋宗室，著有《续汉书》八十卷、《九州春秋》十卷。⑮魏都许、洛：三国曹魏先后以许昌、洛阳为都，当时人甚至以"许洛"代指魏国。⑯晋宅江、淮：东晋都建康（今江苏南京），江淮流域为其统治中心。⑰议：比拟。荀、袁：指荀悦及其《前汉纪》、袁宏及其《后汉纪》。袁宏（328—376），字彦伯，东晋阳夏（今河南太康）人。⑱间：交替，错杂。⑲错糅（róu）：交错、杂乱。⑳乖舛（chuǎn）：矛盾、错乱。㉑采访家人：搜采、访求平民之家的私门著述。㉒"因鲁"二句：鲁史名《春秋》，"史记"是古代史籍的通称，而非"鲁史旧名"。《史记》汉代称为《太史公书》、《太史公记》，今名后人所改，不是司马迁"目之"。刘知几偶有疏误，下二句同。㉓《汉记》：指《东观汉记》。㉔太初：此太初不是汉武帝年号之太初，而是指远古之初。㉕五胡：指东晋时在北方地区建立政权的匈奴、鲜卑、羯（jié）、氐、羌五个少数民族。拓跋：鲜卑族的拓跋部，建立北魏政权。㉖元魏济阴王晖业：北魏因拓跋氏后改汉姓元，又称为元魏。著书者实为常山王元晖，而不是济阴王元晖业，此误。㉗流例：流别。"例"有类别之义，有人径改为"别"，殊无必要。㉘"每论"四句：胡人在北方，越族在南方，相距很远；参（shēn）星在西方，商星在东方，出没不相见。这里比喻《史记》所叙时空范围大，又分为纪、传、书、表等体，致使同时的人物事件记载得非常分散。㉙今上：《史记》编撰于汉武帝时，所以称他为"今上"。㉚《后记》：指《史记后传》。㉛仍：连续不断。㉜西都：西汉都长安，在东汉都城洛阳的西边，所以后人用西都或西京通称西汉。

[译文]

  自从上古以来，历代帝王编撰记述文献典籍的情况，本书《外篇》中已经谈得很详备了。从古到今，崇尚朴质和讲究文采的风气交替变化，各种史书的创作，体例不是一成不变的。探讨后作出结论，它们的流派共有六种：一是《尚书》家，二是《春秋》家，三是《左传》家，四是《国语》家，五是《史记》家，六是《汉书》家。现在简略地陈述六大流派的义旨，分别罗列在后面。

《尚书》一派，它的源头出自远古。《易经》说："黄河出《图》，洛水出《书》，圣人效法。"所以知道《尚书》的起源相当久远。到孔子在周王室观看图书，得到虞、夏、商、周四代的典籍，于是删取其中最好的篇章，确定为《尚书》一百篇。孔安国说："因为它是上古的书籍，所以称作《尚书》。"《尚书璇玑钤》说："尚，就是上。上天垂示文明物象，布宣节令顺序、变化度数，如同天体的运行一样。"王肃说："君上所说的话，被下面史官记载下来，所以叫做《尚书》。"推究这三种说法，它们的意义各不相同。大概《尚书》的主要目标，是根据帝王的号令，用来宣扬仁治天下的正当道理，向臣子属下发布言论。所以它所记载的，都是典章、谋议、训诫、诰令、誓词、册命等类文字。至于像《尧典》、《舜典》二篇径直叙述人事，《禹贡》一篇仅仅记载地理，《洪范》篇概括叙述灾害祥瑞，《顾命》篇全部陈述丧葬礼仪，这些也是它体例不够精纯的地方。

　　又有一部《逸周书》，和《尚书》相类似，就是孔子编定一百篇时删除下来的文献，总共七十一章。上起自周文王、武王，下终于灵王、景王。颇有些明白可信，厚重真实，文辞典雅，义理高远，经常也有肤浅常谈，糟粕污秽掺杂在内，大概好像后世好事之徒所增添的。至于像《职方》篇的言论，与《周礼》没有什么差异；《时训》篇的说法，与《礼记·月令》篇相比大多相同。这都是历代帝王的正式典籍，五经之外的重要记录。

　　自从周王朝衰落、灭亡以后，《尚书》这种记言体裁就被废弃了。直到汉、魏时期，没有能够继承的人。到了东晋广陵相鲁国人孔衍，认为国史是用来表彰言论行为、明示法规制度的，至于人间常理凡事，不值得详细列举。于是删节有关汉、魏的各种史书，选取其中的优美文辞、典型议论而足以作为后人借鉴的，确定它们的篇章顺序，编纂为自成一家的著作。由此便有《汉尚书》、《后汉尚书》、《汉魏尚书》，总共是二十六卷。到了隋朝秘书监太原人王劭，又记录隋文帝开皇、仁寿时（581—604）的史事，按次序加以编排，依门类相互从属，分别给它们加上篇目，编纂成《隋书》八十卷。探寻它的主旨体例，全都是仿效《尚书》。

推究《尚书》所记载的内容，如果君主臣下之间相互对话，言词意旨值得称道，那么同一时间的言论，连篇累牍全部记载。如果言论没有值得记载的，话语没有可以称述的，像这样的往旧事件，即使有所脱漏省略，而阅读的人却不认为不好。等到秦汉以后，文献典籍大大丰富，还一定要剪裁当今的文辞去模拟古书的编纂方法，这样做事似乎不改旧途，道理上近乎守株待兔。所以孔衍所编撰的记载汉、魏等朝代历史的《尚书》体著作，不能流传于后世。至于帝王没有本纪，公卿缺少传记，就会使纪年月份失去顺序，官爵乡里难以周详。这都是以前所忽视，而当今所要重视的。比如王劭的《隋书》，虽然想要继承《商书》、《周书》，效法《虞书》、《夏书》，但看它的体例，竟然与《孔子家语》、临川王刘义庆所撰《世说新语》相类似，可以说是"画虎没有画成却反而像条狗"了。所以这部书受到当代人的嗤笑，确实是有原因的啊。

《春秋》一派，它的源头出自夏、商、周三代。查考《汲冢琐语》记载太丁时的事情，称为《夏殷春秋》。孔子说："沟通古今，了解往事，是《尚书》的教化。""连缀文辞，排列史事，是《春秋》的教化。"可知《春秋》开始写作，与《尚书》同时。《琐语》中又有《晋春秋》，记载晋献公十七年的史事。《国语》说，晋国"羊舌肸通晓《春秋》"，晋悼公让他教自己的太子。《左传》记载，鲁昭公二年（前540）晋国大夫韩宣子来做国事访问，见到鲁国的《春秋》，说："周礼都保存在鲁国了。"这说明用"春秋"名称的不止一家。至于隐失埋没、没有听说的，不能够全都记载下来。又查考《竹书纪年》，它所记载的事情都与《春秋》相同。《孟子》

说:"晋国的'乘',楚国的'梼杌',鲁国的'春秋',它们的实质是完全一样的。"那么"乘"和"纪年"、"梼杌",大概都是春秋的别名吧!所以《墨子》说:"我看见过一百多个诸侯国的春秋。"大概都是指这类史书吧!

到了孔子编纂《春秋》,就参考周代礼仪的旧法,遵照鲁国史书的遗文;根据人物的行事,依照做人的道理;记述人事的失败来申明处罚,记其兴盛来树立功德;通过日月年的记法来确定帝王继承次序,凭借叙述朝聘活动来正定礼乐制度;评论语言精微委婉,记事文辞隐晦含蓄,发表不可磨灭的言论,彰明垂示将来的法则。所以能够长久地经历千年,而这部书仍然独行于世。

又查考儒家学者解释《春秋》的名称,以为它把事件依附于日期,把日期依附于月份;说春季来包括夏季,举秋天来兼顾冬天,一年有四季,所以交错列举两个季节,作为所记史书的名称。如果像这样,那么晏子、虞卿、吕不韦、陆贾,他们所著书的篇章次第,本来没有年月,却也称作"春秋",大概与此有明显的差异。

到了太史公撰写《史记》,开始把天子的事迹写为本纪。考察本纪的宗旨,是遵循、效法《春秋》的。从此以后撰写国史的,都用这种方法。然而随着时代的变迁和朝代的不同,它们的体裁格式并不相同,所记述的事情,都是言论少见褒许忌讳,事情没有贬抑赞扬。所以正如司马迁所说,只是整理旧事而已,怎么能与《春秋》相比呢!

《左传》一派,它最先出于左丘明。孔子著《春秋》之后,左丘明承受经文并为它作传。传,就是转授,把所接受的经文意旨,用来转授给后人。有人说,传就是传授,是用来传示给后世的。查考孔安国注释《尚书》,也称为传,那么传也就是解释的意思吧。观看《左传》解释经义,记事的字句见于经文,而事件本身详细记载在传里,或者是传里没有的而经文里有,又或是经文没有的而传里有。它的文辞简略而切要，它的记事详尽而广博，确实是圣人的羽翼辅佐，传述经书的巅峰之作。

到孔子逝世后，再没有传经的著作了。当时的历史典籍，只有《战国策》和《太史公书》罢了。到了晋朝著作郎鲁国乐资，就采集这两种史书的资料，编撰成《春秋后传》。他的书从周贞王开始，接续在《左传》鲁哀公之后，到周赧王降秦，又以秦文王接续周代，终止于秦二世的灭亡，合成三十卷。

在汉朝史书中，以司马迁、班固二书为主，但纪和传交互出现，表和志互相重复，文辞繁多，很难全部阅览。到汉献帝时，才命荀悦撮合二书，改为编年体，依照《左传》体例，著成《汉纪》三十篇。从此以后每代国史，都有这种著作，从后汉开始，直到北齐。如张璠、孙盛、干宝、徐广、裴子野、吴均、何之元、王劭等人，他们所著的史书，有的称作春秋，有的称作纪，有的称作略，有的称为典，有的称作志。虽然名称各不相同，大致都是依照《左传》作为标准的。

《国语》一派，它最先也出于左丘明。他作了《春秋内传》（即《左传》）之后，又考察剩下的材料，汇集其他的记载，区分周、鲁、齐、晋、郑、楚、吴、越八国史事，从周穆王开始，到鲁悼公终止，另外编为《春秋外传国语》，总共为二十一篇。它的文辞与《左传》相比，有的部分重复而略有差异。然而自古以来的名儒贾逵、王肃、虞翻、韦昭这些人，都一再加以注释，研究它的章句，这也是六经的支流，仅次于三传的地位。

到战国合纵、连横的谋略竞相兴起，各国尽力征战，争相称雄，秦国兼并天下，从而著有《战国策》。它的篇目有东西二周、秦、齐、燕、楚、三晋、宋、卫、中山，总共十二国语，分别编为三十三卷。之所以称为"策"，大概仅粗略编录而没有编定时序，所以就用简策作为它的名称。有人说，汉代刘向认为战国游说之士为各国出谋划策，所以就称它为《战国策》。

到了孔衍，又认为《战国策》所写的，未能尽善尽美，就引据司马迁的记载，考察它们的异同，删取二书的内容，合编成一书，称为《春秋后语》。它删除了二周和宋、卫、中山等国，所保留下来的，只有七国而已。从秦孝公开始，到楚汉相争之时结束，比照《春秋》，也总括了二百三十多年间的史事。初始孔衍编撰《春秋时国语》，后来又编撰《春秋后语》，纂成两部书，各为十卷。现在流行于世的，只有《后语》还在。查考它的序言说："即使左丘明也不能超过。"社会上的人都责备他不掂量自己的才力，不揣度自己的德行。探寻孔衍这句话的意思，把自己与左丘明相比的，应当是指《国语》，而不是《左传》。假如真是这样把同类的东西聚在一起相比，难道能过多地加以讥笑吗？

在汉代失去控制的时候，英雄起来比拼实力。司马彪又编录他们的事迹，于是撰成《九州春秋》，每州一篇，总共是九篇。探究它的体裁，也是近代的《国语》。

自从曹魏先后建都许昌、洛阳，三国鼎立对峙；东晋安居江、淮一带，天下分裂。那些君主虽然称号如同帝王，然而控制的国土实际上相当于诸侯。所在国家的史官，记录他们的国事，作纪传体的就效仿班固、司马迁，创编年体的就比拟荀悦、袁宏。于是《史记》、《汉书》的纪传体大行于世，而仿效《国语》的风气就衰落了。

《史记》一派，它最先出自司马迁。自从五经相继行世，诸子百家竞相兴起，各种书籍记载事迹交错混杂，前后矛盾错乱。到了司马迁，才汇聚编集历代国史，搜采访求平民之家的私人著述，上起黄帝，下止汉武，用纪传总领君臣，用书表编排年月爵位，合为一百三十卷。沿袭鲁国史书的旧名，称它为《史记》。从此以后汉代史官所续编的史书，都以《史记》作为书名。到了东汉时著书，仍然称为《汉记》。

到了梁武帝,又命令文臣们,上从远古时代开始,下到南朝齐代为止,编成《通史》六百二十卷。此书从秦朝以前,都用《史记》作为依据,同时又另外采录其他说法,用来扩大奇异见闻;到两汉以后,则全部抄录当时的纪传,而使得前后连贯相通,同类相互依附;又把三国吴、蜀二国君主都编入世家,五胡和拓跋氏列在《夷狄传》。大致上它的体例都依照《史记》,所作不同的,只是没有表而已。后来北魏济阴王晖业(当作常山王晖),又编著《科录》二百七十卷,它的断限也是起始于上古,而终止于宋代。它的编排次序大多依照《通史》,但把那些事迹特别相似的,合并为一科,所以用《科录》作为书名。本朝显庆(656—661)年间,符玺郎陇西人李延寿抄撮近代各国史书,南朝起始于宋,终止于陈,北朝起始于魏,结束于隋,总共一百八十篇,称作《南史》、《北史》。各朝君臣的流别类型不同,纪传或群叙或分述,都是把同类的编在一起,各自依附在本国名下。所有这些著作,都是《史记》的支流。

探寻《史记》所记载的疆域广大,时间久远,而又分为纪、传、书、表等体。每当论述同一国家的政事,有如北胡、南越相距遥远;叙述同一时期的君臣,有如参星、商星西东背隔。这是它体例的缺失之处。加上它所记载的,大多是汇聚往旧记载,经常采集杂谈琐语,所以使阅览它的人很少了解史事的不同见闻,而且文辞繁多,重复出现。这是它编撰的烦杂之处。况且从《通史》以下,芜杂烦琐更加严重,于是使得学者宁愿研习原来的各代国史,而懒得去看这些新编的纪传体通史。而且它们编成不久,残缺就已很多,可以说是劳而无功,这是编述史书的人所应该特别警惕的啊。

《汉书》一派,它最先出自班固。司马迁编著《史记》,终止于汉武帝。从太初(前104—前101)以后,空缺而没有记载。班彪沿袭它，敷衍成《后记》，用来接续《史记》。到他儿子班固，就限定从汉高祖开始，直到王莽结束，分为十二篇纪、十篇志、八篇表、七十篇列传，编撰成为一部史书，名为《汉书》。从前虞、夏的典，商、周的诰，以及孔子所编撰的，都称为"书"。用"书"作为名称，也是考察古代事迹时用的大好名称。探寻班固的创作，都是依准司马迁的，只是不编"世家"，把"书"改称为"志"罢了。从东汉以后，作者相继不断，都沿袭它的名称，没有什么大变化，只是《东观》叫"记"，《三国》称"志"。然而名称虽然有所区别，体裁却大都相同。

遍观自古以来，史书所记载的，《尚书》记载周朝的事情，终止于秦穆公；《春秋》叙述鲁国的史文，终止于鲁哀公；《竹书纪年》没有写到魏国的灭亡；《史记》只编述到汉朝的开始。像《汉书》这样，探讨西汉的始末，穷尽刘氏的兴废，统括一代，编成一书。语言都很精练，记事十分完备，因此学者钻研探讨，容易收到效果。从那时起直到今天，没有改变这种体裁。

这里考察了这六家，商讨了上千年，大概史书的流派品种，也就穷尽于此了。然而淳朴的风习消失了，时代变化不同了，《尚书》、《春秋》、《国语》、《史记》等四家，它们的体裁久已废弃，可以效法遵循的，只有《左传》和《汉书》两家而已。

二体第二

三、五之代①，书有典、坟②，悠哉邈矣③，不可得而详。自唐、虞以下迄于周，是为《古文尚书》。然世犹淳质，文从简略，求诸备体，固以阙如。既而丘明传《春秋》，子长著《史记》，载笔之体，于斯备矣。后来继作，相与因循，假有改张④，变其名目，区域有限，孰能逾此。盖荀悦、张璠，丘明之党也；班固、华峤⑤，子长之流也。唯此二家，各相矜尚⑥。必辨其利害，可得而言之。

夫《春秋》者⑦，系日月而为次，列时岁以相续，中国外夷，同年共世，莫不备载其事，形于目前，理尽一言，语无重出。此其所以为长也。至于贤士贞女，高才俊德，事当冲要者⑧，必盱衡而备言⑨；迹在沉冥者⑩，不枉道而详说。如绛县之老⑪，杞梁之妻⑫，或以酬晋卿而获记，或以对齐君而见录。其有贤如柳惠⑬，仁若颜回⑭，终不得彰其名氏，显其言行。故论其细也，则纤芥无遗；语其粗也，则丘山是弃。此其所以为短也。

《史记》者，纪以包举大端，传以委曲细事⑮，表以谱列年爵⑯，志以总括遗漏，逮于天文、地理、国典、朝章，显隐必该⑰，洪纤靡失。此其所以为长也。若乃同为一事，分在数篇，断续相离，前后屡出，于《高纪》则云语在《项传》⑱，于《项传》则云事具《高纪》。又编次同类，不求年月，后生而擢居首帙⑲，先辈而抑归末章，遂使汉之贾谊将楚屈原同列，鲁之曹沫与燕荆轲并编⑳。此其所以为短也。

考兹胜负，互有得失。而晋世干宝著书，乃盛誉丘明而深抑子长，其义云：能以三十卷之约，括囊二百四十年之事㉑，靡有遗也。寻其此说，可谓劲挺之词乎？按春秋时事，入于左氏所书者，盖三分得其一耳。丘明自知其略也，故为《国语》以广之。然《国语》之外，尚多亡逸，安得言其括囊靡遗者哉？向使丘明世为史官，皆仿《左传》也，至于前汉之严君平、郑子真，后汉之郭林宗、黄叔度㉒，晁错、董生之对策，刘向、谷永之上书㉓，斯并德冠人伦，名驰海内，识洞幽显，言穷军国，或以身隐位卑，不预朝政㉔，或以文烦事博，难为次序㉕，皆略而不书，斯则可也。必情有所吝，不加刊削，则汉氏之志传百卷，并列于十二纪中，将恐碎琐多芜，阑单失力者矣㉖。

故班固知其若此，设纪传以区分，使其历然可观，纲纪有别㉗。荀悦厌其迂阔㉘，又依左氏成书，翦截班史，篇才三十，历代保之㉙，有逾本传㉚。然则班、荀二体，角力争先，欲废其一，固亦难矣。后来作者，不出二途。故晋史有王、虞㉛，而副以干《纪》；《宋书》有徐、沈㉜，而分为裴《略》。各有其美，并行于世。异夫令升之言，唯守一家而已。

[题解]

本篇接着论述编年体和纪传体的优缺点。刘知几以《左传》为编年体的代表作，《汉书》为断代纪传体的代表作，但这两种体裁分别从《春秋》《史记》发展而来，所以本篇仍以《春秋》《史记》为例来作阐述。前半篇针对两种体裁的利弊得失，分别作出中肯的评价。后半篇着重批评晋代干宝"盛誉丘明而深抑子长"，"唯守一家而已"，并认为班固是深刻认识到编年体的缺陷后才采用纪传体的。其潜台词似乎是：虽然两种体裁"互有得失"，"欲废其一，固亦难矣"，但纪传体比编年体还是略胜一等。所以紧接着的八篇对纪传体的各个组成部分一一进行了专门的讨论。

[注释]

①三、五之代：传说中的三皇五帝时代。通常以伏羲、神农、黄帝为三皇，少昊、颛顼、高辛氏、唐尧、虞舜为五帝。②典、坟：传说中三皇五帝之书称《三坟》《五典》。③悠、邈：都是久远的意思。④改张：即改弦更张。改换琴弦，重新张开。比喻变革体制或方法。⑤华峤（？—293）：字叔骏，西晋高唐（今山东禹城西南）人，著有《汉后书》九十七卷。⑥矜尚：夸耀。⑦《春秋》：编年体导源于《春秋》，所以刘知几举《春秋》以包《左传》。

⑧事当冲要：事关国家大政。⑨盱（xū）衡：举眉扬目。引申为观察、考察。盱，张目。衡，眉上。⑩沉冥：埋没、隐退。⑪绛县之老：春秋时晋国绛县的一个老人。《左传》襄公三十年记载了他与晋卿赵武的一番对话。⑫杞梁之妻：杞梁名殖，春秋时齐国大夫。《左传》襄公二十三年记载了他的妻子与齐侯的一番对话。⑬柳惠：即展禽，春秋时鲁国大夫。封邑在柳下，死后谥号"惠"，所以又称柳下惠。柳下惠名见《左传》，刘知几记忆有误。⑭颜回：字子渊，又称颜渊，春秋时鲁国人，孔子最得意的门徒。事迹不见于《春秋》和《左传》。⑮委曲：用作动词，指仔细记叙事情的原委。⑯谱列：用表格形式排列记载。⑰该：通"赅"，完备。⑱《高纪》：指《史记·高祖本纪》。《项传》：指《史记·项羽本纪》。⑲擢（zhuó）：提升。首帙（zhì）：前面的卷帙。⑳"遂使"二句：《史记》把战国时楚人屈原（约前340—前278）与汉人贾谊（前200—前169）合编为《屈原贾生列传》，又把春秋鲁国武士曹沫和战国燕太子的刺客荆轲（？—前227）都编入《刺客列传》。㉑括囊：包罗。㉒"至于"二句：严君平，名遵，隐居成都，卖卜为生，著有《老子指归》。郑子真，名朴，大将军王凤以礼相聘，被他拒绝。郭林宗（128—169），名泰，介休（今属山西）人，东汉末太学生首领。黄叔度，名宪，东汉慎阳（今河南正阳）人，以德行著名。四人虽为隐士，两《汉书》中各有传记。㉓谷永：字子云，长安人，汉成帝时任太常丞。㉔"或以"二句：指严君平、郑子真、郭林宗、黄叔度四人。㉕"或以"二句：指晁错、董仲舒、刘向、谷永四人。㉖阗单：力尽疲乏的样子。㉗纲纪：法度。此指纪、表、志、传的不同写法。㉘迂阔：迂腐而不切合实际。此指《汉书》篇幅太大，不便于阅读。㉙保：通"宝"，珍爱。浦改作"褒"，非。㉚本传：犹言"本书"，指《汉书》。浦疑为"纪传"，非。㉛王、虞：王隐，字处叔，西晋陈郡（今河南淮阳）人，著有《晋书》八十七卷。虞预，字叔宁，西晋余姚（今属浙江）人，著有《晋书》五十八卷。㉜徐、沈：徐爰，字长玉，南朝宋南琅邪（今江苏句容北）人，著有《宋书》六十五卷。沈约（441—513），字休文，南朝梁吴兴（今浙江湖州）人，著有《宋书》一百卷，今存。

[译文]

　　三皇五帝时代，书籍有《三坟》和《五典》，时间太久远了，不能知道它们的详细情况。从尧、舜以下，一直到周朝的书籍，就是《古文尚书》。但是当时世风淳厚质朴，文字记载简略，要求拥有完备体例的史书，当然还没有出现。后来左丘明为《春秋》作传，司马迁编著《史记》，历史记载的体例，到这时候就完备了。后来继之而起的著作，相互因循，即使有所变革，改换名称，变化范围都有限度，谁能超过他们！大概荀悦、张璠是左丘明一派的，而班固、华峤是司马迁一派的。只有这两家，各自夸耀推崇。如果一定要分辨他们的利弊，可以论述一番。

《春秋》(《左传》) 一派，连缀日期、月份作为次序，排列季节、年份相互接续，无论是中原国家还是边远异族，只要是同一年代，无不详细记述它们的事情，同时展现在眼前。用一句话一次就能讲清的事理，没有在其他地方重复出现的话语。这是它的长处。但是同样是贤良之士、贞德之女，具有出众才华、美好品德，事迹关系到国家大政的，必定不厌其烦地详细记录；事迹埋没、隐退民间的，就不肯顺便一提，更谈不上详细叙说。像绛县老人、杞梁妻子，或者因为跟晋卿对话而得到记载，或者因为与齐君对话而偶被编录。此外有贤良之士像柳下惠、仁德之人如颜回，却始终不彰明他们的名字，显扬他们的言行。所以论到它记载的细致，轻微得像芥末的小事物都没有遗漏；说它记载的粗疏，重要得像山丘的大事情却放弃不记。这是它的短处。

《史记》一派，本纪用来全面记载重大的事件，列传用来详叙细微的事情，表用来排列年代和官爵，志用来综合网罗纪、传、表的遗漏，以至于天文、地理、国家的典章制度、朝廷的礼仪规章，显赫的、隐晦的全都详尽完备，大事件、小事情没有遗漏缺失。这是它的长处。至于说到同一件事情，分散在多篇之中，断续而不连贯，前后屡次出现，《高祖本纪》里涉及项羽的事，就说记载在《项羽本纪》中；在《项羽本纪》里涉及高祖的事，就说记载在

《高祖本纪》中。又把同一类人物编排在一起，不管年代先后，晚辈提升在前面的卷帙，前辈反而降到后面的篇章，于是使得汉代的贾谊和楚国的屈原合编成一篇列传，鲁国的曹沫和燕国的荆轲被编入一篇列传。这是它的短处。

　　考察这两种体例的长短，它们各自都有得有失。但东晋干宝编著史书，却大加赞誉左丘明而严重贬低司马迁。大意是说：《左传》能以三十卷的简约篇幅，概括二百四十年的历史，没有遗漏。探寻他的这种说法，可以说是强劲有力、令人信服的言论吗？查考春秋时期的史事，编入左氏之书的，大概只有三分之一。左丘明自己知道它的简略，所以编撰《国语》来增广它。但在《国语》之外，仍有很多遗漏。怎么能说它囊括了所有的事情而没有遗漏呢？假使左丘明世世代代做史官，编撰史书都仿照《左传》，那么像前汉的严君平、郑子真，后汉的郭林宗、黄叔度，晁错、董仲舒在朝廷的对策，刘向、谷永给皇帝的上书，这些人都是品德超群，驰名海内，才识可以洞察明暗事理，言论能够穷究军国大计，或者因为身隐民间，职位卑微，不能参与朝政，或者因为文辞繁多，事情博杂，难以理出头绪，全都省略不记，这也未尝不可。假如感情上有所吝啬，不愿加以删削，那么把《汉书》志、传一百卷，全都编入十二篇本纪中，恐怕必将琐碎芜杂，耗尽笔力也无法写好。

　　所以班固知道它的结果会这样，就设立纪传等加以区分，使它们清晰可观，各自写法有别。荀悦厌恶它的冗长烦琐，又依据《左传》的体例，剪裁班固之书，仅有三十篇，历代珍爱它，超过《汉书》本身。那么，班固、荀悦的两种体裁，竞赛争先，想要废除其中一种，固然也很困难。后来的作者，都没有超出编年、纪传这两种途径。所以晋代纪传史有王隐、虞预的两部《晋书》，而用干宝的编年体《晋纪》来辅助；南朝宋代纪传史有徐爰、沈约的两部《宋书》，而又分出裴子野的编年体《宋略》。各有它们的优点，同时流行于世。奇怪啊！干宝的言论，只是坚持编年一家的观点罢了。

载言第三

古者言为《尚书》，事为《春秋》，左右二史，分尸其职①。盖桓、文作霸②，纠合同盟，春秋之时，事之大者也，而《尚书》阙纪；秦师败绩，缪公诫誓③，《尚书》之中，言之大者也，而《春秋》靡录。此则言、事有别，断可知矣。

逮左氏为书，不遵古法，言之与事，同在传中。然而言事相兼，烦省合理，故使读者寻绎不倦④，览讽忘疲。

至于《史》、《汉》则不然，凡所包举，务存恢博，文辞入之，繁富为多。是以《贾谊》、《晁错》、《董仲舒》、《东方朔》等传，唯止录言，罕逢载事。夫方述一事，得其纲纪，而隔以大篇，分其次序。遂令披阅之者，有所懵然。后史相承，不改其辙，交错纷扰，古今是同。

按迁、固列君臣于纪传，统遗逸于表志，虽篇名甚广，而言独无录。愚谓凡为史者，宜于表志之外，更立一书。若人主之制、册、诰、令，群臣之章、表、移、檄，收之纪传，悉入书部，题为"制册"、"章表"，以类区别。他皆放此⑤。亦犹志之有"礼乐志"、"刑法志"者也。……

[题解]

从本篇开始至《序例》篇，论述纪传体各个组成部分的写法，这是全书结构中的核心部分。上古记言、记事分开，《左传》在原有的编年记事格局下，进行了初步的综合。纪传体创造了一个由纪、世家、传、表、志构成的庞大编撰框架，力图容纳所有的言论、事件，但又带来一个新的问题：许多长篇大论夹杂在叙事文字中间，隔断了事件顺序，又有点喧宾夺主。刘知几提出，应再增设一个"书部"，分类编录各种文辞，这是一个全新的主张。后世史书并没有采纳他的这一建议，原因是唐宋以后各类文辞日益繁多，史书实难容纳。但中唐以后人的文集，往往将制册、章表等单独编集成书，或许受到刘氏此说的影响；清人辑佚，则将刘氏"收之纪传"汇编文辞的主张付诸实践，确实收到了合则两伤、离则双美的效果。

[注释]

①尸：主持。②桓、文作霸：指齐桓公（前685—前643年在位）、晋文公（前636—前628年在位）相继为春秋霸主。③"秦师"二句：秦缪公于公元前627年派兵攻打郑国，被晋军大败于崤，缪公作《秦誓》以自诫。④寻绎：推寻、研究事理。⑤放：通"仿"。

[译文]

古代记言为《尚书》，记事为《春秋》，由左、右二史分别主持其职责。大概齐桓公、晋文公作霸主，纠合诸侯，订立同盟，这在春秋时代，是重大的事件，但《尚书》缺少记载；秦国军队打了大败仗，缪公自作诫誓，这在《尚书》之中，是重要的言辞，但《春秋》没有编录。这就是记言、记事有所区别，由此断然可知了。

到了左丘明著书，不遵循古法，言论和事件，一同记载在《左传》中。然而言论和事件相互兼顾，详略合理，所以使读者探寻考索毫不厌倦，阅览诵读忘记疲劳。

到了《史记》、《汉书》就不是这样了。凡是它们所全面记载的，务必追求恢弘广博，文章言辞编录进去，以繁富为美。所以《贾谊传》、《晁错传》、《董仲舒传》、《东方朔传》等，只是记录他们的文章言辞，很少记载其事迹。正在叙述一件事情，得到些条理，却有长篇大段的文章从中隔断，事情的顺序也就被分开。于是使得阅读的人有些莫名其妙。后来的史书相互承袭，对这种做法不作改变，言论和事情交错在一起，纷纭杂乱，古今都是如此。

查考司马迁、班固把君、臣事迹记载在纪、传中，纪传遗漏未记的统统收罗在表、志里，虽然纪传表志的篇帙名目十分广泛，但言论独独没有专门收录的篇帙。我认为凡是为编著史书的，应该在表、志以外，再设立一个"书部"。如君主的制、册、诰、令，臣子们的章、表、移、檄，从纪、传中收集起来，都编到书部，以"制册"、"章表"等作为标题，按不同种类相互区别。其他文辞都依照这一做法，也就像"志"中有"礼乐志"、"刑法志"那样。……

本纪第四

昔汲冢竹书是曰《纪年》，《吕氏春秋》肇立纪号。盖纪者，纲纪庶品，网罗万物。考篇目之大者，其莫过于此乎？及司马迁之著《史记》也，又列天子行事，以本纪名篇。后世因之，守而勿失。譬夫行夏时之正朔①，服孔门之教义者，虽地迁陵谷，时变质文，而此道常行，终莫之能易也。

然迁之以天子为本纪，诸侯为世家，斯诚谠矣②。但区域既定，而疆理不分，遂令后之学者罕详其义。按姬自后稷至于西伯③，嬴自伯翳至于庄襄④，爵乃诸侯，而名隶本纪。若以西伯、庄襄以上，别作周、秦世家，持殷纣以对武王，拔秦始以承周赧，使帝王传授，昭然有别，岂不善乎？必以西伯以前，其事简约，别加一目，不足成篇，则伯翳之至庄襄，其书先成一卷，而不共世家等列,辄与本纪同编,此尤可怪也。项羽僭盗而死,未得成君,求之于古,则齐无知、卫州吁之类也⑤,安得讳其名字⑥,呼之曰王者乎?春秋吴、楚僭拟,书如列国⑦。假使羽窃帝名,正可抑同群盗,况其名曰西楚,号止霸王者乎?霸王者,即当时诸侯,诸侯而称本纪,求名责实,再三乖谬。

盖纪之为体,犹《春秋》之经;系日月以成岁时,书君上以显国统⑧。曹武虽曰人臣,实同王者,以未登帝位,国不建元⑨,陈《志》权假汉年⑩,编作魏纪;亦犹两《汉书》首列秦、莽之正朔也。后来作者,宜准于斯。而陆机《晋书》,列纪三祖⑪,直序其事,竟不编年。年既不编,何纪之有?夫位终北面,一概人臣,傥追加大号,止入传限。是以弘嗣吴史,不纪孙和⑫。缅求故实,非无往例。逮伯起之次《魏书》⑬,乃编景穆于本纪⑭,以庆园虚谥⑮,间厕武、昭,欲使百世之中,若为鱼贯。

又纪者,既以编年为主,唯叙天子一人。有大事可书者,则见之于年月;其书事委曲,付之列传。此其义也。如近代述者魏著作、李安平之徒⑯,其撰《魏》、《齐》二史,于诸帝篇,或杂载臣下,或兼言他事,巨细毕书,洪纤备录。全为传体,有异纪文,迷而不悟,无乃太甚。世之读者,幸为详焉。

[题解]

本篇论述纪传体内本纪部分的源流得失。刘知几肯定司马迁"以天子为本纪"的正确性,却严厉批评其列项羽为本纪的做法。这是拘泥于断代史的眼光而得出的偏颇认识,未能领会这与他所赞扬的陈寿"权假汉年,编作魏纪"一样,也是在用项羽来作为楚汉之际的纪年。本篇认为本纪的纲领有二:一为编年月顺序,一为记天子行事,即所谓"系日月以成岁时,书君上以显国统","以编年为主，唯叙天子一人"；又提出两点具体主张："傥追加大号，止入传限"，"大事可书者，则见之于年月；其书事委曲，付之列传"，这些论述对于后世纪传体史书的编纂颇具指导意义。

[注释]

①夏时：夏代历法。正（zhēng）朔：一年的第一天。正即正月，朔是月的第一天。行正朔，意味着确立王朝的正统地位。夏历以孟春之月（相当于今农历正月）为正，商历以季冬之月（农历十二月）为正，周历以仲冬之月（农历十一月）为正。从汉武帝以后，历代一直奉行夏历。②谠（dǎng）：正确的，正直的。③"按姬"句：姬为周朝王族的姓。后稷，姬姓始祖，因教民农耕有功，舜封之于邰，赐姓姬。西伯，姬昌在商末成为西方霸主，号称西伯，武王灭商后，称之为文王。④"嬴自"句：嬴为秦族之姓。伯翳，嬴姓始祖，因佐禹治水有功，舜赐姓嬴。庄襄，秦始皇之父，在位时灭东周君。⑤无知：春秋时齐国公子，公元前686年襄公遇弑，被拥立为君，次年春被杀。州吁：春秋时卫国公子，公元前719年杀桓公，自立为君，不久被国人杀死。⑥讳：古人不能直呼君主、长辈的名字，行文时也要避开，称作"避讳"。⑦书如列国：此指《春秋》称吴、楚国君为"子"，属周代诸侯五等爵中的第四等。⑧国统：皇位世代相继的系统。⑨建元：开国后第一次建立年号。泛指建立新政权。⑩陈《志》：指陈寿《三国志》。权假：权且借用。⑪陆机《晋书》，列纪三祖：陆机（261—303），字士衡，西晋吴郡（今江苏吴县）人。陆机著《晋书》，不见于史传记载。《初学记》卷二一曾引其《晋书限断议》。唐宋书目著录陆机《晋纪》四卷，入编年类。本书《古今正史》篇亦仅说："陆机始撰《三祖纪》。"盖唐世所存，仅此而已。三祖，司马炎称帝后，追尊祖父司马懿为宣皇帝，庙号高祖；伯父司马师为景皇帝，庙号世宗；父司马昭为文皇帝，庙号太祖。⑫孙和：三国吴大帝孙权的长子，因事被废为长沙王。其子孙皓即位后，追尊为文皇帝。⑬伯起：魏收（505—572）的字，北齐巨鹿下曲阳（今河北平乡）人。著《魏书》，被人称为"秽史"，但至今不废。⑭景穆：北魏拓跋晃以皇太子卒，其子拓跋濬即位后，追尊为恭宗景穆皇帝。⑮戾园：汉武帝太子刘据，因巫蛊事被害。其孙即位为宣帝，追谥他为"戾"，并置园邑为"戾园"。《汉书》并未为他立本纪，其事迹夹插在

武、昭二帝之间。⑯魏著作：魏澹，字彦渊（唐避高祖讳改作深）。入隋，任著作郎，文帝命其改撰《魏书》。李安平：李百药（565—648），字重规，定州安平（今河北饶阳西）人。唐太宗时拜中书舍人，封安平县男，著有《齐书》。

[译文]

　　从前《汲冢竹书》叫做《纪年》，《吕氏春秋》开始设立"纪"的名称。所谓"纪"，就是统领众类，网罗万物。查考书中篇名意义最大的，大概不会有超过"纪"的了吧？到司马迁编著《史记》，又排列天子的事迹，以"本纪"来作篇名。后世史书因袭这一做法，遵照实行而不放弃。譬如奉行夏代历法的正朔，服从孔子儒学的教义一样，即使土地变迁，山陵成为峡谷，时代变化，质朴转为文采，但这个原则却一直遵行，始终不能改变。

　　然而，司马迁把天子写成本纪，诸侯列入世家，这当然是正确的。但他虽划定了门类，而界限却不分明，于是使得后代学者很少能详知它们的含义。查考姬姓从后稷直到西伯，嬴姓从伯翳直到庄襄王，爵位只是诸侯，而《史记》却将他们的名字都写进了本纪。如果把西伯、庄襄王以前的世代，分出来另外作《周世家》、《秦世家》，拿商纣王去对着周武王，取秦始皇来承接周赧王，使得帝王的传承，明明白白地先后有别，难道不好吗？如果以为西伯以前的事迹简略，另外添加一个篇名，却不够凑成一篇的内容，那么伯翳直到庄襄王，书中已先写成一卷，却不与世家平等排列，而是与本纪一同编排，这是特别可以奇怪的。项羽僭越本分、起兵为盗而死去，未能成为君王，从古代人物中寻找，那就是齐国无知、卫国州吁一类的人物，怎么能避讳他们的名字，称之为"王"呢？春秋时吴、楚国君曾经冒用"王"的名号，经书中像诸侯国君一样记载他们。即使项羽已经窃取皇帝的名号，正好可以在史书中把他降到同群盗一样的地位，更何况他的国名称为"西楚"，称号只是"霸王"呢？霸王，也就是当时的诸侯。写诸侯却称之为本纪，根据名称来考求事实，实在是错之又错。

　　本纪作为一种体裁，就像《春秋》的经文；联属日月来编成一年四季，书写君王来显示国家正统。曹操虽说是别人的臣下，实际却同君王一样，因为没有正式登上帝位，有封国而没有建立年号，陈寿《三国志》暂借汉帝年号，编著魏的本纪；也就像两《汉书》开头列秦二世、王莽的正朔一样。后来编著史书的人，应该准照这种做法。但陆机的《晋书》，列司马懿、司马师、司马昭三祖为本纪，直接叙述他们的事迹，竟然不编排年份。既然年份都不编排了，哪里还有什么本纪可言呢？凡是地位最终还是面北称臣的，一概都是别人的臣下，倘若死后追加帝王尊号，也只能收入列传的范围内。所以韦昭的吴国史书，不列孙和为本纪。追溯过去的史实，不是没有先例的。到魏收编著《魏书》，才把追尊的景穆皇帝编入本纪，就像把戾园太子这样的空虚谥号，夹杂放置在汉武帝和汉昭帝中间，想让百代之中，帝王世系像鱼群一样连贯。

　　另外，本纪既然以编年为主，只应叙述天子一个人的事迹。有大事可书写的，就记载在相应的年月之下；其书写事件的详细情况，则交给列传去完成。这是本纪传体的原则。比如近代编述史书的魏澹、李百药等人，他们编撰的北魏、北齐二代史，在各帝王本纪中，或者夹杂记载臣下事迹，或者兼带叙述其他事情，事无巨细，全都书写，不分大小，详备记录。这完全是传记的体裁，与本纪文体有差异，迷惑而不能觉悟，岂不太过分了？世上的读者，希望替我审察这个问题。

世家第五

　　自有王者，便置诸侯，列以五等[①]，疏为万国[②]。当周之东迁③，王室大坏，于是礼乐征伐自诸侯出。迄乎秦世，分为七雄④。司马迁之记诸国也，其编次之体，与本纪不殊⑤。盖欲抑彼诸侯，异乎天子，故假以他称，名为世家。

按世家之为义也，岂不以开国承家，世代相续？至如陈胜起自群盗，称王六月而死，子孙不嗣，社稷靡闻⑥，无世可传，无家可宅，而以世家为称，岂当然乎？夫史之篇目，皆迁所创，岂以自我作故⑦，而名实无准。

且诸侯、大夫，家国本别。三晋之与田氏⑧，自未为君而前，齿列陪臣⑨，屈身藩后⑩。而前后一统，俱归世家，使君臣相杂，升降失序。何以责季孙之八佾舞庭⑪，管氏之三归反坫⑫？又列号东帝⑬，抗衡西秦，地方千里，高视六国，而没其本号，唯以田完制名⑭。求之人情，孰谓其可⑮？

当汉氏之有天下也，其诸侯与古不同。夫古者诸侯，皆即位建元，专制一国，绵绵瓜瓞⑯，卜世长久⑰。至于汉代则不然。其宗子称王者⑱，皆受制京邑，自同州郡；异姓封侯者，必从宦天朝，不临方城。或传国唯止一身，或袭爵才经数世。虽名址胙土⑲，而礼异人君。必编世家，实同列传。而马迁强加别录，以类相从，虽得画一之宜，讵识随时之义⑳？

盖班《汉》知其若是，厘革前非。至如萧、曹茅土之封㉑，荆、楚葭莩之属㉒，并一概称传，无复世家。事势当然，非矫枉也。

自兹已降，年将四百。及魏有中夏，而扬、益不宾㉓，终亦受屈中朝，见称伪主。为史者必题之以纪，则上通帝王；榜之以传，则下同臣妾。梁主敕撰《通史》，定为吴、蜀世家。持彼僭君，比诸列国，去太去甚㉔，其得折中之规乎。次有子显《齐书》，北编魏虏㉕；牛弘《周史》，南记萧詧㉖。考其传体，宜曰世家。但近古著书，通无此称。用使马迁之目，湮没不行；班固之名，相传靡易者矣。

[题解]

本篇探讨世家的编撰原则，并评论《史记》世家中存在的问题。其中认为三晋、田氏的先世和陈胜都不应列入世家，反映出刘知几的拘泥和保守。因为在世家中追述诸侯的先世源流，实在无可厚非。且司马迁设立世家，并非仅仅记载所谓"开国承家，世代相续"的诸侯，还兼记一些不同凡响的特殊人物（如孔子）。汉人认可陈胜反秦的历史功绩，列入世家十分适宜，这一点是身处唐代的刘知几难以理解的。本篇指出汉代王侯"与古不同"，"必编世家，实同列传"，班固废弃世家而并入列传，实属"事势当然"，则是深得"随时之义"的卓越见识，而对《通史》等书相关做法的评论也相当平实公允。

[注释]

①五等：周代分封制度下的五等爵位：公、侯、伯、子、男。②疏：分，分封。③周之东迁：公元前771年周平王迁都洛邑（今河南洛阳），周朝以此为界，前为西周，后为东周。④七雄：战国时势力较强的七个国家：魏、赵、齐、韩、秦、楚、燕。⑤与本纪不殊：世家体例也是编年记事，与本纪相似。⑥社稷：古人以社为土神，稷为谷神，合称社稷，为国家之标志。⑦自我作故：由自己开创成例，指发明新的事物。⑧三晋：春秋末晋国卿大夫韩、赵、魏三氏瓜分晋国，自为诸侯，合称三晋。田氏：战国初齐国卿大夫田和取代姜氏成为齐国国君。⑨齿：排列。陪臣：亦即家臣，诸侯所封的卿大夫。⑩藩：诸侯的封国。⑪"何以"句：春秋末鲁国大夫在家里僭用天子才能使用的八佾（yì）舞队（行、列皆为八人），孔子责备说"是可忍也，孰不可忍"。⑫"管氏"句：春秋时齐国大夫管仲家有三归、反坫（diàn，土筑的平台），后来孔子批评他"不俭"、"不知礼"。三归一般解释为娶三姓女，反坫则为周代诸侯宴会礼节中使用的器物。⑬东帝：公元前288年秦昭王自称西帝，齐湣

王亦称东帝,不久自去帝号,仍称王。⑭田完:原为春秋陈国公子,避祸奔齐,死后谥为敬仲。其后代世事齐,至田和,取代姜氏成为齐君。《史记》记述田氏历史,以《田敬仲完世家》名篇。⑮可:适宜。⑯绵绵瓜瓞(dié):语出《诗·大雅·绵》,瓜蔓上的大瓜小瓜绵绵不断,形容子孙繁衍不绝。⑰卜世:通过占卜预测传国的世数。⑱宗子:同祖的子孙后裔。⑲名班胙(zuò)土:名义上列于诸侯。班,排列。胙,赏赐、分封。⑳讵(jù):岂,哪里。㉑萧、曹:指萧何(?—前193)、曹参(?—前190)。二人辅佐刘邦平定天下,汉初都被封侯,并先后为丞相。《史记》分别为立《萧相国世家》、《曹相国世家》,而《汉书》都改为列传。茅土之封:指封为诸侯。古代分封之礼,取四方泥土,包以白茅草,以祭祀土神。㉒荆、楚:指刘贾、刘交。二人是刘邦的兄弟,汉初分别被封为荆王、楚王。《史记》分别为立《荆燕世家》、《楚元王世家》,而《汉书》都改为列传。葭莩(jiā fú):初生芦苇秆中的薄膜,古代常用来比喻微薄、疏远的亲属。㉓"及魏"二句:魏指三国曹魏政权。中夏,中原。扬、益分别指三国孙吴、蜀汉政权。不宾,不归顺。㉔去太去甚:放弃过分的做法。语出《老子》:"圣人去甚去奢去泰。"泰,同"太"。㉕"次有"二句:萧子显,字景阳,南齐皇族,入梁官至吏部尚书。著有《齐书》六十卷,将北魏事编为《魏虏传》。㉖"牛弘"二句:牛弘,字里仁,隋安定(今甘肃泾川北)人,著《周史》十八卷,未成。萧詧(chá),字理孙,梁武帝之孙。投靠北魏,受封为梁王。梁元帝死后,萧詧在江陵称帝,几与陈朝相终始,史称后梁。唐令狐德棻《周书》立萧詧传,或许沿袭牛弘的做法。

[译文]

　　自从有了王,就设置诸侯,列为五等爵位,分成很多国家。当周朝向东迁都的时候,周王宗室极为衰败,于是制礼作乐、出征讨伐之类天下大事的决定都由诸侯作出。从此直到秦代,天下分为七雄。司马迁记载各个诸侯国,其编次的体例,与本纪没有什么不同。大概想贬抑那些诸侯,就要与天子有所差异,所以借用其他名称,称之为"世家"。

查考"世家"的含义，难道不是创立传承一个国家，世世代代递相接续吗？至于像陈胜从一群强盗起家，称王六个月就死了，子孙未能继承王位，国家没有真正建立，没有世系可以传承，没有家邑可以居住，却用世家作为名称，难道是理所当然的吗？史书的篇目名称，都是司马迁所创立的，难道正因为他自己创作了这种新的史书体裁，而导致名称和实际之间没有确立一定的对应标准吗？

况且诸侯和大夫，本来就有国和家的区别。韩、赵、魏三家晋国大夫和齐国大夫田氏，在没有成为诸侯国君以前，地位排列在家臣中间，身份屈居在诸侯之下。而在《史记》中，前后统统都归入世家，使得君和臣相互夹杂，升和降失去次序。还怎么去责备季孙氏在家里僭用八佾舞队，管氏家里拥有三归、反坫呢？又田氏齐国名号列为"东帝"，与号称"西帝"的秦王相抗衡，地域方圆千里，国势俯视六国，反而埋没它的国名，只用"田完"来制定篇名。用人之常情来探求，谁能说这是适宜的呢？

当刘氏拥有汉朝天下的时候，它的诸侯与古代不同。古代的诸侯，都是即位称王，开国纪元，大权独揽，控制一国，子孙繁衍不绝，国运传世久远。至于汉代则不是这样。皇室子弟称王的，都要接受京城里面节制，自然就和州郡一样；异姓功臣封侯的，必须跟在皇帝身边做官，平时不到封国里去。他们有的传受封国只限于自己一身，有的承袭爵位才经过数代。虽然名义上列于被赏赐土地的诸侯，但是礼制上异于能统治人民的君主。假如把他们编为世家，实际上体例仍同列传。而司马迁勉强加以区别编录，按类别次于诸侯，虽然收到整齐划一的效果，哪里能认识到根据时代变化而加以变通的道理呢？

大概班固《汉书》知道这个道理，改正了前人的错误。以至于像萧何、曹参受侯国的封赏，荆王、楚王是皇帝的亲属，都一概称传，不再设立世家。这是事势发展的必然结果，并非矫枉过正。

从此以后，过去了将近四百年。到曹魏占有中原，而孙吴、蜀汉不肯归顺，最终还是屈服于中原王朝，被称作僭伪的君主。著史的人如果一定要把他们题为本纪，就上与帝王相同；标作列传，又下与臣仆相同。梁武帝命令编撰《通史》，确定为吴、蜀世家，拿他们这些僭冒的君主，与古时列国诸侯比配，放弃了过分失当的做法，大概符合上下折中的原则吧！其次还有萧子显《齐书》，把北魏编为《魏虏传》；牛弘《周史》，将后梁编为《萧詧传》。考察这些列传的体例，应该称作世家。但是近代以来所著史书，都没有这一名称了。因而使得司马迁的世家篇名，被长久埋没不再通行；班固只用列传篇名，这种做法一直相传而没有人来作改变了。

列传第六

夫纪传之兴，肇于《史》、《汉》。盖纪者，编年也；传者，列事也。编年者，历帝王之岁月，犹《春秋》之经；列事者，录人臣之行状①，犹《春秋》之传。《春秋》则传以解经，《史》、《汉》则传以释纪。

寻兹例草创，始自子长，而朴略犹存②，区分未尽。如项王立传，而以本纪为名。非唯羽之僭盗，不可同于天子，且推其序事，皆作传言，求谓之纪，不可得也。……

夫纪、传之不同，犹诗、赋之有别。而后来继作，亦多所未详。按范晔《汉书》纪后妃六宫，其实传也，而谓之为纪。陈寿《国志》载孙、刘二帝，其实纪也，而呼之曰传。考数家之所作，其未达纪传之情乎？苟上智犹且若斯，则中庸故可知矣。

又传之为体，大抵相同，而述者多方，有时而异耳。如二人行事，首尾相随，则有一传兼书，包括令尽。若陈余、张耳合体成篇，陈胜、吴广相参并录是也③。亦有事迹虽寡，名行可崇，寄在他篇，为其标冠。若商山四皓，事列王阳之首④；庐江毛义，名在刘平之上是也⑤。自兹已后，史氏相承，述作虽多，斯道都废。其同于古者，唯有附出而已⑥。……

嗟乎！自班、马以来，获书于国史者多矣。其间则有生无令问⑦，死无异迹，用使游谈者靡征其事，讲习者罕记其名，而虚班史传，妄占篇目。若斯人者，可胜纪哉。古人以没而不朽为难⑧，盖为此也。

[题解]

本篇论述列传的起源、体例等问题。本纪和列传是纪传体史书最基本的两个组成部分，两者相辅相成，就像《春秋》经传，密不可分。刘知几认为，本纪的主要作用在于"编年"，列传的主要作用在于"列事"。从这一标准出发，他批评《史记》、《后汉书》、《三国志》等对纪、传的区别不够严谨。后世史书虽总体水平不如这三史，但本纪编年更为详尽，后妃不入本纪而入列传，分裂时期的主要政权各编正史，而不取陈寿名传实纪的做法，这都说明刘氏之说自有其道理，甚至已为史家所公认。特别是通过考察前人的列传编撰情况，总结出合传、寄传、附出三种编撰方法，言简意赅，值得史家借鉴。对于"虚班史传，妄占篇目"现象的批评，切中古代史书的弊端。

[注释]

①行状：指毕生行事状况。②朴略：质朴简略。指初具规模。③"若陈"二句：陈余、张耳，秦末人，为刎颈之交。一同参加陈胜、吴广起义，又拥立六国旧贵族为王。后二人交恶，张耳归附刘邦，杀陈余，入汉封赵王。《史记》、《汉书》皆以二人合传。又《史记·陈涉世家》兼载吴广事迹，《汉书》

则合为《陈胜吴广传》。④"若商"二句：商山四皓，汉初四位隐士，名东园公、绮里季、夏黄公、甪（lù）里先生。吕后用计诱至长安，辅佐太子。王阳，名吉，字子阳，故人称王阳，汉初高士。《汉书·王贡两龚鲍传》为王阳等人的合传，序中首叙四皓事。⑤"庐江"二句：毛义，东汉人，以孝行为时人所重。刘平，楚郡彭城（今江苏徐州）人，东汉循吏。《后汉书》刘平等人合传的序中首叙毛义事。⑥附出：指史传中附载他人事迹。这是与合传、寄事于传首序中不同的叙事方式。⑦令问：美好的声誉。问，通"闻"。⑧没而不朽：人虽死而名字不被遗忘。

[译文]

　　纪传体的兴起，开始于《史记》、《汉书》。纪是编年，传是列事。编年就是逐一记载帝王的年月，犹如《春秋》的经文；列事就是逐个编录臣子的事迹，犹如《春秋》的传文。《春秋》是用传文来解释经文，《史记》、《汉书》则用传记来解释本纪。

　　探寻这种体例的草创，开始于司马迁，但当时质朴粗略的痕迹仍然存在，区别划分还不完善。比如为项羽立传，却用本纪作为篇名。不但是项羽僭越为盗，不能等同于天子，而且推究它的叙事方法，都写成了传记语言，推求称之为纪的原因，是不能得到的。……

　　纪和传的不同，就像诗和赋有区别。但后来继起的史书，也大多不能详知二者的差别。查考范晔《后汉书》记述后妃六宫事迹，其实是传，却称之为纪。陈寿《三国志》记载孙吴、蜀汉二国的皇帝，其实是纪，却称之曰传。考察这几家所著的史书，大概还未能通晓纪传体的实情吧？假如上等才智之士尚且如此，那么中等平常的人当然就可想而知了。

　　又传作为一种体裁，大致相同，但编著者的方法多样，时常有所不同罢了。如果二人的行为事迹，始终相互伴随，那么就有用一篇传记兼写二人，把他们的事迹全都包括进去。比如陈余、张耳合为整体，编成一篇，陈胜、吴广相互参考，一并编录。也有事迹虽然很少，名望、品行值得推崇，就寄附在其他篇内，作为传序的标志性代表。比如商山四皓，事迹列在《王阳传》序首；庐江人毛义，姓名记在《刘平传》之前就是。从此以后，史家相互承袭，著述虽然很多，这种方法全都被废弃了。与古代有点相同的，只有附出这一方法而已。……

可叹啊！自从班固、司马迁以来，得以被书写进国史的多了。其中有些人生前没有美好的名声，死时没有特别的事迹，因而使得闲谈者无法援引他们的事迹，讲习者很少记住他们的名字，却白白地列在史传，轻易地占据篇目。像这样的人，能够记载得尽吗？古人把死后名字不被遗忘作为难事，大概就是为了这个缘故吧。

表历第七

盖谱之建名①，起于周代。表之所作，因谱象形。故桓君山有云②："太史公《三代世表》，旁行邪上③，并效周谱。"此其证欤？

夫以表为文，用述时事，施彼谱历，容或可取，载诸史传，未见其宜。……故知文尚简要，语恶烦芜，何必款曲重沓④，方称周备？

观马迁《史记》则不然矣。天子有本纪，诸侯有世家，公卿以下有列传，至于祖孙昭穆⑤，年月职官，各在其篇，具有其说，用相考核，居然可知。而重列之以表，成其烦费，岂非谬乎？……

必曲为铨择，强加引进，则列国年表或可存焉。何者？当春秋、战国之时，天下无主，群雄错峙，各自年世。若申之于表，以统其时，则诸国分年，一时尽见。如两汉御历⑥，四海成家，公卿既为臣子，王侯才比郡县，何用表其年数，以别于天子者哉？

又有甚于斯者。异哉！班氏之《人表》也。区别九品，网罗千载，论世则异时，语姓则他族。自可方以类聚，物以群分，使善恶相从，先后为次，何藉而为表乎？且其书上自庖牺⑦，下穷嬴氏，不言汉事，而编入《汉书》，鸠居鹊巢，茑施松上⑧，附生疣赘⑨，不知翦截，何断而为限乎？

至法盛书载中兴⑩，改表为注，名目虽巧，芜累亦多。当晋氏播迁，南据扬、越⑪，魏宗勃起，北雄燕、代⑫，其间诸伪，十有六家⑬，不附正朔，自相君长。崔鸿著表⑭，颇有甄明，比于《史》、《汉》群篇，其要为切者矣。……

[题解]

本篇论述史表的起源、形式、用途等问题，并提出了废除史表的貌似极端的主张。表渊源于周代的谱，它采用纵横交错的表格形式，集中记录各类事物，既能补充纪传的遗漏，又便利于检索。后人不仅重视史书中原有的表，还纷纷为缺表的史书补编出各种表。刘知几也曾盛赞"太史公创表"之功（《杂说上》），但本篇却又说："施彼谱历，容或可取，载诸史传，未见其宜。"有人批评为自相矛盾。其实刘氏此论只是鉴于魏晋以来谱历专书众多，不是"文尚简要"、义重褒贬的史书所能悉数容纳，而主张谱历与纪传史各司其职，并行不悖；又说"列国年表或可存焉"，且高度评价崔鸿《十六国春秋年表》，这些都表明其对史表认识的通达一面。至于他对《古今人表》的批评，更曾经得到很多后世学者的赞赏，尤属精核之论。

[注释]

①谱：布列。此指按类系统编排事物名称的书籍。②桓君山：即桓谭，字君山，东汉沛国相（今安徽宿州）人。著有《新论》二十九篇，今有辑本。③旁行：指表的横格。邪上：指表的纵格。邪，通"斜"。④歀曲：同"委曲"，委婉曲折。⑤昭穆：古代宗庙葬墓制度，始祖居中，以下按父子辈分排列为昭穆，昭居左，穆居右。⑥御历：统治。⑦庖牺：即伏羲。⑧茑（niǎo）：一种灌木，茎有蔓性，缠绕在乔木干上。⑨疣（yóu）：皮肤上生出的一种肉赘，俗称瘊子。⑩"至法"句：何法盛，南朝宋湘东太守。著有《晋中兴书》，记载东晋历史。⑪"当晋"二句：播迁，迁移，此指东晋南渡。扬、越，古扬州、越州，相当于今江浙一带。⑫"魏宗"二句：魏宗，指北魏，初都平城（今山西大同），后迁洛阳。燕、代，今河北、山西一带。⑬十有六家：指东晋时存在于北方的十六个少数民族政权，有五凉（前、后、南、西、北）、二赵（前、后）、三秦（前、后、西）、四燕（前、后、南、北）及夏、成汉，延续时间为公元304—439年。⑭崔鸿著表：崔鸿，字彦鸾，北魏清河鄃县（今山东平原县西南）人。著有《十六国春秋》一百卷（今本为明人辑编）及序例一卷、年表一卷。

[译文]

大概谱这一名称起源于周代。表的制作，则是根据分类记事的谱，再画成纵横交错的形象表格。所以桓谭说："司马迁的《三代世表》，横格、纵格交错，都是仿效周代的谱。"这大概就是证明吧？

以表格作为文章形式，用来记述时间事件，施行在那些谱历专书，或许可以采用，放在史传中间，却不见得适宜。……所以知道文章贵在简洁切要，语言厌恶烦琐芜杂，何必面面俱到、重复拖沓，才称得上周详完备？

看司马迁的《史记》却不是这样。天子有本纪，诸侯有世家，公卿以下有列传，甚至于祖孙辈分、昭穆次序、经历的年月、担任的职官，都各自记载在篇中，详尽地作过说明，用来相互考察核对,很容易就可以知道。却重复用表格再作排列,成了烦琐浪费,难道不荒谬吗?……

如果非得在各种表中选择,勉强把它们引进史书,那么列国年表或许可以保留。为什么呢?在春秋、战国的时候,天下没有共主,群雄纷起对峙,各自有自己的纪年。如果排列成表,用来统一年代,那么各国分别使用的纪年,同时都能见到。而像两汉统治时期,四海成为一家,公卿既然成为臣下,王侯才相当于郡县,何必标明他们的年数,用来区别于天子呢?

还有比这更过分的。真是奇怪啊!这就是班固的《汉书·古今人表》。它区别九品高下,网罗千年人物,按世代论都不同时,从姓氏说也不同族。本来自然可以按类聚集,分群记载,使得善恶有别的人各自依从,先后不同的人次序井然,又何必借助于表呢?况且表中人物上起自庖牺,下止于秦代,不说汉代的事情,却编入《汉书》,如同鸠鸟占据鹊巢,茑木缠绕松树,依附皮肤长出的肉赘,不知道去剪截,怎么来决断史书的界限呢?

到了何法盛著书记载东晋中兴的历史,把表改成注,名称虽然巧妙,芜杂累赘也很多。在晋代流离过徙,占据南方的扬、越,北魏迅速兴起,雄霸北方的燕、代的时候,这期间各种僭伪政权有十六家,不依附正统王朝,各自立为君王。崔鸿编著年表,甄别得相当清楚,比起《史记》、《汉书》的各种表,总体来说更加贴切。……

书志第八

夫刑法、礼乐、风土、山川,求诸文籍,出于三礼①。及班、马著史,别裁书志②。考其所记,多效礼经。且纪传之外,有所不尽，只事片文③，于斯备录。语其通博，信作者之渊海也④。

原夫司马迁曰书，班固曰志，《东观》曰意⑤，华峤曰典，张勃曰录⑥，何法盛曰说。名目虽异，体统不殊⑦。……

其编次，则有前曰《平准》，后云《食货》⑧；古号《河渠》，今称《沟洫》⑨；析《郊祀》为《宗庙》⑩，分《礼乐》为《威仪》⑪；《悬象》出于《天文》⑫，《郡国》生于《地理》⑬。如斯变革，不可胜计。或名非而物是，或小异而大同。但作者爱奇，耻于仍旧。必寻源讨本，其归一揆也。

若乃《五行》、《艺文》，班补子长之阙；《百官》、《舆服》，谢拾孟坚之遗。王隐后来，加以《瑞异》；魏收晚进，弘以《释老》。斯则自我作故，出乎胸臆，求诸历代，不过一二者焉。

大抵志之为篇，其流十五六家而已⑭。其间则有妄入编次，虚张部帙⑮，而积习已久，不悟其非。亦有事应可书，宜别标篇题⑯，而古来作者，曾未觉察。今略陈其义，列于下云。……

且《汉书》之志天文、艺文也，盖欲广列篇名，示存书体而已；文字既少，披阅易周，故虽乖节文，而未甚秽累。既而后来继述，其流日广。天文则星占、月会、浑图、周髀之流⑰，艺文则四部、七录、中经、秘阁之辈⑱，莫不各逾三箧，自成一家。史臣所书，宜其辍简。而近世有著《隋书》者，乃广包众作，勒成二志，骋其繁富，百倍前修。非唯循覆车而重轨，亦复加阔眉以半额者矣⑲。

但自史之立志，非复一门；其理有不安，多从沿革。唯艺文一体，古今是同。详求厥义，未见其可。愚谓凡撰志者，宜除此篇；必不能去，当变其体。近者宋孝王《关东风俗传》亦有《坟籍志》⑳，其所录皆邺下文儒之士㉑，雠校之司；所列书名，唯取当时撰者。习兹楷则，庶免讥嫌。语曰："虽有丝麻，无弃菅蒯[22]。"于宋生得之矣。……

古之国史，闻异则书，未必皆审其休咎，详其美恶也。故诸侯相赴[23]，有异不为灾，见于《春秋》，其事非一。洎汉兴，儒者乃考《洪范》以释阴阳。……如斯诡妄，不可殚论。而班固就加纂次，曾靡铨择，因以《五行》编而为志，不亦惑乎？……

历观众史，诸志列名，或前略而后详，或古无而今有。虽递补所阙，各自以为工，权而论之，皆未得其最。盖可以为志者，其道有三焉：一曰都邑志，二曰氏族志，三曰方物志。……

或问曰：子以都邑、氏族、方物宜各缵次，以志名篇。夫史之有志，多凭旧说，苟世无其录，则阙而不编，此都邑之流所以不果列志也。对曰：按帝王建国，本无恒所，作者记事，亦在相时。远则汉有《三辅典》[24]，近则隋有《东都记》[25]。于南则有宋《南徐州记》、《晋宫阙名》[26]，于北则有《洛阳伽蓝记》、《邺都故事》[27]。盖都邑之事，尽在是矣。谱牒之作，盛于中古。汉有赵岐《三辅决录》[28]，晋有挚虞《姓族记》[29]。江左有两王《百家谱》[30]，中原有《方司格》[31]。盖氏族之事，尽在是矣。自沈莹著《临海水土》[32]，周处撰《阳羡风土》[33]，厥类众夥，谅非一族。是以《地理》为书，陆澄集而难尽[34]；《水经》加注，郦元编而不穷[35]。盖方物之事，尽在是矣。凡此诸书，代不乏作，必聚而为志，奚患无文？……

[题解]

本篇先在总序中介绍了史志的起源、作用、名称变化等问题，其次重点论述史志中应删掉《天文志》、《艺文志》、《五行志》，最

内篇　63

后认为应补充《都邑志》、《氏族志》、《方物志》。自《史记》创立八书，《汉书》广为十志，书志成为纪传体史书的重要组成部分，至唐代门类已达十五六种。刘知几认为天文古今变化不大，《艺文志》罗列历代典籍，《五行志》把天道和人事进行牵强附会的联系，应当删除三志。这些说法有所偏颇，受到后人的批评，但他认为应主要记载当代人事和学术，反对谶纬迷信，自有值得肯定之处。他主张增设的三志，确实极为重要，后世正史虽仍未设专篇，但相应的专史著作很多。本篇篇幅较长，这里仅选录其基本观点和部分重要段落。

[注释]

①三礼：指儒家的三部礼学经典：《周礼》、《仪礼》、《礼记》。这里最主要的是指《周礼》。②"及班"二句：《史记》设立八书，《汉书》增为十志。后世通称为书志或史志。③事：浦作"字"，且未出校。据象本改。④渊海：深渊大海。这里比喻书志内容包含深广，取之不尽。⑤《东观》曰意：旧本皆作"东观曰记"，浦改作"蔡邕曰意"。末一字校改至当，前二字疑不可从。下《论赞》篇有"班固曰赞，荀悦曰论，《东观》曰序"云云，盖东观著史，参与者众，故刘知几不归美于一人。⑥张勃曰录：张勃，西晋时人，著有《吴录》三十卷，其志的部分仍称"志"。刘氏此说有误。⑦体统：体制，体例。⑧"则有"二句：《史记》有《平准书》，《汉书》改称《食货志》，都是记载财政经济的。⑨"古号"二句：《史记》有《河渠书》，《汉书》改称《沟洫志》，都是记载河道水利的。⑩"析《郊祀》"句：《汉书》有《郊祀志》，记载祭祀礼仪等；司马彪《续汉书》（志的部分被刘昭采入《后汉书》）改称《祭祀志》，分为"郊"、"宗庙"二目。⑪"分《礼乐》"句：《汉书》有《礼乐志》，司马彪《续汉书》从礼乐中分出威仪部分，名《礼仪志》。也有人认为宗庙、威仪二志当在亡佚诸史内，不一定指《续汉书》。⑫《悬象》出于《天文》：何法盛《晋中兴书·悬象说》内容即前史之《天文志》。⑬《郡国》生于《地理》：《汉书》有《地理志》，司马彪《续汉书》改称《郡国志》。⑭十五六家：指唐前书志所分种类。前述《汉书》十志加上后人分

出、增设的《宗庙》、《咸仪》、《百官》、《舆服》、《瑞异》、《释老》诸志，共为十六种。⑮帙（zhì）：古时一般十卷书包成一帙。后用作书套、书函、卷册、书籍等的通称。⑯篇题：篇名和次序。题，通"第"。⑰星占：古人观察星宿变动以预测人事吉凶。月会：观察月亮和星辰的遭遇会合以预测吉凶。浑图：即浑天说，以为天地如鸟卵，天清地浊，浑然一体，故曰浑天。周髀（bì）：即盖天说，以为天如一拱形盖子，罩在大地之上，周代记之，故曰周髀。⑱四部：魏晋以后图书分类方法之一，初仅标为甲、乙、丙、丁，后定名为经、史、子、集四部。七录：南朝梁阮孝绪所编书目称《七录》，将图书分为内编五录（经典、记传、子兵、文集、术伎）和外编二录（佛法、仙道）。中经：魏晋宫廷藏书称为中经，郑默编《魏中经簿》，荀勖又编《晋中经簿》，创立四部分类法。秘阁：南朝主要藏书机构之一，当时秘阁书目也大多采用四部分类法。⑲加阔眉以半额：东汉长安谣谚："城中号广眉，四方且半额。"比喻盲目模仿，把别人的特点发展得过了极限。⑳宋孝王《关东风俗传》：宋孝王，北齐时任北平王文学，撰《朝士别录》非毁时人。入北周，增广其书为《关东风俗传》三十卷（或说六十三卷）。㉑邺下：北齐立都邺城（今河北磁县南）。此指北齐。㉒虽有丝麻，无弃菅（jiān）蒯（kuǎi）：语出《左传》成公九年。丝麻可作制衣原料，菅蒯为茅草类野生植物，仅可供编鞋织席。意为虽有好东西，差的也不要扔掉。㉓赴：古代诸侯向别国派遣使者，通告本国死丧祸福之类大事。㉔《三辅典》：浦疑指《三辅黄图》，汉人记长安宫苑、宗庙、桥陵等事。㉕《东都记》：唐太宗时人邓世隆撰，记隋代东都的情况。㉖《南徐州记》：二卷，南朝宋山谦之撰。东晋南渡，在其辖区内用北方地名设立侨置州郡，南徐州在京口（今江苏镇江）。《晋宫阙名》：撰人、卷数不详，古注、类书中常引用。㉗《洛阳伽（qié）蓝记》：五卷，北魏杨衒之撰，记洛阳佛寺兴废。《邺都故事》：卷数不详，北齐杨楞伽撰，记邺城旧事。㉘赵岐：字邠卿，东汉长陵（今陕西咸阳东北）人。所著《三辅决录》记东汉京城一带人物。㉙挚虞（？—311）：字仲洽，西晋长安（今属陕西）人。有感于汉末战乱，各种谱传散失，著《族姓昭穆记》十卷。㉚两王《百家谱》：指南朝齐王俭《百家集谱》十卷、王僧孺《百家谱》三十卷。㉛《方司格》：北魏太和年间，定氏族高下，作为选任官员的依据，称为《方司格》。㉜沈莹：三国吴人，著有《临海水土异物志》一卷。临海，今属浙江。㉝周处：字子隐，晋义兴阳羡（今江苏宜兴南）人，著有《阳羡风土记》三卷。㉞陆澄：字彦深，南朝齐吴郡（今江苏苏州）人。曾汇聚自《山海经》以下一百六十家地理著作，编成《地理书》一百四十九卷。㉟郦元：即郦道元，字善长，北魏范阳涿鹿（今河北涿州）人，著有《水经注》四十卷。

[译文]

刑法、礼乐、风土、山川，从文献典籍中考察，出自于三礼。到班固、司马迁编著史书，另外设立书志一类。考察它们所记载的，大多仿效礼经。而且纪传以外，有些它们记载不够详尽的，哪怕仅有一件事、片断文章，都在这一类中完备载录。从它的通贯广博来说，确实是著作家取之不尽的渊海。

推究它的名称，司马迁称书，班固称志，《东观汉记》称意，华峤称典，张勃称录（当作志），何法盛称说。名称虽然各不相同，体例却没有什么差别。……

至于它的具体编撰，则有的前面称《平准》，后面叫《食货》；古时叫《河渠》，如今称《沟洫》；从《郊祀》中分出《宗庙》，从《礼乐》中分出《威仪》；《悬象》来自《天文》，《郡国》来自《地理》。像这样的变革，数不胜数。有的名称变了而内容照旧，有的小有差异而大体相同。只不过著作家爱好新奇，耻于沿袭旧的名称而已。如果定要寻根究底，它们的宗旨是一样的。

至于《五行志》、《艺文志》，班固弥补司马迁的空缺；《百官志》、《舆服志》，谢承增添班固遗漏的部分。王隐作为后来之人，又增加了《瑞异志》；魏收晚进之辈，更推广到《释老志》。这些则都属于他们新编的书志，是独出胸臆的自我创作，从历代史书中探求，不过一两人而已。

大致上书志作为纪传体的一个整体组成部分，它的分支门类不过十五六种而已。其中却有一些是轻易编入书中，虚自扩张篇幅，但长久积累，已成习惯，觉察不出它的错误。也有一些是事情本来可以书写，应该另外标明篇名和次序，但自古以来的作者，竟然都没有觉察。现在简略陈述它的道理，列在下面。……

而且《汉书》把天文、艺文立为志，大概想广泛罗列篇名，用来表示保存史书的各种体例而已。二志的文字既然很少，翻阅一遍较容易，所以虽然有点背离文字节俭的原则，但还不太秽杂累赘。这以后继之而起的著述，二志的分支门类日益扩大。天文一门就有星占、月会、浑图、周髀等各派学说，艺文一门就有四部、七录、中经、秘阁等各家分类，它们的著述无不分别堆满很多书箱，各自成为一门学问。史官所编撰的国史，应该停笔不要再去涉足这些专门领域了。但近代编著《隋书》的，却广泛搜罗各家著作，编成《天文》、《经籍》二志，放任它们连篇累赘，成倍地超过前人。不但重蹈前人的覆辙，而且也像学别人画宽眉却占了自己半个额头的人。

但是自从史书中设立书志，它的门类就不止一种，其中有些设置不很合理的，后人大多加以变革。只有艺文志这种体例，古今都一样。详细探求它的义理，不见得完全合适。我认为凡是编撰志的，应该删除这一篇；如果不能去掉，应当改变它的体例。近代宋孝王的《关东风俗传》中也有《坟籍志》，其中所记录的，都是北齐的文人儒士和校勘图书的机构；所著录的书名，只取当代编撰的。效法这一楷模和标准，也许可以免受讥笑嫌弃。古语说："虽有丝和麻，不弃菅和蒯。"在宋孝王这里，得到这个道理了。……

古代的国史，听到奇异的事情就记录下来，不一定都审察它的结果是吉是凶，详知它是好是坏。所以诸侯之间相互通告本国的死丧祸福，出现了异常迹象，却没有成为灾难，见于《春秋》记载的，这样的事情不止一次。到了汉代兴起，儒士们才考察《洪范》，用来解释阴阳学说。……像这一类荒诞虚妄的说法，不能全部予以辩论。而班固直接加以编排，没有进行考察选择，就用"五行"之名，编成一志，不也太糊涂了吗？……

遍观众多史书，各种书志列出名称的，有的前代的简略而后代的周详，有的古代没有而后代才有。虽然陆续增补了前代的阙漏，各自认为已经很工细，但大体说来，都没有做到尽善尽美。大概可以写成志的，比较合理的还有三个方面：一是都邑志，二是氏族志，三是方物志。……

或许有人会问道：你认为都邑、氏族、方物应该分别编撰，用志来命名这三篇。史书中有志，大多是根据旧有的论说，如果世上没有相关的记录，就空缺着不编，这是都邑等类之所以没有果真列入志的原因。我的回答是：考察帝王建立国家，本没有固定不变的场所，作者记载事情，也需要观察时代的条件。年代久的，汉代有《三辅典》；距离近的，隋代有《东都记》。在南朝，则有宋代的《南徐州记》、《晋官阙名》；在北朝，则有《洛阳伽蓝记》、《邺都故事》。大概有关都邑的事情，都在这里了。谱牒的编撰，兴盛于中古。汉代有赵岐的《三辅决录》，晋代有挚虞的《族姓昭穆记》。江南有王俭、王僧孺的两种《百家谱》，中原有北魏的《方司格》。大概氏族的事情，都在这里了。自从沈莹著《临海水土异物志》，周处撰《阳羡风土记》，这一类书籍众多，想必不止一两种。所以，陆澄集《地理书》，汇聚旧书，而难以尽收；郦道元编《水经注》，增加注释，也不能穷竭。大概有关方物的事情，都在这里了。所有这几类书，每一朝代都不缺少著作，假如把它们聚集在一起来编撰成志，哪会害怕没有文字材料呢？……

论赞第九

《春秋左氏传》每有发论,假君子以称之①。二传云公羊子、穀梁子,《史记》云太史公。既而班固曰赞,荀悦曰论,《东观》曰序,谢承曰诠,陈寿曰评,王隐曰议,何法盛曰述,扬雄曰撰②,刘昞曰奏③,袁宏、裴子野自显姓名,皇甫谧、葛洪列其所号④。史官所撰,通称史臣。其名万殊,其义一揆。必取便于时者,则总归论赞焉。

夫论者,所以辩疑惑,释凝滞。若愚智共了,固无俟商榷。丘明"君子曰"者,其义实在于斯。司马迁始限以篇终各书一论,必理有非要,则强生其文。史论之烦,实萌于此。夫拟《春秋》成史,持论尤宜阔略。其有本无疑事,辄设论以裁之,此皆私徇笔端⑤,苟炫文彩,嘉辞美句,寄诸简册。岂知史书之大体,载削之指归者哉?

必寻其得失,考其异同:子长淡泊无味⑥,承祚偯缓不切⑦,贤才间出,隔世同科。孟坚辞唯温雅,理多惬当。其尤美者,有典诰之风,翩翩奕奕,良可咏也。仲豫义理虽长,失在繁富。自兹以降,流宕忘返⑧,大抵皆华多于实,理少于文,鼓其雄辞,夸其俪事。必择其善者,则干宝、范晔、裴子野是其最也,沈约、臧荣绪⑨、萧子显抑其次也,孙安国都无足采,习凿齿时有可观⑩。若袁彦伯之务饰玄言,谢灵运之虚张高论⑪,玉卮无当⑫,曾何足云。王劭志在简直,言兼鄙野,苟得其理,遂忘其文。观过知仁⑬,斯之谓矣。大唐修《晋书》,作者皆当代词人,远弃史、班,近宗徐、庾⑭。夫以饰彼轻薄之句,而编为史籍之文,无异加粉黛于壮夫,服绮纨于高士者矣。……

[题解]

本篇探讨论赞的起源、名称的变化、撰写的原则等,并评骘各家论赞的优劣得失。他认为《左传》对部分史事借用"君子曰"的形式加以评论,起到了"辩疑惑,释凝滞"的作用。司马迁《史记》在每篇结束时写一段"太史公曰",已有"强生其文"的弊端。后世论赞文辞浮靡,褒贬失实,有些史书甚至还用韵文另写一段赞语,重述传记的内容。这是用史笔来卖弄个人"文彩",违背了"史书之大体"。后世公认本篇持论极精核。

[注释]

①假君子以称之:《左传》在记述事件后,常以"君子曰"、"君子谓"等引出一段评论文字,刘知几以为是左丘明的议论。也有认为是子夏、刘歆或荀子等人加进去的。②扬雄曰撰:浦谓扬雄未撰史书,《法言》十三篇都在四言序后说"撰《学行》"等,然非论赞体。而《华阳国志》则以"撰曰"为论赞,故"扬雄"当作"常璩"。③刘昞:字延明,十六国时期西凉敦煌(今属甘肃)人。著有《三史略记》八十四卷、《敦煌实录》二十卷。④皇甫谧:字士安,自号玄晏先生,西晋安定朝那(今宁夏固原东南)人。著有《帝王世纪》、《玄晏春秋》等。葛洪(284—364):字稚川,自号抱朴子,东晋丹阳句容(今属江苏)人。著有《抱朴子》五十一卷、《神仙传》十卷等。⑤徇(xùn):夸耀,炫示。⑥淡泊无味:或谓当作"淡泊有味",无据。"无味"亦即淡泊,非贬词。⑦承祚:陈寿的字。偄(rú):同"儒",柔婉。又音ruǎn,意为懦(nuò)弱。象本径作"懦",亦当理解为舒柔之美,非贬词。⑧流宕(dàng):放荡,恣意。⑨臧荣绪(414—488):南朝齐东莞莒(今山东莒县)人,所著《晋书》一百一十卷,为唐修《晋书》之蓝本。⑩习凿齿:字彦威,东晋襄阳(今属湖北)人,著有《汉晋春秋》五十四卷。⑪谢灵运(385—433):东晋会稽(今浙江绍兴)人,祖籍陈郡阳夏(今河南太康)。袭爵康乐公,世称谢康乐。著有《晋书》三十六卷。⑫玉卮无当:《韩非子·外

储说右上》:"千金之玉卮,通而无当,不可以盛水;有瓦器而不漏,可以盛酒。"卮,酒器。⑬观过知仁:语出《论语·里仁》:"观过,斯知仁矣。"意为观察一个人的过错,就可以知道他有无仁德。⑭徐、庾:徐陵(507—583),字孝穆,南朝梁东海郯(tán,今山东郯城)人,曾因出使短暂居留北齐,及还,仕陈官至尚书。有《徐孝穆集》,又编《玉台新咏》。庾信(513—581),字子山,小字兰成。梁南阳新野(今属河南)人。后流寓西魏、北周,被尊为文坛宗师。有《庾子山集》。南北朝后期文风绮靡,号称徐庾体。

[译文]

《春秋左氏传》每次发表议论,都假借"君子"作为称呼。《公羊传》、《穀梁传》则称"公羊子"、"穀梁子",《史记》称"太史公"。然后班固称"赞",荀悦称"论",《东观》称"序",谢承称"诠",陈寿称"评",王隐称"议",何法盛称"述",扬雄(当作常璩)称"撰",刘昞称"奏",袁宏、裴子野明写自己的姓名,皇甫谧、葛洪列出他们的自号(玄晏先生、抱朴子)。史官所编撰的书,通称"史臣"。虽然名称多种多样,它们的意义都是一样的。假如为现在称呼的便利,则可以统称为论赞。

论是用来辨析疑问困惑,解释难通之处的。如果愚人智者都能理解,当然就用不着讨论了。左丘明的"君子曰",它的意义其实就在于此。司马迁开始限定在每篇的末尾分别写一些评论,假如没有什么重要的道理要讲,就勉强生发出一段文字。史论的繁杂,其实就是萌芽于此。模拟《春秋》写成史书,发表议论本来尤其应该简略一些。如果有些本来毫无疑问的事情,随便发点议论来裁断它,这都是私自卖弄笔头,随意炫耀文采,把自以为美妙漂亮的词句,寄寓在传于后世的青史中。哪里知道史书的原则,取舍的宗旨呢?

假如探寻他们的得失,考察他们的异同:司马迁恬淡,自然如清水;陈寿舒缓,从容而不迫。贤德大才,交替出现;时代远隔,品类俱高。班固文辞温润雅致,道理大多恰当。其中尤其美妙的,具有典诰的风格,文采翩翩,富丽堂皇,确实值得咏诵。荀悦义理虽然高妙,缺失在于文字繁多。从他以后,放荡不羁,忘其根本,大致都是繁花多于果实,义理少于文采,鼓弄雄辩的文辞,夸耀对偶事类。假如从中选择好的,那么干宝、范晔、裴子野是最优秀的,沈约、臧荣绪、萧子显大概算是稍好的,孙盛全都不足采取,习凿齿偶尔有看得过去的。像袁宏务求拿玄言装饰,谢灵运空自用高论夸张,就如玉杯漏底,再美也不适合用来盛酒,哪里还值得一提呢!王劭追求简明直白,言辞不免鄙陋粗野,如果得到一点道理,就会忘记了文采。观察一个人的过错,就可以知道他有无仁德,说的就是这个意思。大唐新修《晋书》,作者都是当代的文学之士,抛弃了久远的司马迁、班固,崇奉近代的徐陵、庾信。用粉饰他们轻薄的辞句,而编成国史大典的文章,就和在雄壮武夫的脸上涂脂抹粉,在脱俗高士的身上披红挂绿没什么两样。……

序例第十

孔安国有云:"序者,所以叙作者之意也。"窃以《书》列典、谟,《诗》含比、兴,若不先叙其意,难以曲得其情①。故每篇有序,敷畅厥义②。降逮《史》、《汉》,以记事为宗,至于表志杂传,亦时复立序。文兼史体,状若子书,然可与诰誓相参,风雅齐列矣。

追华峤《后汉》,多同班氏。如《刘平江革等传》③,其序先言孝道,次述毛义养亲。此则《前汉·王贡传》体,其篇以四皓为始也。峤言辞简质,叙致温雅,味其宗旨,亦孟坚之亚欤?爰泊范晔,始革其流,遗弃史才,矜炫文彩。后来所作,他皆若斯。于是迁、固之道忽诸④，微婉之风替矣。……

夫史之有例，犹国之有法。国无法，则上下靡定；史无例，则是非莫准。昔夫子修经，始发凡例⑤；左氏立传，显其区域⑥。科条一辨，彪炳可观。降及战国，迄乎有晋，年逾五百，史不乏才，虽其体屡变，而斯文终绝。唯令升先觉，远述丘明，重立凡例，勒成《晋纪》。邓粲⑦、孙盛已下，遂蹑其踪。史例中兴，于斯为盛。若沈《宋》之志序，萧《齐》之序录，虽皆以序为名，其实例也。必定其臧否⑧，征其善恶，干宝、范晔，理切而多功，邓粲、道鸾⑨，词烦而寡要，子显虽文伤蹇踬⑩，而义甚优长。斯一二家，皆序例之美者。

夫事不师古，匪说攸闻⑪。苟模楷曩贤⑫，理非可讳。而魏收作例，全取蔚宗，贪天之功以为己力，异夫范依叔骏，班习子长。攘袂公行⑬，不陷穿窬之罪也⑭？

盖凡例既立，当与纪传相符。按唐朝《晋书》例云："凡天子庙号，唯书于卷末。"依检孝武崩后⑮，竟不言庙曰烈宗。又按百药《齐书》例云："人有本字行者⑯，今并书其名。"依检如高慎、斛律光之徒，多所仍旧，谓之仲密、明月⑰。此并非言之难，行之难也。又《晋》、《齐》史例皆云："坤道卑柔⑱，中宫不可为纪⑲，今编同列传，以戒牝鸡之晨⑳。"窃唯录皇后者既为传体，自不可加以纪名。二史之以后为传，虽云允惬，而解释非理，成其偶中。所谓画蛇而加足，反失杯中之酒也㉑。至于题目失据，褒贬多违，斯并散在诸篇，此可得而略矣。

[题解]

本篇所讨论的"序"是指史书内各篇前面的序引，"例"则指史书前面的凡例，属于叙述作者意图和编撰体例的文字。刘知几认为《史记》、《汉书》为序，还能保持经序的传统，简质温雅，自范晔《后汉书》开始，重复累赘，矜炫文采，相互模仿，陈陈相因。他特别重视史例，认为"史无例，则是非莫准"，纪传史广包众体，事先订立体例，方能"以类区分"。他还批评了前人体例不够完善和有例不依的现象，其中有依据后世之例来评判古书的倾向，这是应当注意的。

[注释]

①曲得其情：曲折委婉地了解其真意。②敷畅：陈述，通晓。③江革：字次翁，东汉临淄（今山东淄博）人。以孝著称，《后汉书》与刘平等同传。④忽诸：倏然消灭的样子。⑤发：创立。凡：大纲。例：条例。此处凡例指《春秋》属辞比事中所包括的微言大义。⑥显其区域：《左传》中有五十条称"凡"，还有些地方不用"凡"字而说明经文新意，前人认为都是在揭示凡例。⑦邓粲：东晋长沙人，著有《晋纪》十一卷。⑧臧否（pǐ）：好坏，优劣。⑨道鸾：姓檀，字万安，南朝宋人，著有《续晋阳秋》二十卷。⑩謇踬（jiǎn zhì）：文字不流畅，艰涩。⑪"夫事"二句：语出《古文尚书·说命下》伪孔传："事不师古，以克永世，匪说攸闻。"匪，通"非"。说（yuè），傅说，商王武丁时的贤臣。攸，所。⑫曩（nǎng）：过去，从前。⑬攘袂（mèi）：挽起袖子。⑭穿窬（yú）：穿墙打洞。此指剽窃。⑮孝武：东晋孝武帝司马曜，公元373—396年在位，死后庙号烈宗。⑯本字行：古人有名有字，有些人以字行于世，称"以字行"。⑰仲密、明月：分别为高慎、斛律光的字。《北齐书》在二人列传中俱称名，其他纪传中提到二人多处称字，确属违例。⑱坤道：坤为八卦之一，象征地、阴等。此指女性。⑲中宫：皇后。⑳牝鸡之晨：语出《尚书·牧誓》。古人常把女子干政比作牝鸡司晨。㉑"所谓"二句：画蛇添足的故事，出自《战国策·齐策二》。此处比喻二史之例的相关解释多此一举。

[译文]

孔安国说过："序是用来叙述作者的用意的。"我认为《尚书》中列有典、谟，《诗经》中含有比、兴，如果不事先叙述作者意图，就难以完全了解它的真实用意。所以每篇都有序，用来阐述它的意义。后来到了《史记》、《汉书》，以记事为宗旨，至于其中的表、志、杂传等，也时常又立一篇序。这样，文体属于史书，看来又像子书，然而还是可以和《尚书》中的诰、誓并论，同《诗经》中的国风、大小雅齐观的。

到了华峤的《后汉书》，大多与班固《汉书》相同。如《刘平江革等传》，它的序先谈孝道，其次叙述毛义奉养父亲的事情。这就是效法《汉书·王贡传》的体例，篇中用商山四皓的事情作为开头。华峤的言辞简洁质朴，叙事温文雅致，体会它的宗旨，也可以说是仅次于班固吧！到了范晔的《后汉书》，开始改变这一传统，遗弃史才，炫耀文采。后来所有著作，都像这样。于是司马迁、班固的作序方法不见了，精微婉约的风貌衰竭了。……

史书有体例，如同国家有法律。国家没有法律，上下就没有依据；史书没有体例，是非就没有标准。从前孔夫子编修《春秋》，开始创立凡例；左丘明创作《左传》，标明它的范围。条例一旦分辨明白，就清清楚楚可以看出。到了战国，直至晋朝，经过五百多年，修撰史书的人不少，虽然它的体例屡次变革，但凡例的传统最终断绝。唯独干宝最先觉察，远远地遵循左丘明，重新确立条例，编成《晋纪》。邓粲、孙盛以后，于是就追踪他的足迹。史书凡例重新恢复，在这时最为兴盛。如沈约《宋书》的志序，萧子显《齐书》的序录，虽然都以序为名，其实都是有条例的。假如要评定它们的优劣，验证它们的好坏，干宝、范晔，条理恰当，多有成效；邓粲、檀道鸾，言辞繁杂，缺少精要；萧子显文辞缺点在于艰涩不流畅，但是义理方面颇具优势和长处。这一两家，都是序例中好的例子。

"做事情不效法古人（却能永远流传），这是我傅说所没有听到过的。"如果以先贤作为榜样，按理就不可以隐讳。可是魏收所作的凡例，完全取自范晔，贪图别人的功劳，说成是自己所做的，不同于范晔依据华峤，班固学习司马迁。卷起袖子公然行劫，难道不是犯了穿墙打洞、入室偷窃般的大罪吗？

凡例既然已经确定，应当和纪传相符合。查考唐朝新修《晋书》凡例说："凡是天子的庙号，只记载在卷末。"按这一说法去查检，晋孝武帝死后，竟然不说他的庙号称为烈宗。再查考李百药《齐书》凡例说："有用本字通行的人，今一律写他的名。"按这一说法去查检，比如高慎、斛律光等人，大多还是仍然按照旧的记载，称之为仲密、明月等。这些都不是说起来困难，而是做起来困难。又比如《晋书》、《齐书》的凡例都说："妇女卑下柔顺，皇后不可以立为纪。今视同列传来编撰，这是用来警诫防止后妃掌权。"我想记载皇后的既然是传体，自然不可加上纪的名称。两部国史把皇后事迹作为传体，虽说公允恰当，但是它们的解释却不成理由，只是偶然做对罢了。这就是俗话所说的"画蛇添足，反而失掉杯中的美酒"了。至于题目缺少依据，褒贬多有不妥，这些都散见于各篇，这里就省略不说了。

题目第十一

上古之书有三坟、五典、八索、九丘①，其次有《春秋》、《尚书》、梼杌、志、乘。自汉已下，其流渐繁，大抵史名多以书、记、纪、略为主。后生祖述，各从所好，沿革相因，循环递习。盖区域有限，莫逾于此焉。

至孙盛有《魏氏春秋》，孔衍有《汉魏尚书》，陈寿、王劭曰志，何之元、刘璠曰典②。此又好奇厌俗，习旧捐新，虽得稽古之宜，未达从时之义。

权而论之，其编年月者谓之纪，列纪传者谓之书，取顺于时，斯为最也。夫名以定体，为实之宾。苟失其途，有乖至理。按吕、陆二氏③，各著一书，唯次篇章，不系时月，此乃子书杂记，而皆号曰春秋。鱼豢、姚最④，著魏、梁二史，巨细毕载，芜累甚多，而俱榜之以略。考名责实，奚其爽欤。

若乃史传杂篇，区分类聚，随事立号，谅无恒规。如马迁撰皇后传，而以外戚命章。按外戚凭皇后以得名，犹宗室因天子而显称，若编皇后而曰外戚传，则书天子而曰宗室纪，可乎？班固撰《人表》，以古今为目。寻其所载也，皆自秦而往，非汉之事。古诚有之，今则安在？子长《史记》别创八书，孟坚既以汉为书，不可更标书号，改书为志，义在互文⑤。而何氏《中兴》易志为说⑥，此则贵于革旧，未见其能取新。

夫战争方殷⑦，雄雌未决，则有不奉正朔，自相君长。必国史为传，宜别立科条。至如陈、项诸雄，寄编汉籍；董、袁群贼，附列《魏志》，既同臣子之例，孰辨彼此之殊？唯《东观》以平林、下江诸人列为载记⑧。顾后来作者，莫之遵效。逮《新晋》始以十六国主，持载记表名，叮谓择善而行，巧于师古者矣。

观夫旧史列传，题卷靡恒。文少者则具出姓名，若司马相如、东方朔是也；字烦者唯书姓氏，若毋将、盖、陈、卫、诸葛传是也⑨。必人多而姓同者，则结定其数，若二袁、四张、二公孙传是也⑩。如此标格，足为详审。至范晔举例，始全录姓名，历短行于卷中，丛细字于标外，其子孙附出者，注于祖先之下。乃类俗之文案孔目、药草经方，烦碎之至，孰过于此？……

[题解]

从本篇开始，刘知几具体讨论史书的编撰方法，首先是如何为

内篇 77

史书确立题目，包括全书的书名和各篇的篇名。他反对前人一些标新立异的做法，认为编年体宜称作"纪"，纪传体宜称作"书"；批评有的史书名为"略"，内容却繁杂芜累。他主张篇名与内容应该名实相符，不能将皇后列入《外戚传》，《古今人表》不应只载古人没有今人；篇名应尽量简约，不宜有褒贬之词，有的史书在传目中罗列全部传主的姓名，或在传主前加上"僭"、"伪"、"岛夷"、"索虏"等，都不合乎体例。

[注释]

①八索：古人以为，八卦之说，称为"八索"。索，求索其义。九丘：九州之志，称为"九丘"。丘，聚，九丘指九州之事汇聚于此。②刘璠：字宝义，南朝梁沛（今江苏徐州）人。后仕北周，著有《梁典》三十卷。③吕、陆二氏：指吕不韦《吕氏春秋》、陆贾《楚汉春秋》。④鱼豢：三国魏京兆（今陕西西安）人，著有《典略》八十九卷。姚最：旧本作"姚察"，据陈汉章《补释》改。姚最，字士会，吴兴武康（今浙江德清）人，为姚察之弟，著有《梁后略》十卷。⑤互文：相互调换用字。⑥说：原作"记"。据程《笺记》校改。⑦殷：盛，激烈。⑧平林、下江：西汉末两部农民起义军称号。载记：少数纪传史中将曾立帝王名号但不是正统王朝的立为载记。⑨"若毋"句：今本《汉书》卷七十七《盖诸葛刘郑孙毋将何传》为盖（gě）宽饶、诸葛丰、刘辅、郑崇、孙宝、毋将隆、何并合传，无陈、卫二姓。或疑"陈"为"郑"之误，"卫"字衍，或刘氏所据古本与今本有异。⑩二袁：袁绍、袁术。四张：张杨、张燕、张绣、张鲁。二公孙：公孙瓒、公孙度。《三国志》卷六为二袁合传，卷八为四张、二公孙合传。

[译文]

上古的图书有三坟、五典、八索、九丘，其次有《春秋》、《尚书》、梼杌、志、乘。从汉代以后，著述流派日渐繁多，大致上史书的名称多以"书"、"记"、"纪"、"略"来命名。后人继承遵循，各自根据他们的喜好，沿革因袭，递相循环。大概范围有限，没有超过这几种的。

到了孙盛著有《魏氏春秋》，孔衍著有《汉魏尚书》，陈寿、王劭称为"志"，何之元、刘璠称为"典"。这又是喜好新奇而厌恶世俗，学习古人而丢弃新法，虽然具有考核古事的意义，没有通达顺应时代的真谛。

粗略加以讨论，编排年月的称作"纪"，排列纪传的称作"书"，就顺应时代来说，这是最合适的名称。名称用来确定体例，是依附于实际内容的。如果迷失了这一命名途径，就会违背根本的道理。查考吕不韦、陆贾二人，各自编著了一部书，只是编次篇章，并不按时间年月排列，这是子书、杂记，却都号称"春秋"。鱼豢、姚最编著魏、梁二代史书，大事小事全都记载，芜杂累赘之处甚多，却同样标榜为"略"。根据名称来考察实际，是何其不符啊！

至于史书内的列传和其他篇章，都是区分种类依次编排，根据内容确立名称的，大概没有恒常不变的规则。比如司马迁编撰皇后传，却用"外戚"来给它命名。查考外戚凭借皇后而得名，犹如宗室因为天子而显名，如果编撰皇后的传记却称作"外戚传"，那么书写太子的事情称作"宗室纪"，可以吗？班固编撰《人表》，用"古今"作题目。查寻它所记载的，都是从秦代往上的人，不是汉代的事情。"古"确实是有的，"今"却在哪里呢？司马迁《史记》另外创立八书，班固既然把汉史称为"书"，不可以下面再用"书"来标篇名，就把"书"改为"志"，意思是相互调换一下用字。而何法盛《晋中兴书》把志改为"说"，则是重视改革旧名称，却没有看到他能取个更好的新名称。

当战争正在激烈进行，胜负还没有决定的时候，就有不尊奉朝廷正朔，自己称为君王的情况。假如国史为他们立传，应该另外订立条例。至于像陈胜、项羽等英雄，寄托编撰在汉代史书里；董卓、袁绍等群贼，依附编列在《三国志·魏志》中，既然等同于臣子的体例,谁能辨别彼此之间的差别呢?只有《东观汉记》把平林、下江等义军中的人物列为载记。反而后来的作者,没一个人遵从效法它。到了本朝新编《晋书》,才把十六国君主,拿"载记"用作篇名,可算是择善而从,善于师法古人的了。

观察旧史书的列传,给篇卷标题没有固定不变的做法。文字少的就写出姓名全称,像《司马相如传》、《东方朔传》就是;文字多的只写姓氏,像《毋将盖陈卫诸葛传》就是。假如是多人同姓的,就合计同姓的数目,像《二袁传》、《四张二公孙传》就是。像这样的标题格式,足够称为周密正确。到了范晔提出条例,才全部记录姓名,在每卷中间逐一短行单列为标题,在标题以外又夹杂着小字,用来把附出的子孙姓名,标注在标题的祖先下面。就类似世俗公文档案的条目、医药本草的方书,繁杂零碎之极,谁能超过它?……

断限第十二

夫书之立约,其来尚矣。如尼父之定《虞书》也①,以舜为始,而云"粤若稽古帝尧②";丘明之传鲁史也,以隐为先,而云"惠公元妃孟子③"。此皆正其疆里,开其首端。因有沿革,遂相交互④,事势当然,非为滥轶也⑤。过此已往,可谓狂简不知所裁者焉⑥。

又子曰:"不在其位,不谋其政。"若《汉书》之立表志,其殆侵官离局者乎⑦?考其滥觞所出⑧,起于司马氏。按马《记》以史制名,班《书》持汉标目。《史记》者,载数千年之事,无所不容;《汉书》者,纪十二帝之时,有限斯极。固既分迁之记,判其去取,纪传所存,唯留汉日,表志所录,乃尽牺年⑨,举一反三,岂宜若是?胶柱调瑟⑩,不亦谬欤。

但固之踳驳⑪,既往不谏⑫,而后之作者,咸习其迷。《宋史》则上括魏朝⑬,《隋书》则仰包梁代⑭,求其所书之事,得十一于千百,一成其例,莫之敢移。永言其理,可为叹息。……

[题解]

所谓断限,是指史书记事时间的上下界限和所记人物、地域的界限。在刘知几的时代,最重视纪传断代史,其断限问题显得尤为重要。他批评从前史书远记前朝或同时代其他政权的史事、人物,不合断限体例。其中像《晋书》志的部分兼记三国制度以弥补《三国志》的缺陷,《隋书》志的部分原来就是包括梁至隋的《五代史志》,不应漫加批评。但古代史书中确有断限不严、重复记载的现象,刘氏的批评不尽为无的放矢。

[注释]

①尼父:孔子。②"粤若"句:《尚书·尧典》的首句。意为考察古代的帝尧。粤若,发语词。③惠公元妃孟子:惠公是鲁隐公之父,其元妃孟子则为隐公嫡母。《春秋》从隐公写起,但往上追溯了孟子死后继室声子生隐公等事。④交互:交错参差。⑤滥:泛滥,过度,越轨。轶:超越。⑥狂简:志向远大,行为粗狂轻率。裁:节制。⑦侵官:超越职权,侵入别人掌管的范围。离局:离开自己的职守。⑧滥觞:原指河流发源处水少,只能浮起酒杯。后用来指事物的起源。⑨牺年:伏羲的时代。⑩胶柱调瑟:意为死守成规,不知变通。⑪踳(chuǎn)驳:错误,杂乱。踳,同"舛"。⑫既往不谏:语出《论语·微子》:"往者不可谏。"意为过去的事情无法挽回。⑬《宋史》则上括魏朝:沈约《宋书》志的部分多从魏晋写起,以弥补这一时期史书缺志的不足。⑭《隋书》则仰包梁代:《隋书》十志开始编撰时称为《五代史志》,所以从南朝梁写起,成书后附编在《隋书》内。

[译文]

　　史书确立编撰范围，由来已久。比如孔子编定《虞书》，从舜开始，却说"考察上古帝尧"；左丘明为鲁史作《传》，以隐公为首，却说"惠公的元妃孟子"。这都是划定范围，从头说起。又因为历史有个沿革过程，就会前后相互交错，事势本来就是这样的，不算是越出了范围。超过这个限度再往上追溯，就可以说是粗狂轻率，不懂节制了。

　　另外，孔子说："不在其位，不谋其政。"像《汉书》中设立的表、志，大概算是侵犯别人的范围，离开自己的职守了吧？考察它们冒出的源头，起始于司马迁。查考司马迁《史记》用"史"制定书名，班固《汉书》拿"汉"标立题目。《史记》记载数千年的事情，没有什么不能包容；《汉书》记载汉代十二个帝王的时代，范围就有一个极限。班固既然分割司马迁的记载，判定取舍，纪、传部分所保存的，只留下汉代的事，表、志所采录的，则往上直到伏羲时代。举一反三，难道应该像这样吗？胶柱鼓瑟，不懂变通，岂不谬误？

　　但是班固的错误，已经是过去的事，无法挽回了，而后代的作者，都跟着他走上了迷途。《宋书》则往上包括魏朝，《隋书》则往上包括梁代，考求它们所写前代的事情，只是在千百件事中偶记十件一件而已，一旦形成这种体例，没有人敢于改变。说起它的道理，可以为之叹息。……

编次第十三

　　昔《尚书》记言，《春秋》记事，以日月为远近，年世为前后，用使阅之者，雁行鱼贯①，皎然可寻。至马迁始错综成篇，区分类聚。班固踵武②，仍加祖述。于其间则有统体不一，名目相违，朱紫以之混淆，冠履于焉颠倒，盖可得而言者矣。

寻子长之列传也，其所编者唯人而已矣。至于龟策异物③，不类肖形，而辄与黔首同科④，俱谓之传，不其怪乎？且《龟策》所记，全为志体，向若与八书齐列，而定以书名，庶几物得其朋，同声相应者矣。

孟坚每一姓有传，多附出余亲。其事迹尤异者，则分入它部。故博陆、去病⑤，昆弟非复一篇；外戚、元后⑥，妇姑分为二录。至如元王受封于楚，至孙戊而亡⑦。按其行事，所载甚寡，而能独载一卷者，实由向、歆之助耳。但交封汉始，地启列藩；向居刘末，职才卿士。昭穆既疏，家国又别。适使分楚王子孙于高、惠之世，与荆、代并编⑧；析刘向父子于元、成之间，与王、京共列⑨。方于诸传，不亦类乎？

又自古王室虽微，天命未改，故台名逃责⑩，尚曰周王；君未系颈⑪，且云秦国。况神玺在握，火德犹存⑫，而居摄建年，不编《平纪》之末；孺子主祭，咸书《莽传》之中⑬。遂令汉余数岁⑭，湮没无睹，求之正朔，不亦厚诬。

当汉氏之中兴也，更始升坛改元⑮，寒暑三易。世祖称臣北面，诚节不亏。既而兵败长安，祚归高邑⑯，兄亡弟及，历数相承。作者乃抑圣公于传内⑰，登文叔于纪首⑱，事等跻僖⑲，位先不窋⑳。夫东观秉笔，容或诣于当时，后来所修，理当刊革者也。

盖逐兔争捷㉑，瞻乌靡定㉒，群雄僭盗，为我驱除。是以史传所分，真伪有别，陈胜、项籍见编于高祖之后，隗嚣、孙述不列于光武之前㉓。而陈寿《蜀书》首标二牧㉔，次列先主，以继焉、璋，岂以蜀是伪朝，遂乃不遵恒例。但鹏、鷃一也，何大小之异哉？……

寻夫本纪所书，资传乃显；表志异体，不必相涉。旧史以表志之帙，介于纪传之间，降及蔚宗，肇加厘革，沈、魏继作，相与因循。今止《魏书》志编传后，范、沈二书，后人易置矣。既而子显《齐书》、颖达《隋史》，不依范例，重遵班法。盖择善而行，何有远近；闻义不徙，是吾忧也㉕。

若乃先黄老而后六经㉖，后外戚而先夷狄㉗；老子与韩非并列㉘，贾谊将荀卿同编㉙；孙弘传赞㉚，宜居《武》、《宣纪》末；宗庙迭毁㉛，枉入《玄成传》终。如斯舛谬，不可胜纪。今略其尤甚者耳，故不复一一而详之。

[题解]

本篇探讨史书如何对人物、事件进行归类、排序等问题。纪传史包括纪、传、表、志等类目，归类妥当，编排有序，是最基本的质量要求。刘知几批评《史记·龟策列传》记述卜筮之事，不应归入以记人为主的列传；《汉书》中把本应列入儒林的刘向、刘歆和身为藩王的刘交合为一传，属于归类不当。他认为傀儡帝王只要名号犹存都应列入本纪，而政权未定之前的割据者则不能列入本纪，所以汉更始帝刘玄应入本纪，刘焉、刘璋不应列在刘备之前。而《史记》把表、志插在本纪和列传之间，则是排序不当。其中有些批评不尽合理，但多数观点对后代史书编撰具有一定的影响。

[注释]

①雁行鱼贯：形容按照史书原有次序阅读。②踵武：紧随其后。武，脚印。③龟策：古代用来占卜的龟甲和筮草。褚少孙杂述占卜之事，以补《史记》，称作《龟策列传》。④黔首：平民。此泛指人物。⑤博陆、去病：指西汉重臣霍光及其兄名将霍去病。《汉书》中分别把他们与事迹相类似的金日䃅、卫青合传，而不是兄弟二人合传。⑥元后：指汉元帝的皇后，是王莽的姑

母。《汉书》因其事迹重要，单列一传，而不与其他皇后同列《外戚传》。⑦"至如"二句：刘邦少弟刘交汉初封楚王，其孙戊景帝时参与七国之乱而被杀，国亡。《汉书》附刘向、刘歆于《楚元王传》。⑧荆、代：指荆王刘贾、代王刘仲，都是刘邦的兄弟辈。⑨王、京：指王式、京房，都是西汉后期的经师。⑩台名逃责：周赧王躲避欠债，藏于台内，时人称为逃债台。责，通"债"。⑪系颈：此指秦王子婴颈系丝带向刘邦投降一事。⑫火德：古人按五行说推定汉朝为火德，色尚赤。⑬"而居"四句：汉平帝死后，王莽立刘婴为太子，自己摄行皇帝之事，改元居摄。孺子指刘婴。主祭即主持刘氏宗庙的祭祀，指继承汉王朝的君统。《汉书》未为孺子婴立纪，其废立事均载于《王莽传》。⑭汉余数岁：指汉平帝死后的居摄元年（6）至王莽称帝的始建国元年（9）之间的三年。⑮更始升坛改元：王莽地皇四年（23），刘玄称帝，改元更始，至光武帝即位，凡三年。⑯高邑：公元25年，刘秀在鄗（今河北柏乡）即皇帝位，改名高邑。⑰圣公：刘玄的字。⑱文叔：刘秀的字。⑲跻（jī）僖：春秋鲁文公二年（前625）在太庙祭祀，把庶出而又继闵公而立的僖公庙位提升到闵公之上，这是不符合当时礼制的逆祀。⑳位先不窋（zhù）：不窋为后稷之子，古人认为把周文王、武王的庙位放在他的前面不合礼制。㉑逐兔争捷：众人追逐野兔，谁得未定。比喻群雄争夺天下。㉒瞻乌靡定：观看乌停在何处，不能确知。比喻天下未定。㉓隗嚣：字孟季，汉末起兵反王莽，据天水自立，称西州上将军，后为刘秀所败。孙述：即公孙述，字子阳，王莽末起兵，据益州称帝，为刘秀所杀。㉔二牧：指刘焉、刘璋父子。刘备入蜀前相继为益州牧。㉕"闻义"二句：语出《论语·述而》："闻义不能徙，是吾忧也。"㉖"若乃"句：班固在《汉书》中指责司马迁先黄老而后六经，实指《太史公自序》中引述的司马谈之言。㉗"后外"句：指《汉书》把匈奴、西域等传排在外戚传的前面。㉘老子与韩非并列：指《史记》以老、庄、申、韩合传。㉙贾诩（xǔ）将荀彧（yù）同编：贾诩、荀彧都是曹操的谋士，但年辈有先后，品德有差别。裴松之注中曾批评《三国志》以贾、荀合传的做法，为刘知几此说所本。㉚孙弘传赞：刘知几认为《汉书·公孙弘传》赞中谈到武帝、宣帝的事，应该把它们写到《武帝纪》、《宣帝纪》末。㉛宗庙迭毁：《汉书·韦贤传》附载韦玄成事，最后述及罢毁诸郡所立太祖、太宗世宗等庙的诏议。

[译文]

从前《尚书》记言，《春秋》记事，都按照日月远近、时代先后的次序进行编排，使阅读它的人只要按它的顺序去读，就可以明白清晰地理解。到了司马迁，开始交错综合成书，区分部类，然后按类编排。班固紧随其后，仍加以仿效。在这中间就有统类体例的不一致，各篇之间互相抵触，不同的事物因此混淆，前后上下于是颠倒，这些大概是值得议论一番的。

探寻司马迁的列传，所编入的只是人物而已。至于龟甲、蓍草，本来都是珍奇异物，与人不是同类形体，却与人编在同一类中，都称为传，这不是很奇怪吗？况且《龟策列传》所记载的，完全属于志的体裁，假如与八书并列在一起，而且用"书"来命名，大概就隶属合理，声气呼应了。

班固每当一姓有列传时，大多附记其余的亲属。他们的事迹特别不同的，就分别记入其他部分。所以霍光、霍去病二人，兄弟不在一篇；《外戚传》、《元后传》，媳妇和婆婆分成两传。至于像汉代元王刘交受封在楚，到了他的孙子刘戊而国亡。考查他的行事，可记载的很少，却能够单独写成《楚元王传》一卷，实际是因为把刘向、刘歆的传附在里面的缘故。但是刘交受封为楚元王是在汉朝初年，封地列于藩王；刘向处在刘汉末期，官职才是卿士。世代已经疏远，封爵又不相同。假使把楚元王子孙分出，放在汉高祖、惠帝的时代，和荆王刘贾、代王刘仲编在一起；把刘向父子分出，放在汉元帝、成帝的时代，和王式、京房等共同排列，与其他列传相比，不就更加类似了吗？

再者，自古王室即使衰微了，朝代并没有马上改变。所以周赧王躲入逃债台，仍然称为周王；孺子婴没有系颈投降以前，暂且还称秦国。况且皇帝玺印握在手里，刘汉王朝仍然存在，但所建立的居摄年号，不编入《平帝纪》之后；孺子婴继承帝位的事情，都写进《王莽传》中。于是使得汉末剩余的数年，埋没无闻，按照正朔来要求，岂不太过荒谬？

在汉朝中兴的时候，刘玄登上帝位，改年号为更始，在位三年。当时刘秀北面称臣，效忠的礼节不曾欠缺。后来刘玄兵败长安，帝位归于在高邑称帝的刘秀，兄长失去帝位，弟弟继承宝座，帝王的次第相继衔接。编史书的人却把刘玄降到列传之中，而刘秀升到本纪的第一篇，事情如同把鲁僖公升在闵公之上，把周文王、武王的位置放在不窋之前。汉代东观的史官这样编写，或许是为了谄媚当时的君王，而后代史家所著的史书，按理应当刊改修正。

众人逐兔，争先恐后；乌落谁家，睁眼难定。在类似的天下纷争之时，各路英雄称王称霸，最终都要被命世帝王驱逐剪除。因此，史传所编人物的分类，真王、假王有所区别。比如陈胜、项羽被编在汉高祖的后面，隗嚣、公孙述不列在光武帝的前面。然而陈寿《三国志·蜀志》首先标列益州二牧，其次才列出先主刘备，以继刘焉、刘璋二牧。难道因为蜀国不是正统王朝，就不遵守常规？但是大鹏和鹦雀同属鸟类，在性质上哪有大小的差异呢？……

探寻本纪所记的内容，须要凭借列传才能显著；表志的体例有异，不必互相牵涉。旧时史书把表志的卷帙放在纪传之间，到了范晔，开始加以改变，沈约、魏收继之编史，都相沿不改。如今只有《魏书》的志编排在纪传之后，范晔、沈约所编两部史书，后人更换了志的位置。后来萧子显的《齐书》、孔颖达的《隋书》，不依照范晔的体例，又重新遵从班固的办法。选择好的就去实行，何必要有远近之分；听到合理的准则而仍然不改变其旧规，这才是我所担忧的。

至于《史记》先谈黄老而后论六经，《汉书》里把夷狄放在外戚传的前面；《史记》把老子和韩非并列在一篇，《三国志》把贾谢和荀或合编为一传；《汉书·公孙弘传》的赞辞，应该放在武帝、宣帝二纪的后面；累次罢毁宗庙的诏令奏议，不恰当地编在《韦玄成传》中。像这样的错乱谬误，不能完全记录下来。这里只略举其特别突出的罢了，所以不再一一地详细述说。

称谓第十四

孔子曰："唯名不可以假人。"又曰："名不正则言不顺。""必也正名乎！"是知名之折中，君子所急。况复列之篇籍，传之不朽者邪！昔夫子修《春秋》，吴、楚称王而仍旧曰子。此则褒贬之大体，为前修之楷式也。……

夫历观自古；称谓不同，缘情而作，本无定准。至若诸侯无谥者，战国已上谓之今王；天子见黜者，汉、魏已后谓之少帝。周衰有共和之相①，楚弑有郏敖之主②，赵佗而曰尉佗③，英布而曰黥布④，豪杰则平林、新市，寇贼则黄巾、赤眉等。园、绮友朋，共云四皓；奋、建父子⑤，都称万石。凡此诸名，皆出当代，史臣编录，无复张弛。盖取叶随时⑥，不藉稽古。及后来作者，颇慕斯流，亦时采新名，列成篇题。若王《晋》之《十士》、《寒俊》，沈《宋》之《二凶》、《索虏》，即其事也。唯魏收远不师古，近非因俗，自我作故，无所宪章。其撰《魏书》也，乃以平阳王为出帝⑦，司马氏为僭晋，桓、刘已下，通曰岛夷。夫其诬齐则轻抑关右⑧，党魏则深诬江外⑨，爱憎出于方寸，与夺由其笔端，语必不经，名惟骇物。……故知事非允当，难以遵行。如收之苟立诡名，不依故实，虽复刊诸竹帛，终罕传于讽诵也。

抑又闻之，帝王受命，历数相承，虽旧君已没，而致敬无改，岂可等之凡庶，便书之以名者乎？近代文章，实同儿戏。有天子而称讳者，若姬满、刘庄之类是也⑩。有匹夫而不名者，若步兵、彭泽之类是也⑪。史论之言，理当雅正。如班述之叙圣卿也，而曰董公唯亮⑫；范赞之言季孟也，至曰隗王得士⑬。习谈汉主，则谓昭烈为玄德；裴引魏室，则目文帝为曹丕。夫以淫乱之臣，忽隐其讳；正朔之后，反呼其名。意好奇而辄为，文逐韵而便作⑭，用舍之道，其例无恒。但近代为史，通多此失。上才犹且若是，而况中庸者乎？今略举一隅，以存标格云尔。

[题解]

本篇讨论史书的称谓问题，认为这关系到"正名"和"褒贬"的大义。刘知几批评史书中君王、僭盗不分，庙号、谥号滥，代称不当等现象，认为这是由于史家不能公正无私，对史料不能辨别是非，追求文辞华美、好奇求异等。他主张十六国的君主虽然称帝，不能称谥，应根据实际情况一律称干；对待三国时期的帝王要一视同仁等，能够破除正统观念。但又反对《史记》把项羽立为本纪，说明其保守的一面。

[注释]

①共和之相：公元前841年，周国人暴动，厉王出逃，至前827年宣王执政，中间14年号为共和。其名称有两种解释：一说周公、召公共同执政，故曰共和；一说共伯和代理执政，故曰共和。②郏敖之主：春秋时楚公子围缢杀楚共王，葬之于郏（今河南郏县），谓之郏敖。敖，楚国君死后无谥号的称敖。③赵佗：秦末赵佗代行南海尉事，后自立为南粤武王，旋又自号武帝，汉时取消帝号。《史记》有《南越尉佗传》。④英布：汉六（今安徽六安）人，曾犯法被黥面，故又称黥布。先后归附项羽、刘邦，汉初起兵反，后败被杀。⑤奋、建：即石奋、石建。石奋及其四子分别担任封国相、郡太守等官职，俸

禄都是二千石，故汉景帝称其为"万石君"。⑥叶（xié）：通"协"，契合的意思。⑦以平阳王为出帝：北魏平阳王元修，被高欢拥立为孝武帝，后又被迫出奔长安，投靠宇文泰。《魏书》有《出帝平阳王纪》。⑧诏齐则轻抑关右：北魏分裂为东魏、西魏，又分别被北齐、北周取代。魏收修《魏书》时在北齐，故以东魏为正统，对西魏诸帝不立纪。关右，指西魏。⑨江外：指东晋、刘宋。⑩姬满、刘庄：周穆王、汉明帝之名。⑪步兵、彭泽：即晋人阮籍、陶潜，曾分别官步兵校尉、彭泽县令。⑫"如班"二句：董贤，字圣卿，为汉哀帝男宠。《汉书·叙传》述曰："宛娈董公，唯亮天功。"亮，助。⑬"范赞"二句：季孟，隗嚣字。《后汉书·隗嚣公孙述传》赞曰："公孙习吏，隗王得士。"⑭文逐韵：指上文提到的班固述以公、功押韵，范晔赞以吏、士押韵。

[译文]

孔子说："只有名分不可以借给别人。"又说："名称不正则言语不能顺当合理。""一定要端正名分！"由此可知，称谓是否合理适中，是君子首先要解决的。更何况又是列入史籍，传之永远的呢！从前孔子修《春秋》，吴、楚两国君主自称为王，而经文仍旧称他们为"子"。这是史书暗含褒贬的大原则，为先贤的楷模、样式。……

遍观自古以来史书，对人物的称谓不同，根据具体情况而定，本来没有一定的标准。至于如诸侯没有谥号的，战国以前称之为"今王"；天子被废黜的，汉、魏以后称之为"少帝"。周朝衰落，有号称"共和"的辅相；楚国弑逆，有人称"郟敖"的君主。赵佗当过尉而称"尉佗"，英布被黥面而称"黥布"。英雄豪杰用"平林"、"新市"等关键地名来代称，流寇强盗因"黄巾"、"赤眉"等怪异打扮而得名。东园公、绮里季等四人结成朋友，合称"四皓"；石奋、石建等父子五人都官至二千石，加在一起总称"万石君"。凡是这一类称谓，都是当时就有的，史官直接采用了，不再加以变更。大概追求符合时代的变化，不需借助查考古事。等到后代的作者，很喜好这一类名称，也时常采用新的称谓，列成篇名次序。如王隐《晋书》的《十士传》、《寒俊传》，沈约《宋书》的《二凶传》、《索虏传》，就是其中的事例。只有魏收远不师法古人，近非因顺时俗，自我创作了一套称谓，没有什么章法。他编撰《魏书》，就把平阳王称作"出帝"，称司马氏的东晋为"僭晋"，桓玄、刘裕以下的南朝，统统称为"岛夷"。他为了讨好北齐，就轻视贬抑关右的西魏，为了依附元魏，就大肆诬蔑江南的晋、宋，爱憎全出于私心，褒贬都随意下笔，出语必定荒诞不经，称谓只能惊人耳目。……所以知道事情如果不合理，就难以让人遵照实行。像魏收这样牵强地设立诡异的名称，不依照应该效法的成例，虽然已经写进史书，终究难以被人流传诵读。

或者又听说，帝王接受天命，朝代前后相承，虽然旧时君主已死，但后人的尊敬没有改变，怎么可以等同于平常百姓，就直接书写他们的名字呢？近代的文章，实在如同儿戏。有天子却直呼其名的，如姬满、刘庄之类就是。有普通人却不称名字的，像阮步兵、陶彭泽之类就是。史论的言辞，按理应当文雅正直。但像班固叙述，涉及董贤，竟然说"董公唯亮"；范晔写赞，言及隗嚣，甚至说"隗王得士"。习凿齿谈论蜀汉君主，就称昭烈皇帝为"玄德"；裴松之引述曹魏帝王，就目称文帝为"曹丕"。像董贤、隗嚣这样的淫臣、乱臣，忽然为其姓名避讳；像刘备、曹丕这样的正式君王，反而直呼其名。私意好奇就这么做了，文字押韵便这么写了，如何去褒贬取舍，却没有固定的体例。但是近代编著史书，统统都有这样的失误。上等才智的人尚且如此，何况中等才智的人呢？这里略举一斑，借以示范罢了。

采撰第十五

子曰："吾犹及史之阙文①。"是知史文有阙，其来尚矣。自非博雅君子，何以补其遗逸者哉？盖珍裘以众腋成温②，广厦以群材合构。自古探穴藏山之士③，怀铅握椠之客④，何尝不征求异说，采摭群言⑤，然后能成一家，传诸不朽。观夫丘明受经立传，广包诸国，盖当时有《周志》、《晋乘》、《郑书》、《楚杌》等篇，遂乃聚而编之，混成一录。向使专凭鲁策，独询孔氏，何以能殚见洽闻⑥，若斯之博也？马迁《史记》，采《世本》⑦、《国语》、《战国策》、《楚汉春秋》。至班固《汉书》，则全同太史，自太初已后，又杂引刘氏《新序》、《说苑》、《七略》之辞。此并当代雅言，事无邪僻，故能取信一时，擅名千载。

但中世作者，其流日烦，虽国有册书，杀青不暇⑧，而百家诸子，私存撰录，寸有所长，实广闻见。其失之者，则有苟出异端，虚益新事。……晋世杂书，谅非一族，若《语林》、《世说》、《幽明录》、《搜神记》之徒⑨，其所载或诙谐小辩，或神鬼怪物。其事非圣，扬雄所不观⑩；其言乱神，宣尼所不语⑪。皇朝新撰《晋史》，多采以为书。夫以干宝、邓粲之所粪除，王隐、虞预之所糠秕，持为逸史，用补前传，此何异魏朝之撰《皇览》⑫，梁世之修《遍略》⑬，务多为美，聚博为功，虽取说于小人，终见嗤于君子矣。

夫郡国之记，谱谍之书，务欲矜其州里，夸其氏族。读之者安可不练其得失⑭，明其真伪者乎？至如江东五俊⑮，始自《会稽典录》⑯；颍川八龙⑰，出于《荀氏家传》⑱。而修晋、汉史者，皆征彼虚誉，定为实录。苟不别加研核，何以详其是非？

又讹言难信，传闻多失。至如曾参杀人⑲，不疑盗嫂⑳，翟义不死㉑，诸葛犹存㉒，此皆得之于行路，传之于众口，倘无明白，其谁曰然？……故作者恶道听途说之违理，街谈巷议之损实。观夫子长之撰《史记》也，殷、周已往，采彼家人；安国之述《阳秋》也，梁、益旧事，访诸故老。夫以刍荛鄙说㉓，刊为竹帛正言，而辄欲与五经方驾，三志竞爽㉔，斯亦难矣。呜呼！逝者不作，冥漠九泉；毁誉所加，远诬千载。异辞疑事，学者宜善思之。

[题解]

本篇讨论如何采集和选择史料的问题。编撰史书本来主要根据朝廷史官的记载，但由于史官的漏载和朝廷保存资料的散佚，又不得不"征求异说，采摭群言"。刘知几主张广泛搜集、严格甄别：关于神话、寓言、图谶之类的资料不宜入史；关于历史人物和事件的奇说谤言要剔除；郡国之记、谱牒之书矜夸本地本族，要详加研核；道听途说，街谈巷议，不能轻信。刘氏还批判了好奇求新、闻异辄采的不良风气。这种对"异辞疑事"的审慎态度，值得肯定。

[注释]

①吾犹及史之阙文：语出《论语·卫灵公》。阙，同"缺"。②裘以众腋成温：即今成语"集腋成裘"之义。《意林》引《慎子》："狐白之裘，非一狐之腋。"《墨子·亲士》、《吕氏春秋·用众》有类似之意，可见这是先秦通行的说法。③探穴藏山：此借用《史记·太史公自叙》"探禹穴"、"藏之名山"之说，指搜集资料、编撰史书。④怀铅握椠（qiàn）：《西京杂记》卷三作"怀铅提椠"。铅，石墨笔；椠，木板。二者都是古人用的书写工具。⑤采摭（zhí）：拾取，摘取。⑥殚（dān）：竭尽。洽：周遍，广博。⑦《世本》：记载黄帝至春秋之世诸侯大夫的氏族、世系、都邑、制作等史事。约出于战国，佚于宋代。清人有多种辑本。⑧杀青：古人制作竹简时，先用火炙烤出汗，刮去青皮，便于书写，且不会虫蠹，这叫"杀青"或"汗简"。此指编著史书。⑨《语林》：东晋裴启撰。《世说》：即《世说新语》。《幽明录》：南朝宋刘义庆撰。《搜神记》：晋干宝撰。⑩扬雄所不观：《汉书·扬雄传》："雄自有大度，非圣哲之书不好也。"⑪宣尼所不语：《论语·述而》："子不语怪力乱神。"⑫《皇览》：魏文帝曹丕命刘劭、王象等人集五经群书，编撰而成，

合四十余部,部有数十卷,总八百余万字。是历史上第一部大型类书。
⑬《遍略》:即《华林遍略》,梁武帝命顾协、刘杳等华林园学士数百人共撰,八年而成,凡七百卷。⑭练:熟悉。⑮江东五俊:《晋书·薛兼传》:"字令长,丹阳人……少与同郡纪瞻、广陵闵鸿、吴郡顾荣、会稽贺循齐名,号为五俊。"⑯《会稽典录》:虞预撰,二十四卷,盖记载郡国人物之书。⑰颍川八龙:《后汉书·荀淑传》:"字季和,颍川人,有子八人:俭、绲、靖、焘、汪、爽、肃、旉,并有名称,时人谓之八龙。"⑱《荀氏家传》:南朝宋荀伯子撰,十卷。或谓陈寿、张璠都在荀伯子前,已有"八龙"之目,刘知几似有厚诬。但这种美谈,确应源自荀门,伯子书成略晚,难洗虚誉之嫌。⑲曾参杀人:曾参,孔子弟子。《战国策·秦策二》:"有与曾子同名族者而杀人,人告曾子母,母织自若。有顷又告,尚织自若。顷之又告,母惧,投杼而走。"⑳不疑盗嫂:《汉书·直不疑传》:"人或毁不疑曰:'不疑状貌甚美,然毋奈其善盗嫂何也?'不疑闻,曰:'我乃无兄。'然终不自明也。"㉑翟义不死:《汉书·翟方进传》:"少子义,字文仲,为东郡守。王莽居摄,义移檄讨莽,军破而亡。"《后汉书·王昌传》:"昌一名郎,莽篡位,郎诈称成帝子,檄州郡曰:天命佑汉,使东郡太守翟义,拥兵征讨。郎以百姓思汉,多言翟义不死,故诈称之。"㉒诸葛犹存:诸葛亮伐魏,病死,蜀军后撤,司马懿领兵追赶,蜀军用诸葛亮遗计,让司马懿以为诸葛亮没死,吓退魏军。百姓为之谚曰:"死诸葛走生仲达。"㉓刍荛(ráo):割草打柴。古代常用以指黎民百姓。㉔三志:从上下广义看,应指《春秋》三传。或谓指《晋乘》、《楚梼杌》、《鲁春秋》三书,或谓指《史记》、《汉书》、《东观汉记》三史,疑皆不确。

[译文]

孔子说:"我还来得及看到古代史书的缺文。"由此可知史书文字有所遗缺,其来历很古了。如果不是博雅的人,怎么能补充史书的遗失散逸呢?珍贵的裘衣是集众狐之腋成其温暖,宽广的大厦是聚很多材料拼合构建。自古以来到处搜集资料、想要著书藏之名山的人,整天拿着墨笔、木板等书写工具,何尝不征集搜求不同的说法,采摘各家的言论,然后才能成一家之言,永远流传于后世。看左丘明接受《春秋》经并为之作传,广泛包括许多国家,大概当时有《周志》、《晋乘》、《郑书》、《楚梼杌》等书,于是就把它们汇聚起来进行编纂,混合成为一书。假使仅凭鲁国史书,只向孔子一人咨询,怎么能尽见遍闻,如此的广博呢?司马迁的《史记》采录了《世本》、《国语》、《战国策》、《楚汉春秋》。至于班固的《汉书》,则与太史公完全一样,从太初以后,又杂引刘向的《新序》、《说苑》、《七略》中的文辞。这些都是那个时代的雅正典籍,不会记载邪僻的事情,所以能够被当时人信任,千年以来都拥有很好的名声。

但是,中古以后的作者,他们的流派日渐繁杂。虽然国家有正式的典册史书,一直编撰没有空闲,但是民间其他流派和史家,私自存录编撰,也有其可取之处,确实可以增广见闻。它们存在的缺失,则是随便记载怪异的说法,凭空增添新奇的事情。……晋代的杂书,想必不止一种,像《语林》、《世说新语》、《幽明录》、《搜神记》之类,它们所记载的有些是诙谐机辩的话语,有些是鬼神怪异的事物。事情荒诞不经,都是扬雄不愿看的;语言惑乱神怪,都是孔子不会说的。本朝新撰的《晋书》,大多采纳进来写成史书。把干宝、邓粲当作垃圾而清除的,王隐、虞预当作秕糠而不用的,拿着作为遗逸的历史,用来补充前人的史传,这和魏朝编撰《皇览》、梁代纂修《华林遍略》,以为求取的书籍越多越好、聚集的史料越广博越有用,又有什么不同?虽然迎合讨好了小人,终究要被君子嗤笑。

有关地方郡国的记载,家族谱牒的书籍,务必想要矜耀他们的家乡,夸美他们的家族。阅读这些书籍的人,怎么能够不熟悉它们的长处和缺失,明察它们的真假呢?至于像"江东五俊"始见于《会稽典录》,"颍川八龙"出现在《荀氏家传》。但修撰晋代、东汉史书的,都征集这些虚假的赞誉,确定为真实的记录。假如不另外加以研究审核,怎么清楚他们的是非呢?

又有些谣言难以确信,传闻大多失实。至于像曾参杀人,直不疑和嫂子偷情,翟义没有死,诸葛亮还活着,这些都是道听途说、口说无凭的事情,倘若没有弄明白,谁能肯定?……所以编撰史书的人憎恶道听途说的违背事理,街谈巷议的损害真实。看司马迁编撰《史记》,有关商代、周代以前的事情,采集那些私家记载;孙盛撰述《晋阳秋》,有关梁州、益州的旧事,寻访很多当地老人。把草野百姓的粗鄙说法,写成国史大典的正式文字,还想要与五经并驾齐驱,跟三传一争高下,这也太困难了。唉!死去的人再也不能起来,沉默地躺在九泉之下,史书对于他们的诋毁或赞誉,会长远地欺骗千年以后的人。不同的文辞,可疑的事情,后世学者们应该好好地思考它们。

载文第十六

夫观乎人文,以化成天下;观乎国风,以察兴亡。是知文之为用,远矣大矣。若乃宣、僖善政,其美载于周诗;怀、襄不道,其恶存乎楚赋。读者不以吉甫、奚斯为谄,屈平、宋玉为谤者①,何也?盖不虚美,不隐恶故也。是则文之将史②,其流一焉,固可以方驾南、董③,俱称良直者矣。

爰泊中叶,文体大变。树理者多以诡妄为本,饰辞者务以淫丽为宗。譬如女工之有绮縠,音乐之有郑、卫④。盖语曰:"不作无益害有益⑤。"至如史氏所书,固当以正为主。是以虞帝思理,夏后失御,《尚书》载其元首、禽荒之歌⑥;郑庄至孝,晋献不明,《春秋》录其大隧、狐裘之什⑦。其理说而切,其文简而要,足以惩恶劝善,观风察俗者矣。若马卿之《子虚》、《上林》,扬雄之《甘泉》、《羽猎》,班固《两都》,马融《广成》⑧,喻过其体,词没其义,繁华而失实,流宕而忘返,无裨劝奖,有长奸诈。而前后《史》、《汉》皆书诸列传,不其谬乎?

且汉代词赋,虽云虚矫,自余它文,大抵犹实。至于魏、晋已下,则讹谬雷同。权而论之,其失有五:一曰虚设,二曰厚颜,三曰假手,四曰自戾⑨,五曰一概。……

古者两军为敌,二国争雄,自相称述,言无所隐。何者?国之得丧,如日月之食焉,非由饰词矫说所能掩蔽也。逮于近古则不然。曹公叹蜀主之英略,曰"刘备吾俦";周帝美齐宣之强盛,云"高欢不死"。或移都以避其锋,或斫冰以防其渡⑩。及其申诰誓,降移檄,便称其智昏菽麦⑪,识昧玄黄⑫,列宅建都若鹪鹩之巢苇⑬,临戎贾勇犹螳螂之拒辙⑭。此所谓厚颜也。

古者国有诏命,皆人主所为,故汉光武时,第五伦为督铸钱掾⑮,见诏书而叹曰:"此圣主也,一见决矣。"至于近古则不然。凡有诏敕,皆责成群下。但使朝多文士,国富辞人,肆其笔端,何事不录?是以每发玺诰,下纶言⑯,申恻隐之渥恩,叙忧勤之至意。其君虽有反道败德,唯顽与暴,观其政令,则辛、癸不如⑰;读其诏诰,则勋、华再出⑱。此所谓假手也。……

夫国有否泰,世有污隆⑲,作者形言,本无定准。故观"猗与"之颂⑳,而验有殷方兴;睹《鱼藻》之刺㉑,而知宗周将殒。至于近代则不然。夫谈主上之圣明,则君尽三五;述宰相之英伟,则人皆二八㉒。国止方隅,而言并吞六合;福不盈眥㉓,而称感致百灵。虽人事屡改,而文理无易,故善之与恶,其说不殊,欲令观者,畴为准的㉔?此所谓一概也。

于是考兹五失,以寻文义。虽事皆形似,而言必凭虚。夫镂冰为璧,不可得而用也;画地为饼,不可得而食也。是以行之于世，则上下相蒙；传之于后，则示人不信。而世之作者，恒不之察，聚彼虚说，编而次之，创自起居㉕，成于国史；连章疏录，一字无废，非复史书，更成文集。

若乃历选众作，求其秽累，王沈、鱼豢，是其甚焉；裴子野、何之元，抑其次也。陈寿、干宝，颇从简约，犹时载浮讹，未尽机要。唯王劭撰《齐》、《隋》二史，其所取也，文皆诣实㉖，理多可信，至于悠悠饰词，皆不之取。此实得去邪从正之理，捐华摭实之义也。……

昔夫子修《春秋》，别是非，申黜陟，而贼臣逆子惧。凡今之为史而载文也，苟能拨浮华，采贞实，亦可使夫雕虫小技者㉗，闻义而知徙矣。此乃禁淫之堤防，持雅之管辖，凡为载削者，可不务乎？

[题解]

本篇和《载言》篇都是讨论如何处理历史人物的言论文辞问题，但出发点不同：《载言》讨论的是体例问题，即主张增设立一个"书"类；而本篇讨论的是编撰方法，即纪传中如何附载言论文辞。刘知几提出史书采录历史人物言辞的标准是"文皆诣实，理多可信"，远古的文辞简要切实，可以直接入史；而汉赋及魏、晋以下文辞诡妄淫丽，繁华失实，有虚设、厚颜、假手、自戾、一概五失，需要"捐华摭实"。

[注释]

① "若乃"六句：宣，周宣王。僖，鲁僖公。《诗·大雅》中的《崧高》等四篇，毛序认为是尹吉甫颂美周宣王而作。《诗·鲁颂》中的《泮水》等四篇歌颂鲁僖公，有一种说法认为是鲁公子奚斯所作。怀、襄，指楚怀王、楚襄王。屈平，即屈原。宋玉，屈原弟子，楚大夫。②将：与，同。③南、董：春秋时齐史官南史、晋史官董狐的合称，皆以直笔不讳著称。④"譬如"二句：

《汉书·王褒传》："辟如女工有绮縠（hú），音乐有郑、卫。"绮，有花纹的丝织物。縠，细纱。郑、卫，古人认为郑国、卫国音乐淫乱不正。⑤不作无益害有益：语出《尚书·旅獒》。⑥元首、禽荒之歌：指《尚书·虞书·益稷》中"元首明哉"、《尚书·五子之歌》中"外作禽荒"两段歌词。禽荒，沉迷于畋猎。夏帝太康游猎于洛水，数月不归，其弟五人作《五子之歌》以讽。⑦"郑庄"三句：郑庄公因其母姜氏纵容共叔段，发誓"不及黄泉，无相见也"。后悔之，为不违誓言，挖了个地道，与母相见，并赋诗："大隧之中，其乐也融融。"晋献公宠信骊姬，逼死太子申生，公子重耳、夷吾外逃。此前晋大夫士蒍看出晋国乱象，曾赋诗："狐裘尨茸（méng róng，纷乱的样子），一国三公，吾谁适从？"⑧"若马"四句：马卿，指司马相如。其《子虚》、《上林》二赋原为《天子游猎赋》的两部分，《文选》始分为二。马融，字季长，西汉扶风平陵（今陕西兴平）人，遍注群经。其《广成赋》述文治武功不可偏废。⑨自戾：自相矛盾。⑩"曹公"六句：曹操赤壁之战后曾说"刘备吾俦也"，又关羽攻樊城时，曹操议徙都许，以避其锋。周帝，指周文帝宇文泰。其任西魏大丞相时，出兵攻打北齐文宣帝高洋，见其军容严盛，叹曰："高欢不死矣。"又《北史·斛律光传》："文宣时，周人常惧齐兵之西度，恒以冬月中河椎冰。"⑪智昏菽麦：曹魏檄吴文："孙权小子，未辨椒麦。"⑫识昧玄黄。浦云："定是宇文诮高语，未觏其文，俟补。"天色玄，地色黄。玄黄亦可代指天地。⑬鹪鹩之巢苇：《荀子·劝学》："南方有鸟，名曰蒙鸠，以羽为巢，而编之以发，系之苇苕。风至苕折，卵破子死。巢非不完也，所系者然也。"注："蒙鸠，鹪鹩也。苕苇之秀也。"⑭螳螂之拒辙：《庄子·天地》："犹螳螂之怒臂以当车轶，则必不胜任矣。"轶，通"辙"。⑮第五伦：字伯鱼，东汉长陵（今陕西咸阳东北）人。督铸钱掾：官名。⑯纶（lún）：皇帝的诏令、旨意。⑰辛、癸：即商纣、夏桀。纣庙号帝辛，桀庙号帝履癸。⑱勋、华：即尧、舜。尧名放勋，舜名重华。⑲污：败坏。隆：兴旺。⑳"猗与"之颂：《诗·商颂》首篇《那》："猗与那与。"毛序："《那》，祀成汤也。"㉑《鱼藻》之刺：指《诗·小雅·鱼藻》。毛序："《鱼藻》，刺幽王也。"㉒二八：即八恺、八元。传说高阳氏（即颛顼）有才子八人，谓之八恺；高辛氏（即帝喾）有才子八人，谓之八元。见《左传》文公十八年。

㉓眥（zì）：同"眦"。眼眶。㉔畴：谁。㉕起居：即起居注，皇帝日常言行的记录。㉖诣：符合。旧本一作"谙"，或说从之。按，"诣实"唐人习用，"谙实"不词。㉗雕虫小技：扬雄《法言·吾子》曾将辞赋比作"童子雕虫篆刻"。

[译文]

观察人类的文化，可以用来教化天下；观察各国的风谣，可以察知国家的兴亡。由此可知诗文发挥的作用，够深远的了，够巨大的了。至于周宣王、鲁僖公政治美善，他们的美德记载在周代的诗篇中；楚怀王、楚襄王昏庸无道，他们的恶行保存在楚国的辞赋里。读者不认为尹吉甫、奚斯是谄媚，屈原、宋玉是诽谤，为什么呢？大概是他们不虚美、不隐恶的缘故。这说明诗文和史书相对照，它们的发展规律是一致的，诗人作家当然也可以与南史、董狐并驾齐驱，都称得上善良正直的了。

到了中期，文章体裁发生很大变化。论述道理的大多以诡异虚诞为根本，修饰文辞的务必以淫靡绮丽为宗旨。就像织物中有花样别出的细绫、轻纱，音乐中有放荡轻浮的郑、卫之音。古语说："不做无益的事而损害有益的事。"至于史家的著作，当然应该以雅正为主。所以虞舜渴望天下大治，夏帝失去统治地位，《尚书》中就记载了关于他们的"元首"、"禽荒"之歌；郑庄公孝顺，晋献公昏庸，《春秋左传》里就记录了有关他们的"大隧"、"狐裘"之诗。这些歌诗表现的道理正直而恳切，使用的文字简明而扼要，足以惩戒恶人，劝勉善人，表现世风，察知民俗了。至于司马相如的《子虚赋》、《上林赋》，扬雄的《甘泉赋》、《羽猎赋》，班固的《两都赋》，马融的《广成赋》，比喻超过了事体，词藻淹没了义理，繁多华丽而不合事实，流离放荡而不知所归，无益于劝勉奖掖，有助于滋长奸诈。但《史记》、前后《汉书》却都把它们写进各人的列传中，不是很错误的吗？

况且汉代的词赋，虽说空虚做作，但此外其他文章，大体上还是很实在的。到了魏、晋以下，就错讹谬误，千篇一律了。粗略论述，它们的失误共有五种：一是虚设，二是厚颜，三是假手，四是自戾，五是一概。……

古时候两军对敌，二国争雄，当着自己人称述对方，语言没有什么隐瞒。为什么呢？国家事务的得失，就像日食月食一样，不是用虚假伪饰的言词所能掩盖遮蔽的。到了近代就不是这样的了。曹操赞叹蜀汉君主的英明才略，说"刘备可以和我匹敌"；周文帝赞美齐文宣帝军队强盛，说"高欢这次不会败死了"。前者商量着要迁都来躲避对方的锋芒，后者要凿开黄河冰面来阻挡对方渡河进攻。等到发表诰誓，传布檄文，就称他们头脑昏聩，不辨豆芽麦苗，见识浅陋，不知天高地厚。人家立国建都，说成像鹪鹩在芦苇苕草上筑巢；人家临敌奋勇，又说如螳螂举臂妄想阻挡大车。这就是我所说的厚颜无耻。

古时候国家发布诏诰命令，都是君主亲手制作，所以汉光武帝时，第五伦任督铸钱掾，见到皇帝的诏书，就感叹说："这真是圣明的君主啊！一见诏书就能判断出来。"到了近代就不是这样的了。凡是需要发布诏书敕令，都是交给下面的群臣起草。只要让朝廷之上多些文臣，国境之内多些墨客，放开笔头去写，什么事情写不出来？所以每当皇帝发布盖着大印的文诰，下达如同丝纶的圣旨，无不申说同情怜悯的深厚恩泽，叙述忧虑操劳的至诚意旨。这个君主即使背离常道，德行败坏，只剩下凶顽残暴，观看他所施行的政令，连商纣、夏桀都不如。但读他的诏书诰令，却仿佛是尧、舜再世。这就是我所说的借人之手。……

国运有好坏，世道有兴衰，作者要用文字把不同时代的言论写出来，本来没有固定不变的标准。所以看到"猗与"的颂诗，就可以验证商代正处于兴盛时期；目睹《鱼藻》的讽刺，就知道周朝即将衰落。到了近代就不是这样了。谈论主上的神圣英明,那么所有君主都是三皇、五帝;述说宰相的英杰伟大,那么所有大臣都是八恺、八元。国家只局促在一个角落里,却说"合并吞没了整个宇宙";福分少得装不满小眼眶,却称感应招致了千百神灵。虽然人间事情瞬息万变,但是文章写法照旧不改,所以好坏善恶,说法没什么不同,要让读者以谁作为标准呢?这就是我所说一概而论。

在这里考察这五种失误,用来探寻它们的文章义理。虽然事情经过都记载得像模像样,但是人物言论必定空洞虚假。就像用冰块雕镂的壁,不能拿来使用;在地上画出的饼,不能拿来充饥。所以它们通行于当代,就是让上下相互蒙骗;流传到后世,就是在教人不讲诚信。但世上的作者,经常不能觉察这一点,聚集那些虚假的说辞,汇编起来依次排列,从起居注开始,直到编成国史,连篇累牍地分别抄录,一个字也不肯删弃,简直不像史书,而是另外编成文集。

如果遍选各种史书,寻找污秽累赘的,王沈、鱼豢是其中最严重的,裴子野、何之元大概紧随其次。陈寿、干宝颇有简化删节,仍然时常记载些虚浮讹谬的内容,不都是机密重要的事情。只有王劭编撰《齐志》、《隋书》二种史书,它们所选取的,文章全都符合实际,道理大多可以信服,至于冗长虚饰的文词,全都不取。这确实符合离开歪路、遵循正道的道理,捐弃浮华、摭取事实的原则。……

从前孔子修《春秋》,分辨是非,申明褒贬,而使贼臣逆子恐惧。凡是今天编著史书而在其中记载文章的,如果能够拨去浮华的词藻,采录雅正真实的内容,也可以使那些卖弄文辞等雕虫小技的人,听到正大的道义而知道改头换面了。这是禁止淫邪的提防,坚持雅正的关键,凡是从事史书编撰的人,能不努力追求吗?

补注第十七

昔《诗》、《书》既成,而毛、孔立传①。传之时义,以训诂为主,亦犹《春秋》之传,配经而行也。降及中古,始名传曰注。盖传者转也,转授于无穷;注者流也,流通而靡绝。惟此二名,其归一揆。如韩、戴、服、郑②,钻仰六经③,裴、李、应、晋④,训解三史⑤,开导后学,发明先义,古今传授,是曰儒宗⑥。

既而史传小书,人物杂记,若赵岐之《三辅决录》⑦,陈寿之《季汉辅臣》⑧,周处之《阳羡风土》,常璩之《华阳士女》⑨,文言美辞列于章句,委曲叙事存于细书。此之注释,异夫儒士者矣。

次有好事之子,思广异闻,而才短力微,不能自达,庶凭骥尾⑩,千里绝群,遂乃掇众史之异辞,补前书之所阙。若裴松之《三国志》⑪,陆澄、刘昭《两汉书》⑫,刘彤《晋纪》⑬,刘孝标《世说》之类是也⑭。

亦有躬为史臣,手自刊削⑮。虽志存该博,而才阙伦叙,除烦则意有所吝,毕载则言有所妨,遂乃定彼榛楛⑯,列为子注。若萧大圜《淮海乱离志》⑰,杨衒之《洛阳伽蓝记》,宋孝王《关东风俗传》,王劭《齐志》之类是也。

权其得失,求其利害,少期集注《国志》,以广承祚所遗,而喜聚异同,不加刊定,恣其击难,坐长烦芜。观其书成表献,自比蜜蜂兼采,但甘苦不分,难以味同萍实者矣⑱。陆澄所注班史,多引司马迁之书,若此缺一言,彼增半句,皆采摘成注,标为异说，有昏耳目，难为披览。窃唯范晔之删《后汉》也，简而且周，疏而不漏，盖云备矣。而刘昭采其所捐，以为补注，言尽非要，事皆不急。譬夫人有吐果之核，弃药之滓，而愚者乃重加捃拾⑲，洁以登荐⑳，持此为工，多见其无识也。孝标善于攻缪，博而且精，固以察及泉鱼㉑，辨穷河豕㉒。嗟乎！以峻之才识，足堪远大，而不能探赜彪、峤㉓，网罗班、马，方复留情于委巷小说，锐思于流俗短书；可谓劳而无功，费而无当者矣。自兹已降，其失逾甚。若萧、杨之琐杂，王、宋之鄙碎，言殊拣金㉔，事比鸡肋㉕，异体同病，焉可胜言。

大抵撰史加注者，或因人成事，或自我作故，记录无限，规检不存，难以成一家之格言，千载之楷则。凡诸作者，可不详之㉖？……

[题解]

本篇讨论史书的注释问题。刘知几以训释字词、发明经义的"儒宗"注释为标准，又身处古书保存较多的唐初，批评前代史书注释，认为无论史家自注还是后人加注，必以掇异补缺、增补史事为目的，如裴松之注《三国志》"喜聚异同，不加刊定"，陆澄注《汉书》支离破碎、难以阅读，刘昭注《后汉书》全取范晔遗弃的史料，刘孝标注《世说》留意于委巷小说，都是"劳而无功"之举。后人重视这些古注在保存史料上的价值，这是不同时代的评价标准有异，实属正常。

[注释]

①毛、孔立传：毛传指《诗》毛氏《诂训传》。《汉书·儒林传》仅说毛公为赵人，治《诗》，为河间献王博士。郑玄则说鲁人大毛公作传，小毛公为博士。三国时人陆玑又说大毛公名亨，小毛公名苌。孔传即今传孔安国《古文尚书传》，唐人信其为真，后人多以为晋人伪作。②韩：指韩婴，燕人，汉

文帝时博士，作《诗内外传》数万言，今存《韩诗外传》十卷。戴：指戴德、戴圣。戴德，字延君，西汉梁人，编著《大戴礼记》八十五篇，今存三十九篇。戴圣，字次君，德兄子，删编《礼记》四十九篇，号为小戴。服：指服虔，字子慎，东汉荥阳（今属河南）人，作《春秋左传解》。郑：指郑玄，字康成，东汉北海高密（今属山东）人，曾遍注群经，凡百余万言，号称郑学。③钻仰：指深入研究。典出《论语·子罕》："仰之弥高，钻之弥坚。"原意为赞叹孔子之道，越抬头看，越觉得高；越用力钻研，越觉得深。④裴：指裴骃，字龙驹，南朝宋人，裴松之之子，撰《史记集解》八十卷。李：颜师古《汉书注》引李斐、李奇之说，生平事迹不详。应：指应劭，后汉太山太守，撰《汉书集解》、《汉纪注》等。晋：指晋灼，河南人，晋尚书郎，撰《汉书集解》、《汉书音义》等。⑤三史：唐以前指《史记》、《汉书》、《东观汉记》，是为"前三史"。李贤注《后汉书》以后，逐渐取代《东观汉记》，而成"后三史"。⑥儒宗：此指儒家以训诂注解正经正史为宗主。⑦赵岐：赵岐著《三辅决录》，已见《书志》篇。旧本或作"挚虞"，盖据《隋志》载有"挚虞注"之说而改。然以下所列三人均系撰者而非注者，或本误。⑧陈寿之《季汉辅臣》：《三国志·蜀志·杨戏传》："戏著《季汉辅臣赞》，其所颂述，今多载于《蜀书》。其赞而不作传者，余皆注疏本末于其辞下。"前人多仅以陈寿为注者，然其散取杨氏之赞，入于《蜀志》正文，亦当视同撰者。⑨常璩之《华阳士女》：常璩，字道将，蜀郡江原（今四川崇州）人。十六国成汉政权散骑常侍，掌著作。著有《华阳国志》十二卷，分类记载西南地区历史、地理、人物等，其中有"先贤士女总赞"及"士女目录"，所记汉晋士女四百人。⑩骥尾：《史记·伯夷列传》："附骥尾而行益显。"索隐："苍蝇附骥尾而致千里。"⑪裴松之：字世期（下文之"少期"，为避李世民讳而改），河东闻喜（今属山西）人。南朝宋时官至中书侍郎。为《三国志》作注，文字多出正文数倍。⑫刘昭：字宣卿，平原高唐（今属山东）人，南朝梁临川王记室。注范晔《后汉书》，并将司马彪《续汉书》八志作注后补入，即今本《后汉书》志三十卷。⑬刘彤：《梁书·刘昭传》："昭伯父肜集众家《晋书》，注干宝《晋纪》为四十卷。"⑭刘孝标（462—521）：刘峻，字孝标。平原（今属山东）人，南朝梁荆州户曹参军，撰《世说新语注》。⑮刊削：旧本并同，浦

内　篇　105

改作"刊补",近人多从之。本书《忤时》篇云:"或可略而不略,或应书而不书,此刊削之务也。"盖谓编撰史书时材料之取舍,于义为长。⑯榛楛(zhēn kǔ):丛生的杂木。常以喻事物琐碎杂乱。⑰萧大圜:字仁显,梁简文帝子。史传未言其著《淮海乱离志》,《旧唐书·经籍志》始署其名,与刘知几说相合。《隋志》则云:"四卷,萧世怡撰,叙侯景之乱。"《周书》、《北史》又云萧圆肃撰。⑱味同萍实:《孔子家语·致思》:"楚王渡江得萍实,大如斗,赤如日,剖而食之,甜如蜜。"⑲捃(jùn)拾:拾取。⑳登:呈上。荐:进献。㉑察及泉鱼:《列子·说符》:"察见渊鱼者不祥。"唐人讳"渊",故此作"泉"。比喻有很强的洞察力。㉒辨穷河豕:孔子弟子子夏听到有人读史书:"晋师三豕涉河。"就说应该是"己亥涉河"之误。此用以形容刘孝标文献知识渊博。㉓探赜(zé):探究深奥的事理。㉔拣金:语出《世说新语·文学》:"陆(机)若排沙简金,往往见宝。"㉕鸡肋:语出《三国志·魏志·武帝纪》裴注:"夫鸡肋弃之如可惜,食之无所得。"㉖之:同"诸","之乎"的合音。

[译文]

从前《诗》、《尚书》成书后,毛公、孔安国分别为它们作传。传在当时的含义,是以训诂为主,也正如《春秋》的传,是配合经文而流行于世的。往下到了中古时期,才开始把"传"称作"注"。大概"传"的意思就是"转",辗转不绝地永远传授下去;"注"的意思就是"流",流传通行而不会断绝。想来这两个名称,它们的旨趣是一致的。比如韩婴、大小戴、服虔、郑玄,钻研注释六经,裴骃、二李、应劭、晋灼,训诂解释三史,启发引导后代的学者,阐发辨明前人的真意,古今递相传授,这是儒家注释的正宗。

后来又有些正史以外的史传小书、人物杂记,像赵岐的《三辅决录》,陈寿的《季汉辅臣赞》,周处的《阳羡风土记》,常璩的《华阳国志·士女》,既将文饰的语言和美丽的辞藻列在正文之内,又将详尽叙述事情细节的内容保存在小字注释中。这种注释,就与儒家人士有所区别了。

再其次有些好事的人，想要增广奇异的见闻，但才力短浅，不能自己著书来达到这一目的，希望凭借前人著述来让自己远超众人，就像苍蝇附在马尾上而日行千里一样，于是就拾捡各种史书的不同说法，补充前人书中的缺漏。像裴松之的《三国志》注，陆澄的《汉书》注，刘昭的《后汉书》注，刘彤的《晋纪》注，刘孝标的《世说新语》注之类就是。

也有人本身作为史官，自己亲手取舍材料编撰史书。虽然志向在于追求完备广博，但是缺乏条理编次的才能，若要删除繁芜的材料，感情上有所吝惜，若要全部记载，文字上又有所妨碍，于是就选定一些丛杂的记载，列作子注。像萧大圜的《淮海乱离志》，杨衒之的《洛阳伽蓝记》，宋孝王的《关东风俗传》，王劭的《齐志》之类就是。

如果商讨这些注释的得失，探求它们的利弊，那么裴松之集注《三国志》，以增广陈寿所遗漏的史实，却喜好汇聚各种不同的说法，不加删削考定，肆意抨击责难，徒然地助长了繁芜的弊端。看他成书后献给朝廷的表状中，自己比喻像蜜蜂酿蜜，兼采百花，但他其实是甘苦不分，难以达到萍实那种纯正的甘甜味道。陆澄所注的班固《汉书》，大多援引司马迁的《史记》，如果这里缺一个字，那里增半句话，全都采集摘录成为注释，标举为不同的说法，让人看得头昏眼花，很难把它全部翻阅一遍。我认为只有范晔删编《后汉书》，简洁而又周详，疏阔却没有遗漏，大概可以说完备了。而刘昭搜集他所捐弃的材料，拿来作为补注，都是些不太重要的言论，不很要紧的事情。就像有人吐出的果核，丢弃的药滓，而愚蠢的人竟然重新把它们捡起来，清洗干净后进献给别人，拿这些东西当作宝贝，正足以表明他们缺乏见识。刘孝标善于纠正谬误，博学而且专精，固然已经洞察力深及渊中之鱼，分辨力穷尽"三豕"之误。可叹啊！以他的才力学识，足以胜任更远大的事业，却不能去探索班彪、华峤的幽隐，网罗班固、司马迁的遗逸，反而钟情于街谈巷议的笔记小说，专心致志在流行民间的短小书籍，可以说是劳而无功、费而无当的了。从此往下，这方面的失误越来越严重。像萧大圜、杨衒之的琐碎芜杂，王劭、宋孝王的粗鄙零碎，所取的言论，不能做到沙里淘金；所记的事情，就好比食之无味的鸡肋。它们的体例不同，毛病却都一样，哪里能说得尽。

总体来说，史书中的补注，或者是依赖他人之书而成注，或者是自己著书时随文作注，记载范围无所限制，规矩体例没有确立，难以成为堪为模式的一家之言，千载效仿的准则。凡是各位编撰史书的人，能不审慎吗？……

因习第十八

盖闻三王各异礼，五帝不同乐，故传称因俗①，《易》贵随时②。况史书者，记事之言耳。夫事有贸迁③，而言无变革，此所谓胶柱而调瑟，刻船以求剑也④。……

盖著鲁史者，不谓其邦为鲁国；撰周书者，不呼其上曰周王。如《史记》者，事总古今，势无主客，故言及汉祖，多为汉王，斯亦未为累也。班氏既分裂《史记》，定名《汉书》，至于述高祖为公、王之时，皆不除沛、汉之字。凡有异方降款者，以归汉为文。肇自班《书》，首为此失；迄于仲豫，仍踵厥非。积习相传，曾无先觉者矣。

又《史记·陈涉世家》，称其子孙至今血食⑤。《汉书》复有《涉传》，乃具载迁文。按迁之言今，实孝武之世也；固之言今，当孝明之世也。事出百年，语同一理。即如是，岂陈氏苗裔祚流东京者乎？斯必不然。《汉书》又云："严君平既卒，蜀人至今称之。"皇甫谧全录斯语，载于《高士传》。夫孟坚、士安，年代悬隔，至今之说，岂可同云？夫班之习马，其非既如彼；谧之承固，其失又如此。迷而不悟，奚其甚乎？

何法盛《中兴书·刘隗录》⑥，称其议狱事具《刑法志》⑦，依检志内，了无其说。既而臧氏《晋书》、梁朝《通史》，于大连之传，并有斯言，志亦无文，传仍虚述。此又不精之咎，同于玄晏也。……

当晋宅江淮，实膺正朔，嫉彼群雄，称为僭盗。故阮氏《七录》，以田、范、裴、段诸记⑧，刘、石、苻、姚等书⑨，别创一名，题为"伪史"。及隋氏受命，海内为家，国靡爱憎，人无彼我，而世有撰《隋书·经籍志》者，其流别群书，还依阮《录》。按国之有伪，其来尚矣。如杜宇作帝⑩，勾践称王⑪，孙权建鼎峙之业，萧詧为附庸之主。而扬雄撰《蜀纪》⑫，子贡著《越绝》⑬，虞裁《江表传》⑭，蔡述《后梁史》⑮。考斯众作，咸是伪书，自可类聚相从，合成一部，何止取东晋一世十有六家而已乎？

夫王室将崩，霸图云构，必有忠臣义士，捐生殉节。若乃韦、耿谋诛曹武⑯，钦、诞问罪马文⑰，而魏、晋史臣书之曰贼，此乃迫于当世，难以直言。至如荀济、元瑾，兰摧于孝靖之末⑱；王谦、尉迥，玉折于宇文之季⑲，而李刊齐史⑳，颜述隋篇㉑，时无逼畏，事须矫枉，而皆仍旧不改，谓数君为叛逆。书事如此，褒贬何施？

昔汉代有修奏记于其府者，遂盗葛龚所作而进之㉒，既具录他文，不知改易名姓，时人谓之曰："作奏虽工，宜去葛龚。"及邯郸氏撰《笑林》㉓，载之以为口实。嗟乎！历观自古，此类尤多，其有宜去而不去者，岂直"葛龚"而已，何事于斯独致解颐之诮也㉔？凡为史者，苟能识事详审，措辞精密，举一隅以三隅反㉕，告诸往而知诸来㉖，斯庶几可以无大过矣。

[题解]

本篇批评史书中因袭前人而产生的种种弊端，认为这违反了因俗随时的古训。如《史记》因习《春秋》，称诸侯死为卒而不是薨；《汉书》因习《史记》，称汉高祖为"沛公"、"汉王"；前人称"今"，事过百年后仍称"今"；前人的记载错误、评价不实，后人以讹传讹、相沿不改。这些弊端在后世史书中仍然存在，值得警惕。又刘知几批评《隋书·经籍志》因袭《七录》"伪史"类，只是改题为"霸史"，而收书仍仅限于十六国史，没有把前后偏伪政权的史书都按类列入，后世书目在此类收录《越绝书》、《吴越春秋》等书，这可能受到刘氏的影响。

[注释]

①传称因俗：《尚书·禹贡》传："政教随其俗。"孔疏引王肃云："政教荒忽，因其故俗而治之。"②《易》贵随时：《易·随》象曰："随时之义大矣哉。"③贸迁：原意为商品的贸易运输，此指事物的演变改易。④刻船以求剑：典出《吕氏春秋·察今》，略谓楚人涉江，剑坠水，遽刻其舟，曰："是吾剑之所从坠。"舟止，从其所刻处入水求剑。⑤子孙至今血食：祭祀时用牛羊豕等牲畜，称为血食。西汉时为陈涉置守冢三十家于砀，岁时祭祀，故司马迁说"至今血食"。并非子孙受封，世世血食。刘知几未解其意，误增"子孙"二字。⑥刘隗：字大连，曾任东晋从事中郎、丞相司直等官，掌刑狱。录：何法盛《晋中兴书》中列传称"录"。⑦志：前《书志》篇云："何法盛曰说。"此处通称为"志"而已。⑧田、范、裴、段诸记：指田融《赵书》十卷、范亨《燕书》二十卷、裴景仁《秦记》十一卷、段龟龙《凉记》十卷。⑨刘、石、苻、姚等书：指十六国中的前赵刘氏、后赵石氏、前秦苻氏、后秦姚氏。按：上句错举四史家，此错举四国姓，实际都是用以指代所有十六国史

书。⑩杜宇作帝：战国时期杜宇在蜀，教民务时，自号曰望帝，后禅位于其相。传说化为杜鹃。⑪勾践称王：春秋后期越王勾践，为吴王阖闾所败，卧薪尝胆，复仇灭吴，与齐、晋会盟，被尊为霸主。⑫扬雄撰《蜀纪》：《隋志》著录《蜀王本记》一卷，称扬雄撰。亦称《蜀本纪》、《蜀纪》、《蜀记》。今本或疑为唐宋间人伪造。⑬子贡著《越绝》：《越绝书》十六卷，"绝"指勾践，"书"或作"志"，记古越国兴亡事。隋唐史志俱称子贡撰，后人一般认为系后汉袁康所撰。⑭虞载《江表传》：虞溥，字允源，西晋高平昌邑（今属山东）人。官鄱阳内史，撰《江表传》二卷。⑮蔡述《后梁史》：蔡允恭，隋唐间荆州江陵（今属湖北）人。因其父曾仕于后梁，故著《后梁春秋》十卷，记萧詧江陵事。⑯韦、耿谋诛曹武：汉末建安二十三年（218），韦晃、耿纪起兵谋诛曹操，事败，诛三族。⑰钦、诞问罪马文：三国魏扬州刺史文钦矫太后诏，发兵向大将军司马昭问罪，兵败逃亡入吴。随后诸葛诞又反，司马昭率兵征讨，诸葛诞兵败被杀。⑱"至如"二句：东魏孝静帝武定五年（547），荀济、元瑾等企图谋害权臣高澄，事败被诛。三年后，高澄之弟高洋废孝静帝而建立北齐。靖，同"静"。⑲"王谦"二句：北周末年，杨坚秉权，王谦、尉迟迥起兵讨伐，兵败被杀。⑳李刊齐史：今本李百药《北齐书》未载荀济、元瑾事，而见于李延寿《北史·齐文襄纪》。然《北齐书》晚唐以后残损严重，刘知几所见，或为完帙。㉑颜述隋篇：《隋书》或题魏征等撰，或题长孙无忌撰，盖因书成众手，各以首末领事者署之。本书《古今正史》篇谓其纪传为颜师古、孔颖达"共撰成"。㉒葛龚：字元甫，东汉梁国宁陵（今属河南）人，以善为文奏知名当时。㉓邯郸氏：名淳，字子叔，三国魏博士、给事中。撰《笑林》三卷，历载古今可笑之事。㉔解颐：开颜欢笑。㉕举一隅以三隅反：比喻从一件事情类推而知道其他许多事情。语出《论语·述而》："举一隅，不以三隅反，则不复也。"㉖告诸往而知诸来：比喻能明了事物的因果同异的关系，据此知彼。语出《论语·学而》："赐也，始可与言《诗》已矣，告诸往而知诸来者。"

[译文]

听说三王的礼制各异，五帝的乐制不同，所以《书》传说要根据旧俗来治理，《易》经看重顺应时代而变化。况且史书是记载事情的文字，事情有了变化，而记事的文字却没有变革，这就是人们所说的胶柱调瑟、刻船求剑了。……

编著鲁史的人，不必明说自己的国家为鲁国；撰写周书的人，不必称呼自己的君上为周王。而像《史记》，记载的事情包括古今，朝代的地位不分主客，所以说到汉高祖，大多称为汉王，这也不算是累赘。班固既然已经分出《史记》中的汉代部分，定名为《汉书》，到了叙述汉高祖为沛公、汉王的时候，都不删除"沛"、"汉"二字。凡有外国来投降归附的，则都写成"归汉"。正是从班固《汉书》开始，首次出现了这样的失误；一直到荀悦，仍然沿袭它的错误做法。长期积累而成的习惯一代代流传下来，竟然没有能首先觉悟的人了。

另外，《史记·陈涉世家》说他的子孙至今享受血食之祭。《汉书》又有《陈涉传》，竟照抄司马迁的原文。查考司马迁说的"今"，其实是指西汉武帝时代；班固说的"今"，应当为东汉明帝时代。事情过去一百年了，用语还不变。假使真是这样，难道陈涉后代的福祚一直流传到东汉了吗？必定不是这样的。《汉书》又说："严君平死了以后，蜀人至今称颂他。"皇甫谧完全照录这两句话，记载在《高士传》中。班固和皇甫谧的年代远远相隔，"至今"的说法，难道可以同样使用吗？班固沿袭司马迁，其错误已经如上面说的那样；皇甫谧承袭班固，其失误又像这一样。迷惑而不知觉悟，为什么这样严重呢？

何法盛的《晋中兴书·刘隗录》称他议论刑狱的事情详细记载在《刑法说》中，按这一说法去查检《刑法说》，里边根本没有相关的说法。后来臧荣绪的《晋书》、梁朝编撰的《通史》，在刘隗的传中都有这句话，它们的志中也没有相应的文字，传中仍然在说空话。这又是不精细的过错，和皇甫谧一样了。……

当东晋在江淮一带安定下来的时候，实际继承了西晋的正统，憎恨那些割据北方的政权，称他们是僭冒的强盗。所以阮孝绪《七录》把田融、范亨、裴景仁、段龟龙等人的记载，前赵刘氏、后赵石氏、前秦苻氏、后秦姚氏等十六国的史书，另外新创了一个名称，叫作"伪史"。等到隋代受天命而有天下，四海之内成为一家，对前代国家没有爱憎之分，对境内人民没有你我之别，但当代有人编撰《隋书·经籍志》，它为群书分类，还是依照阮孝绪的《七录》。查考国家有僭伪的情形，由来已经很久了。如杜宇号为望帝，勾践自称越王，孙权建立三国鼎峙的帝业，萧詧成为附庸别国的君主。而扬雄编撰《蜀王本纪》，子贡编著《越绝书》，虞溥剪裁《江表传》，蔡允恭记述《后梁春秋》。考察这些著作，都是伪史一类的图书，自然可以按类归在一起相次编排，合成一个部类，为什么只取东晋一代的十六国史书而已呢？

当一个王朝即将崩溃，权臣正要图谋篡位的时候，必定会有忠诚之臣、正义之士，宁愿捐弃生命，为节操而献身。至于像韦晃、耿纪密谋诛讨曹操，文钦、诸葛诞起兵向司马昭问罪，而魏、晋史官都把他们书写为叛贼，这是由于逼近当代，难以公正直言。至于像荀济、元瑾在东魏孝静末年被杀，王谦、尉迟迥在宇文氏北周后期死难，而李百药著《北齐书》、颜师古等人编《隋书》纪传部分，时代并不逼近，已经没有什么可以畏惧，记事本来必须矫正错误，却都照旧不改，称他们几个人为叛逆。这样记载史事，褒贬的原则体现在哪里？

从前汉代有人在官府里替上司写奏记，就抄袭葛龚所作的文章，拿去进献给上司，全部照录原文后，不知道改换成自己的姓名，当时人说他："写作的奏文虽然精巧，应该改掉葛龚的姓名。"等到邯郸淳编撰《笑林》，就记载了这件事情作为笑柄。可叹啊！遍观自古以来，这一类的事情特别多，其中应该去掉而不去掉的，难道只有一个"葛龚"而已吗？为什么单独把这件事情拿来作为开怀逗乐的笑谈呢？凡是编撰史书的人，如果能够认识事情周详审慎，下笔措辞精当绵密，从这件事情类推其他许多事情，告诉他历史的教训就能知道以后该怎么做，这样大概可以不犯大错了。

邑里第十九

昔五经、诸子，广书人物，虽氏族可验，而邑里难详。逮太史公始革兹体，惟有列传①，先述本居。至于国有弛张②，乡有并省，随时而载，用明审实。按夏侯孝若撰《东方朔赞》云③："朔字曼倩，平原厌次人。魏建安中④，分厌次为乐陵郡⑤，故又为郡人焉。"夫以身没之后，地名改易，犹复追书其事，以示后来。则知身生之前，故宜详录者矣。

……州郡则废置无恒，名目则古今各异。而作者为人立传，每云"某所人也"，其地皆取旧号，施之于今⑥。欲求实录，不亦难乎！且人无定所，因地而化。故生于荆者，言皆成楚；居于晋者，齿便从黄⑦。涉魏而东，已经七叶⑧；历江而北，非唯一世。而犹以本国为是，此乡为非。是则孔父里于昌平，阴氏家于新野，而系纂微子，源承管仲，乃为齐、宋之人，非关鲁、邓之士⑨。求诸自古，其义无闻⑩。

且自世重高门，人轻寒族⑪，竞以姓望所出，邑里相矜。若仲远之寻郑玄，先云汝南应劭⑫；文举之对曹操，自谓鲁国孔融是也⑬。爰及近古，其言多伪。至于碑颂所勒，茅土定名⑭，虚引他邦，冒为己邑。若乃称袁则饰之陈郡，言杜则系之京邑，姓卯金者咸曰彭城，氏禾女者皆云巨鹿。在诸史传，多与同风。此乃寻流俗之常谈，忘著书之旧体矣。……

[题解]

本篇讨论史书如何记载人物籍贯的问题。史传记载籍贯往往"其地皆取旧号，施之于今"，这是一种特殊的"因习"，所以宋本本篇题目作"因习下第十九，亦曰邑里"，或许符合原题。刘知几在其负责修撰的唐代国史传记中，只著本居，不录郡望，监修者加以讥笑，并改依旧望。本篇指斥这是"虚引他邦，冒为己邑"的作假行为，反对时人"以本国为是，此乡为非"的世俗观念，义正辞严。两《唐书》仍多记郡望，至今为人所诟病，而后来的史书大都采用刘氏的做法，可见其影响之深远。

[注释]

①惟：浦改作"凡"。按，此即《尚书·召诰》"惟有历年"之"惟"，有人无我独多之意，于义为长。②弛张：弓弦的放松和张开。此指国家疆域的缩小和扩张。③夏侯孝若：名湛，字孝若，西晋谯国谯（今安徽亳州）人。仕为中书侍郎、散骑常侍。《文选》载其《东方朔画赞并序》。④魏建安：建安（196—220）本为汉献帝年号，时曹操秉政，故此径冠"魏"字。⑤厌次：地名，在今山东惠民境内。秦置县，建安中从厌次分出乐陵郡。⑥"施之于今"下，原注："近代史为王氏传云'琅琊临沂人'，为李氏传曰'陇西成纪人'之类是也。非惟王、李二族久离本居，亦自当时无此郡县。"⑦"居于"二句：嵇康《养生论》："齿居晋而黄。"后人解释因晋地人吃枣多而牙齿变黄。⑧"涉魏"二句：《汉书·高帝纪》："汉帝本系，出自唐帝，降及于周，在秦作刘，涉魏而东，遂为丰公。"晋灼曰："涉犹入也。"这里指北方人南渡后，已经历东晋、宋、齐、梁、陈、隋、唐七个朝代。⑨"是则"六句：孔子生于鲁国昌平乡陬邑，其始祖为商末的微子，周初封于宋，后代春秋时由宋奔鲁。《后汉书·阴皇后纪》和《阴识传》都称为"南阳新野人"，其祖先出自齐相管仲。南阳郡后世又称邓州。⑩"其义无闻"下：原注："时修国史，予被配纂《李义琰传》。琰家于魏州昌乐，已经三代，因云：'义琰，魏州昌乐人也。'监修者大笑，以为深乖史体，遂依李氏旧望，改为陇西成纪人。既言不见从，故有此说。"⑪"且自"二句：高门指门阀贵族，寒族则为与之相

内　篇　115

对而言的庶族。⑫"若仲"二句：仲远为应劭字。寻，攀缘。《后汉书·郑玄传》记载应劭自称"故太山太守应仲远"，郑玄笑曰："仲尼之门，考以四科，回赐之徒，不称官阀。"则因夸耀官阀而受讥，非关姓望事，刘知几记忆偶疏。⑬"文举"二句：文举为孔融字。《后汉书·杨彪传》记载孔融向曹操抗议其诬陷杨彪，说："孔融，鲁国男子，明日便当拂衣而去，不复朝矣。"孔融确为鲁人，且此时早已与曹操同朝为官，言非为夸耀郡姓望而发，此例亦有不妥。⑭茅土定名：此指封爵时确定名称。茅土，古代分封诸侯，取四方之土，以白茅包裹，作为祭祀的社。后世封爵，往往以其姓望所出，封为某国公、某郡侯等。

[译文]

　　从前五经、诸子，广泛涉及众多人物，虽然他们所出氏族可以根据这些古书来查验，但是他们居住的乡里却难以详细知道。到了司马迁开始改变这种著述体例，他的书中独多列传，都先叙述传主本来的居住地。至于国家疆域有缩小扩大，郡县乡里有合并减省，根据不同时期而加以记载，以表明审慎真实。查考夏侯湛撰写《东方朔画赞并序》说："东方朔，字曼倩，平原厌次人。魏代建安年间，从厌次分出乐陵郡，所以又成为乐陵郡人了。"人死之后，地名改变了，还要追写这事，以告诉后人。那么可知一个人生前居住的乡里，当然应该详细记录了。

　　……州郡有时废并，有时分置，没有固定不变的，名称则古今各不相同。但作者为人立传，常常说是"某地人也"；地名都取旧称，施用在今天。想要追求真实的记录，不也太困难了吗！况且人没有永远固定的居所，根据地域的不同而生出不同的人。所以生在荆楚的人，说话都成为楚地的方言；居住在晋地的人，牙齿便随着成为黄色。北方人渡江南迁，已经过了七个朝代；南方人过江北移，也不止一个朝代。却仍然把祖先居住的郡国认作是家乡，不把现在居住的乡里当作家乡。这样的话，那么孔子家住鲁国昌平，汉武帝皇后阴氏家住邓州新野，但孔子的族系是接续微子的，阴氏的族源是继承管仲的,就分别是宋人、齐人,而不关鲁人、邓人什么事了。从自古以来的历史上探求,没有听说过这样称呼的道理。

况且自从世俗看重高门望族,人们轻视寒门庶族,纷纷根据各自姓氏的望族所出之地,用他们居住的乡里来相互夸耀。比如应劭去攀附郑玄,先说自己是汝南郡人应劭;孔融去抗议曹操,自称是鲁国人孔融就是。到了近代,这类郡望的说法大多都是假的。以至于碑石铭颂中所刻写的,赐封爵位时所定的郡国名称,都虚假地拿别人的地名,冒充是自己的祖籍。比如像说到姓袁,就伪装是陈郡人;说到姓杜,就依附为京城人;姓卯金(刘)的都说是彭城人;姓禾女(魏)的都说是巨鹿人。在各种史书的列传里,大多与这同一风气。这是追寻流俗的普通说法,而忘记著书的本来体例了。……

言语第二十

盖枢机之发,荣辱之主①。言之不文,行之不远②。则知饰词专对③,古之所重也。夫上古之世,人唯朴略,言语难晓,训释方通。是以寻理则事简而意深,考文则词艰而义释,若《尚书》载伊尹立训,皋陶矢谟,《洛诰》、《康诰》、《牧誓》、《泰誓》是也④。周监二代,郁郁乎文⑤。大夫、行人⑥,尤重词命,语微婉而多切,言流靡而不淫。若《春秋》载吕相绝秦,子产献捷,臧孙谏君纳鼎,魏绛对戮杨干是也⑦。战国虎争,驰说云涌,人持《弄丸》之辩,家挟《飞钳》之术⑧,剧谈者以谲诳为宗⑨,利口者以寓言为主⑩。若《史记》载苏秦合从,张仪连横,范雎反间以相秦,鲁连解纷而全赵是也⑪。……

夫三传之说，既不习于《尚书》；两汉之词，又多违于《战策》。足以验氓俗之递改，知岁时之不同。而后来作者，通无远识，记其当世口语，罕能从实而书，方复追效昔人，示其稽古。是以好丘明者，则偏摸《左传》[12]；爱子长者，则全学史公。用使周、秦言辞见于魏、晋之代，楚、汉应对行乎宋、齐之日。而伪修混沌[13]，失彼天然，今古以之不纯，真伪由其相乱。故裴少期讥孙盛录曹公平素之语，而全作夫差亡灭之词[14]。虽言似《春秋》，而事殊乖越者矣。……

唯王、宋著书，叙元、高时事[15]，抗词正笔，务存直道，方言世语，由此毕彰。而今之学者，皆尤二子以言多淬秽，语伤浅俗。夫本质如此，而推过史臣，犹鉴者见嫫姆多媸[16]，而归罪于明镜也。

又世之议者，咸以北朝众作，《周史》为工。盖赏其记言之体，多同于古故也。夫以枉饰虚言，都捐实事，便号以良直，师其模楷，是则董狐、南史，举目可求；班固、华峤，比肩皆是者矣。

近有敦煌张太素[17]、中山郎余令[18]，并称述者，自负史才。郎著《孝传》，张著《隋后略》，凡所撰人语，皆依仿旧辞。若选言可以效古而书，其难类者，则忽而不取，料其所弃，可胜纪哉？

盖江芈骂商臣曰："呼！役夫，宜君王废汝而立职[19]。"汉王怒郦生曰："竖儒，几败乃公事[20]。"单固谓杨康曰："老奴，汝死自其分[21]。"乐广叹卫玠曰："谁家生得宁馨儿[22]。"斯并当时侮嫚之词，流俗鄙俚之说，必播以唇吻，传诸讽诵。而世人皆以为上之二言不失清雅，而下之两句殊为鲁朴者，何哉？盖楚、汉世隔，事已成古；魏、晋年近，言犹类今。已古者即谓其文，犹今者乃惊其质。夫天地长久，风俗无恒，后之视今，亦犹今之视昔。而作者皆怯书今语，勇效昔言，不其惑乎？苟记言则约附五经，载语则依凭三史，是春秋之俗，战国之风，亘两仪而并存㉓，经千载其如一，奚以今来古往，质文之屡变者哉？

盖善为政者，不择人而理，故俗无精粗，咸被其化。工为史者，不选事而书，故言无美恶，尽传于后。若事皆不谬，言必近真，庶几可与古人同居，何止得其糟粕而已。

[题解]

本篇讨论史书中对方言、口语的处理问题。刘知几肯定记述历史应讲究修辞，才能更好地发挥社会作用，但不能以辞害义。他认为文辞随着时代、地域、民族等的不同而产生变化，史书不能一味模仿古语雅言，任意增饰文采，而应反映当代语言的实际状况和少数民族语言的风格特征。他批评魏收、牛弘"妄益文采，虚加风物"，却高度称赞王劭、宋孝王的史书"方言世语，由此毕彰"，这与当时人的评价大相径庭，可谓别具慧眼。

[注释]

①枢机之发，荣辱之主：语出《易·系辞上》。意谓一个人的语言主宰着他的荣辱。枢机，喻事物的关键部分，此指人的心灵，寓有言为心声之意。②言之不文，行之不远：语出《左传》襄公二十五年所引孔子之言，原作"言之无文，行而不远"。③专对：指古代外交活动中独立应对。《论语·子路》："诵诗三百，使于四方，不能专对，虽多，亦奚以为？"④"若《尚书》"三句：《尚书》中的《伊训》是伊尹作训以教导太甲，《皋陶（yáo）谟》记皋陶在舜、禹面前陈述治国谋略，《洛诰》是洛邑建成后周公告诫成王的话，《康诰》为周公在封康叔时的诰词，《牧誓》为周武王伐纣时的牧野誓师之词，《泰誓》是周武王伐纣时在孟津之会上的誓词。⑤周监二代，郁郁乎文：语出《论语·八佾》："周监于二代，郁郁乎文哉！吾从周。"郁郁，文盛

貌。⑥行人：官名，有大行人、小行人，掌管朝觐聘问。这里通指使者。⑦"若《春秋》"四句：《春秋》代指《左传》。成公十三年晋吕相出使秦国，备说二国友好交往，指责秦国背盟，宣布与之绝交。襄公二十五年，郑伐陈，并献捷于晋，晋指责其以大侵小，郑子产据理反驳，甚为得体。桓公二年，宋国贿赂大鼎，鲁桓公把它收藏在太庙，大夫臧孙劝谏。襄公三年，晋悼公之弟杨干搅乱军伍，魏绛杀死为其驾车的仆人，悼公欲杀绛，后看到他给家人的遗书，省悟不能以私情乱军法，于是重用魏绛。⑧"人持"二句：《文心雕龙·论说》篇："《转丸》骋其巧辞，《飞钳》伏其精术。"《转丸》、《飞钳》都是《鬼谷子》的篇名，已佚。《古今注》卷中："蜣螂能以土苞屎，推转成丸，圆正无斜角。庄周曰：'蛣蜣之智，在于转丸。'一曰蛣蜣，一曰转丸，一曰弄丸。"⑨剧谈者：健谈的人。谲（jué）：狡诈，虚妄。⑩利口：能言善辩。《书·周官》："无以利口乱厥官。"寓言：《史记·庄子传》："其著书十余万言，大抵率寓言也。"索隐："率皆立主客，使之相对语，故云偶言。又音寓，寓，寄也。……寄辞于其人。故《庄子》有《寓言》篇。"郭象《庄子注》："言出于己，俗多不受，故借外耳。"⑪"若《史记》"四句：苏秦，字季子，洛阳人。战国时游说六国，合纵抗秦，佩六国相印。张仪，相传与苏秦俱为鬼谷子弟子，为秦惠王相，以连横之说劝六国背弃纵约，共同事秦。范雎本为战国魏人，秦昭王时入秦，通过离间昭王与掌权的太后、穰侯之间的关系，成为秦相，封应侯。后又用反间计，使赵撤换名将廉颇，赵军在长平之战中全军覆没。鲁连，即鲁仲连。秦围困赵都邯郸，魏王派新垣衍劝说赵王奉秦为帝。齐人鲁仲连在赵，往见新垣衍，历数帝秦的危害，使赵、魏联合抗秦，秦只好退兵。⑫摸：摹，仿效。⑬伪修混沌：《庄子·天地》篇中，孔子批评全仗人力不用机械的人是"假修浑沌氏之术者也"。浑沌即混沌，古人想象中世界开辟前的状态，也用来指未经人为雕琢的自然状态。⑭"故装"二句：孙盛《魏氏春秋》记载曹操说："刘备人杰也，将生忧寡人。"这是套用《左传》哀公二十年夫差之语"勾践将生忧寡人"。裴松之注《三国志》时批评说："孙盛制书，多用《左氏》以易旧文，如此者非一。嗟乎！后之学者将何取信哉？且魏武方以天下励志，而用夫差分死之言，尤非其类。"⑮王、宋著书：指王劭《齐志》、宋孝王《关东风俗传》。元、高：指元氏西魏、高氏北齐。⑯蹼姆：张之象本作"嫫母"。传说黄帝妃嫫母貌甚丑而最贤。⑰张太素：唐魏州繁水（今河南南乐）人，高宗时东台舍人，兼修国史，著《后魏书》、《隋后略》等书多种，凡百余篇。⑱郎余令：唐定州新乐（今属河北）人，官著作佐郎。续梁元帝《孝德传》，作《后传》数十篇。下文"郎著《孝传》"，书名中间疑脱"后"字，浦补"德"字，今不从。⑲江芈骂商臣：事见《左传》文公元年。芈，原作"芊"，据《左传》改。⑳汉王怒郦生：事见《史记·留侯世家》。㉑单固谓杨康：事见《三国志·魏志·王凌传》裴注引《魏略》。㉒乐广叹卫玠：《晋书·乐广传》、《卫玠传》俱无"宁馨儿"语。而《王衍传》载山涛叹王衍，说："何物老妪，生宁馨儿！然误天下苍生者，未必非此人也。"刘知几记忆有误。宁馨，若何，如此。含有贬意。后世或用作佳词。㉓两仪：指天地。

[译文]

语言是由人的内心发出来的，也是招致荣辱的主要因素。如果言辞没有文采，就难以传播久远。那么可以知道修饰言辞，独自应对，古人是十分重视的。上古时代，人们质朴简略，当时的语言后人难以知晓，须要经过解释才能贯通。因此探寻道理，事情虽然简单，而意义却很深刻；考察文辞，词语虽然艰深，而意义却很清楚。如《尚书》记载的伊尹作立训辞，皋陶陈述谋略，以及《洛诰》、《康诰》、《牧誓》、《泰誓》等都是这样的。周代的礼仪制度是以夏、商两代作为借鉴而制定的，文采多么丰富啊！大夫、外交使者，特别重视应对的辞令，语言微妙委婉而大多贴切，言谈流畅华美而又不夸大失实。如《左传》记载吕相出使秦国宣布晋与之断绝邦交的说辞，子产向晋国奉献战利品时的辩论，臧孙劝谏鲁桓公不要把宋国贿赂的大鼎收藏在太庙，魏绛回答杀戮杨干仆人的道理等等，都属于这种情况。战国时代，龙争虎斗，驰骋游说风起云涌，人人都掌握了《弄丸》所说的口辩才能，家家都怀抱着《飞钳》所说的论说技术，夸夸其谈的以虚妄欺诈为宗旨，能言善辩的用寓言故事为依据。如《史记》记载的苏秦主张合纵，张仪游说连横，范雎善用反间计而成为秦相，鲁仲连排解纠纷而保全赵国等等，都属于这种情况。……

《春秋》三传的语言，已经不模仿《尚书》了；前后《汉书》的文辞，又多与《战国策》不同。通过它们，完全可以验证民间习俗的递相更改，知道时代风气的变化不同。但是后来作者，一般没有远见，记载当时的口语，很少能如实书写，总在追摹效仿前人，以显示他们符合古代经典。所以喜欢左丘明的人，就一味模仿《左传》；喜爱司马迁的人，就完全学习《史记》。因而使得周、秦时候的言辞，重现于魏、晋时代，楚、汉之际的应对，流行在宋、齐的时候。而错误模仿上古的质朴，反而失掉了真实的自然，现代和古代因此混淆不纯，真实和虚假因此错杂相乱。所以裴松之讥笑孙盛记录曹操平时说的话，却完全变作春秋吴王夫差将要灭亡时的哀叹之词。虽然语言类似《春秋左传》，但事情是根本错误的了。……

只有王劭、宋孝王所著的《齐志》、《关东风俗传》，叙述元氏西魏、高氏北齐当时的事情，直言不讳，秉笔直书，力求体现直笔的原则，地方口语，当代言谈，由此充分显示。而现在的学者，都责难这两个人，认为他们书中的言词大多是污秽渣滓，语言失之于浅薄庸俗。其实当时语言的本来面目就是如此，却把这推说成为史官的过失，就好比照镜子的人看见嫫母很丑，而把责任归在明镜身上。

另外，当代发议论的人，都认为在北朝各种史书中，牛弘的《周史》是最好的。大概是赏识它记载语言的体例，大多与古代相同的缘故吧！像这样徒自用虚假的空话来曲意文饰，完全抛弃真实的事情，便称它为良史直笔，把它当成模范来学习，那么董狐、南史，睁开眼睛就可以看到，班固、华峤，肩挨肩的到处都是了。

近来有敦煌的张太素、中山的郎余令，一并被称为善于著述的人，他们本人也以具备史家才能自负。郎余令著《孝德后传》，张太素著《隋后略》，凡是所撰写人物的语言，都模仿古旧的文辞。如果选择有些语言可以仿效古语的才书写，而那些难以仿效的，就忽略而不取用，料想他们所遗弃的，多得还能尽数吗？

江芈骂商臣说："啊！贱骨头，难怪你父王想废掉你而立王子职为太子。"汉王对郦食其发怒说："混蛋！几乎坏了老子的事。"单固对杨康说："老家伙！你死得活该。"乐广赞叹卫玠（当作山涛赞叹王衍）说："谁家生出这样的孩儿！"这些都是当时侮辱轻慢的词语，民间粗鄙俚俗的说法，必定都是人们经常挂在嘴边，流传很广，张口就来，倒背如流的。但是世上的人都以为上面两句话，不失清正文雅，而下面两句话，极为粗鲁拙朴，这是为什么呢？因为楚汉时代远隔，事情已经成为古典；魏晋年代接近，语言还与现在类似。已经成为古典的就称它文雅，还与现在类似的就惊诧它的拙朴。天地能永远存在，风俗不会固定不变，后代的人看现在，也就像现在的人看过去。但是著书的人都害怕写出现在的语言，却勇于仿效以往的文词，岂不是糊涂吗？如果记载言辞就要遵从五经，记载语言就要依靠三史，那么春秋时代的语俗，战国时代的风格，将与天地一同并存，经过千年仍旧一样，为什么古往今来，质朴与文采经常变化呢？

善于治理国家政事的人，不会挑选国民来治理，所以无论风俗好坏，都能受到教化。擅长著作史书的人，不会挑选事情来书写，所以无论语言美丑，都要传给后代。如果所记载的事情都不谬误，语言必定接近真实，大概可以和古人处于同样的地位，何至于只得到他们的糟粕而已呢？

浮词第二十一

夫人枢机之发，亹亹不穷①，必有余音足句②，为其始末。

是以伊、惟、夫、盖，发语之端也；焉、哉、矣、兮，断句之助也。去之则言语不足，加之则章句获全。而史之叙事，亦有时类此。故将述晋灵公厚敛雕墙，则且以不君为称③；欲云司马安四至九卿，而先以巧宦标目④。所谓说事之端也。又书重耳伐原示信，而续以一战而霸，文之教也⑤；载匈奴为偶人象郅都，令驰射莫能中，则云其见惮如此⑥。所谓论事之助也。

昔尼父裁经，义在褒贬，明如日月，持用不刊。而史传所书，贵乎博录而已。至于本事之外，时寄抑扬，此乃得失禀于片言，是非由于一句，谈何容易，可不慎欤。但近代作者，溺于烦富，则有发言失中，加字不惬，遂令后之览者，难以取信。……

盖古之记事也，或先经张本，或后传终言，分布虽疏，错综逾密。今之记事也则不然。或隔卷异篇，遽相矛盾；或连行接句，顿成乖角。是以《齐史》之论魏收，良直邪曲，三说各异⑦；《周书》之评太祖，宽仁好杀，二理不同⑧。非唯言无准的，固亦事成首鼠者矣⑨。夫人有一，而史辞再三；良以好发芜音，不求谠理，而言之反覆，观者惑焉。……

昔夫子断唐、虞以下迄于周，翦截浮词，撮其机要，故帝王之道，坦然明白。嗟乎！自去圣日远，史籍逾多，得失是非，孰能刊定？假有才堪厘革，而以人废言，此绕朝所谓"勿谓秦无人，吾谋适不用"者也⑩。

[题解]

所谓浮词，是指史书客观叙事时附加的评论性字句。刘知几认为它们就像文言虚词一样必不可少，但其关系到人事的褒贬抑扬，应格外慎重，原则上要简约而恰如其分，在不同的场合下评断必须一致，这些都是中肯的意见。他批评一些史书的论断"发言失中"，难以取信于后世。其中部分例证，如《史记·赵世家》称"无恤最贤"，《汉书·萧何传》称"韩信国士无双"，后世颇多争论，但其精神实质是不错的。

[注释]

①亹（wěi）亹：义同"娓娓"。指言辞滔滔不绝，委婉动人。②余音：多余的音节。指句首、句尾的语助词，只有音节，没有实义，故曰余。③"故将"二句：《左传》宣公二年："晋灵公不君，厚敛以雕墙。"不君，失去为君之道。厚敛，征收重税。雕，画。④"欲云"二句：《史记·汲黯传》："黯姑姊子司马安，少与黯为太子洗马。安文深巧，善宦，官四至九卿。"潘岳《闲居赋序》破句作"巧宦"，后遂习用之。⑤"又书"三句：事见《左传》僖公二十五年、二十七年。⑥"载勾"三句：事见《史记·酷吏列传·郅都传》。⑦三说各异：原注："李百药《齐书序》论魏收云：'若使子孙有灵，窃恐未挹高论。'至《收传》论又云：'足以入相如之室，游尼父之门。但志存实录，好抵阴私。'于《尔朱畅传》又云：'收受畅财贿，故为荣传多减其恶。'是谓三说各异。"⑧二理不同：原注："令狐德棻《周书·元伟传》称文帝不害诸元，则云：'太祖天纵宽仁，性罕猜忌。'于《本纪》论又云：'渚宫制胜，阃城孥戮，茹茹归命，尽种诛夷。虽事出权道，而用乖于德教。'是二理不同。"⑨首鼠：首鼠两端，意为瞻前顾后，犹豫不定。也指进退两难。⑩绕朝：春秋秦国大夫。事见《左传》文公十三年。

[译文]

人们从内心发出来的语言，娓娓不断，一定有多余的音节来补足句子，作为它的开始和结束。所以"伊"、"惟"、"夫"、"盖"，是发出话语的开端词；"焉"、"哉"、"矣"、"兮"，是断开句子的语助词。去掉它们，说话的语气就不足；加上它们，句、段才能首尾完整。史书叙事，也时或有这样的类似情况。所以将要叙述晋灵公征收重税来雕画墙壁，就先用"不君"来称呼他；想要讲述司马安四次做到九卿，就先用"巧宦"来称呼他。这就是所谓叙事的开端了。又如先记载晋文公讨伐原国，显示了信用，接着说城濮一战称霸诸侯，这是文明教化的作用。记载匈奴制作像郅都的木偶人，命令驰马射它，没有人能射中，就补充说匈奴人害怕他到这地步。这就是所谓论事的辅助了。

从前孔子删订经书，意义在于彰明褒贬，就像太阳月亮一样明明白白，后人拿来用作标准，永不改变。而史传所记载的，可贵之处在于广博地编录而已。至于在事情本身之外，也时常寄寓褒贬，这就要把事情的得失暗藏在片言之中，事情的是非通过一句话表明，做到这一点谈何容易，能够不慎之又慎吗？但是近代作者，沉溺在追求烦琐富丽，就有叙事开端说得不够中肯的，末尾增加的论事文字令人不能满意的，于是使得后世的读者，难以相信它。……

古时的记事，或是在前面为以后将要发生的事情预设伏笔，或是在后面为以前已经叙述的事情撰写终结文字，前后分布虽然隔得较远，但交错综合更加紧密。现在的记事就不是这样的了。或是分隔在不同的卷帙篇章，于是互相产生矛盾；或是连接在上下的几行几句，顿时变成互相抵触。所以《北齐书》评论魏收，有时称他为良史直笔，有时说他歪曲不公，三处说法各不相同；《周书》评论太祖，有时称他宽仁，有时说他好杀，两种说法也不一样。这不只是评论的言辞没有准则，当然也使得事情本身成了前后矛盾。人只有这同一个人，而史书中的评价却有几种说法，确实由于喜欢发表杂乱的议论，不去追求正直的道理，因而说起话来反复无常，使看史书的人疑惑不解。……

从前孔子删订《春秋》，确定唐尧、虞舜以下直到周代的时间断限，剪截虚浮文辞，摘取精要实事，所以使得帝王之道明明白白。可叹啊！自从距离圣人的时间越来越远，历史典籍愈来愈多，其中谈论历史上的得失是非，谁能够加以修改、给出定论呢？即使有才能可以担当修改订正重任的人，却又因不被信用而废弃他的意见，这就是秦大夫绕朝所说的"不要以为秦国没有人才，只是我的计谋凑巧不被采用罢了"。

叙事第二十二

……夫国史之美者,以叙事为工;而叙事之工者,以简要为主。简之时义大矣哉!历观自古,作者权舆①,《尚书》发踪,所载务于寡事;《春秋》变体,其言贵于省文。斯盖浇淳殊致②,前后异迹。然则文约而事丰,此述作之尤美者也。始自两汉,迄乎三国,国史之文,日伤烦富。逮晋已降,流宕逾远。寻其冗句,摘其烦词,一行之间,必谬增数字;尺纸之内,恒虚费数行。夫聚蚊成雷,群轻折轴③,况于章句不节,言词莫限,载之兼两④,曷足道哉?

盖叙事之体,其别有四:有直纪其才行者,有唯书其事迹者,有因言语而可知者,有假赞论而自见者。至如《古文尚书》称帝尧之德,标以"允恭克让⑤";《春秋左传》言了太叔之状,目以"美秀而文"⑥。所称如此,更无他说,所谓直纪其才行者。又如《左氏》载申生为骊姬所谮,自缢而亡⑦;班史称纪信为项籍所围,代君而死⑧。此则不言其节操,而忠孝自彰,所谓唯书其事迹者。又如《尚书》称武王之罪纣也,其誓曰:"焚炙忠良,刳剔孕妇⑨。"《左传》纪随会之论楚也,其词曰:"筚辂蓝缕,以启山林⑩。"则才行事迹,莫不阙如,而言有关涉,事便显露,所谓因言语而可知者。又如《史记·卫青传》后,太史公曰:"苏建尝责大将军不荐贤待士。"《汉书·孝文纪》末,其赞曰:"吴王诈病不朝,赐以几杖。"此则纪之与传,并所不书,而史臣发言,别出其事,所谓假赞论而自见者。然则才行、事迹、言语、赞论，凡此四者，皆不相须⑪。若兼而毕书，则其费尤广。但自古经史，通多此类⑫。能获免者，盖十无一二。

又叙事之省，其流有二焉：一曰省句，二曰省字。如《左传》宋华耦来盟，称其先人得罪于宋，鲁人以为敏⑬。夫以钝者称敏，则明贤达所嗤，此为省句也。《春秋》经曰："陨石于宋五⑭。"夫闻之陨，视之石，数之五。加以一字太详，减其一字太略，求诸折中，简要合理，此为省字也。其有反于是者，若《公羊》称郤克眇，季孙行父秃，孙良夫跛，齐使跛者逆跛者，秃者逆秃者，眇者逆眇者⑮。盖宜除"跛者"已下句，但云"各以其类逆"。必事加再述，则于文殊费，此为烦句也。《汉书·张苍传》云："年老，口中无齿。"盖于此一句之内去"年"及"口中"可矣。夫此六文成句，而三字妄加，此为烦字也。然则省句为易，省字为难，洞识此心，始可言史矣。苟句尽余剩，字皆重复，史之烦芜，职由于此⑯。……

夫饰言者为文，编文者为句；句积而章立，章积而篇成。篇目既分，而一家之言备矣。古者行人出境，以词令为宗；大夫应对，以言文为主。况乎列以章句，刊之竹帛，安可不励精雕饰，传诸讽诵者哉？自圣贤述作，是曰经典，句皆《韶》、《夏》⑰，言尽琳琅，秩秩德音⑱，洋洋盈耳⑲。譬夫游沧海者，徒惊其浩旷；登太山者，但嗟其峻极。必摘以尤最，不知何者为先。然章句之言，有显有晦。显也者，繁词缛说，理尽于篇中；晦也者，省字约文，事溢于句外。然则晦之将显，优劣不同，较可知矣。夫能略小存大，举重明轻，一言而巨细咸该，片语而洪纤靡漏，此皆用晦之道也。……

自兹已降，史道陵夷，作者芜音累句，云蒸泉涌⑳。其为文也，大抵编字不只，捶句皆双，修短取均，奇偶相配。故应以一言蔽之者，辄足为二言；应以三句成文者，必分为四句。弥漫重沓，不知所裁。是以承祚受责于少期㉑，子升取讥于君懋㉒，非不幸也。

盖作者言虽简略，理皆要害，故能疏而不遗，俭而无阙。譬如用奇兵者，持一当百，能全克敌之功也。若才乏俊颖，思多昏滞，费词既甚，叙事才周；亦犹售铁钱者，以两当一，方成贸迁之价也。然则《史》、《汉》已前，省要如彼；《国》、《晋》已降，烦碎如此。必定其妍媸，甄其善恶。夫读古史者，明其章句，皆可咏歌；观近史者，悦其绪言㉓，直求事意而已。是则一贵一贱，不言可知，无假榷扬㉔，而其理自见矣。

昔文章既作，比兴由生，鸟兽以媲贤愚，草木以方男女，诗人骚客㉕，言之备矣。洎乎中代，其体稍殊，或拟人必以其伦，或述事多比于古。当汉氏之临天下也，君实称帝，理异殷、周；子乃封王，名非鲁、卫。而作者犹谓帝家为王室，公辅为王臣。盘石加建侯之言㉖，带河申俾侯之誓㉗。而史臣撰录，亦同彼文章，假托古词，翻易今语。润色之滥，萌于此矣。

降及近古，弥见其甚。至如诸子短书，杂家小说，论逆臣则呼为问鼎㉘，称巨寇则目以长鲸㉙。邦国初基，皆云草昧㉚；帝王兆迹，必号龙飞㉛。斯并理兼讽谕，言非指斥，异乎游、夏措词㉜，南、董显书之义也。如魏收《代史》㉝，吴均《齐录》㉞，或牢笼一世，或苞举一家，自可申不刊之格言㉟，弘至公之正说。而收称刘氏纳贡，则曰"来献百牢"㊱；均叙元日临轩，必云"朝会万国"㊲。夫以吴征鲁赋㊳，禹计涂山㊴，持彼往事，用为今说，置于文章则可，施于简册则否矣。……

昔夫子有云："文胜质则史㊵。"故知史之为务，必藉于文。自五经已降，三史而往，以文叙事，可得言焉。而今之所作，有异于是。其立言也，或虚加练饰，轻事雕彩；或体兼赋颂，词类俳优㊶。文非文，史非史。譬夫乌孙造室，杂以汉仪㊷，而刻鹄不成，反类于鹜者也㊸。

[题解]

　　本篇讨论史书的叙事技巧，这是史书编撰中的一个关键问题。题下原注说："序一章，尚简、用晦、妄饰三章。"很好地概述了史书叙事的三大原则：简要、隐晦、避免妄饰。刘知几把叙事分为直纪才行、只记事迹、因言语而显事、借论赞见意四种表现形式。根据具体情况，分别采用，就可以节省文辞、避免累赘。他把叙事简要的方法分为省句、省字两类，认为省句为易，省字为难。他对叙事中的显晦进行了比较，特别强调隐晦，就是要做到文字精练，尽可能让每一句话内涵丰富，具有言外之意，使读者见表知里，见一知三。他极力反对用骈文编史叙事，妄加修饰，这与《言语》、《浮词》中的某些见解，是有密切联系的。

[注释]

　　①权舆：原指草木萌芽的状态，引申为起始、开端。②浇淳：浅薄与淳厚。致：观念，意趣。③群轻折轴：语出《战国策·魏策一》张仪游说之辞。物虽轻，堆积太多可以压断车轴。比喻不能忽视小事。④兼两：许多车辆。兼，倍。两，通"辆"。⑤允恭克让：语出《尚书·尧典》。允，诚实。克，能干。⑥"《春秋左传》"二句：事见《左传》襄公三十一年。子太叔，春秋郑国正卿。美秀，指外貌举止而言。文，指熟习礼乐典章制度。⑦"又如"二句：骊姬想立亲生子奚齐为太子，在太子申生献给晋献公的祭肉中下毒。申生仁孝，不愿申辩，自缢而死。事见《左传》僖公四年。⑧"班史"二句：项羽围困荥阳，纪信乘汉王车请降，并被烧杀，刘邦乘机逃脱。事见《汉书·高帝纪》。⑨焚炙（zhì）忠良，刳（kū）剔孕妇：语出《尚书·泰誓》。焚炙，烧烤。刳，剖开挖空。⑩荜辂蓝缕，以启山林：语出《左传》宣公十二年晋大夫栾武子之辞，武子名栾，而随会亦称武子，故刘知几误作随会。

"辂"《左传》原作"路"。杜预注:"革路,柴车。蓝缕,敝衣。"⑪相须:相互依存。这里指同时具备而出现重叠。⑫类:通"颣",偏颇,不正。⑬"如《左传》"三句:《左传》文公十五年记载,宋司马华耦来鲁国参加盟会,自称其祖先华督曾得罪于宋殇公,不敢与鲁文公共宴。有人以为他聪敏,而杜预注认为"无故扬其先祖之罪,是不敏"。鲁人,愚钝的人。⑭陨(yǔn)石于宋五:《春秋》僖公十六年文。陨:坠落。⑮"若《公羊》"六句:此综合《公羊传》成公二年、《穀梁传》成公元年的记载,二传还有"曹公子手偻"及"偻者逆偻者"之文,此仅举其三而已。郤(xī),姓,同"郗"。逆,迎接,接待。⑯职由于此:主要由于这个原因。⑰《韶》、《夏》:传说舜、禹时代的乐曲名。⑱秩秩德音:语出《诗·秦风·小戎》。秩秩,高雅,清爽。德音,美好的声音,包括音乐、言论,有时特指诏书。⑲洋洋盈耳:语出《论语·泰伯》。洋洋,美盛的样子。⑳云蒸泉涌:形容层出不穷。㉑承祚受责于少期:原注:"《魏志·邓哀王传》曰:'容貌姿美。'裴松之曰:'一类之言而分以为三,亦叙属之一病也。'"浦改"承祚"为"处道",晋王沈字;又改《魏志》为《魏书》,"美"下增"有殊于众,故特见宠异"九字。按,"容貌姿美"出裴注所引《魏书》,晋王沈等人共撰。刘知几误记为《三国志》正文,故以为裴氏责陈寿。浦改虽是,然此属刘氏原误,仍旧不改。至于裴氏所谓一分为三,指"容"、"貌"、"姿"三字为一类词语,不当重复,非指三句而言,故浦增九字,乃出于误解。㉒子升取讥于君懋:原注:"王劭《齐志》曰:时议恨邢子才不得掌兴魏之书,怅怏温子升,亦若此而撰《永安记》,率是支言。"㉓绪言:头绪,大意。《庄子·渔父》:"曩者先生有绪言而去。"㉔榷扬:商榷讨论。㉕诗人骚客:泛指诗歌辞赋作家,狭义则称《诗》三百篇和《楚辞》的作者。㉖盘石加建侯之言:盘石,也作"磐石"。《史记·文帝纪》:"高帝封王子弟,地犬牙相制,此所谓磐石之宗也。"㉗带河申俾侯之誓:周成王封周公子伯禽于鲁,有"使河如带"之语。㉘问鼎:楚国国君向王孙满问鼎之轻重,事见《左传》定公三年。后世用问鼎代指谋人国家。㉙长鲸:大鲸鱼。喻巨寇、首恶。㉚草昧:天地初开时的混沌状态,后用来指乱世。㉛龙飞:指皇帝即将登基。《易·乾》:"九五,飞龙在天,利见大人。"㉜游、夏措词:子游、子夏为孔门四科中文学的代表,但《史记·孔子世家》说："孔子修《春秋》，子夏之徒不能赞一辞。"这里化用其意，指子游、子夏措词严谨，不轻易褒贬。㉝《代史》：即《魏书》。元魏初曾以代为国号。㉞《齐录》：指《齐春秋》。㉟不刊：东汉张竦以为扬雄《方言》是"悬诸日月不刊之书"。㊱"而收"二句：事见《魏书·世祖太武帝纪下》。牢，牛羊之类牲畜。㊲"均叙"二句：吴均《齐春秋》今佚，刘知几或曾见及。元日，正月初一。临轩，皇帝出正殿至殿前平台，接受朝见。㊳吴征鲁赋：《左传》哀公七年："公会吴于鄫，吴来征百牢，乃与之。"㊴禹计涂山：《左传》哀公七年："禹合诸侯于涂山，执玉帛者万国。"㊵文胜质则史：语出《论语·雍也》。近人多认为"史"指史官，然刘知几之意当指史书。㊶俳（pái）优：表演滑稽戏的演员。㊷乌孙造室，杂以汉仪：《汉书·西域传》："龟兹王治宫室，作徼道周卫，杂以汉仪。外国胡人皆曰：'驴非驴，马非马，若龟兹王，所谓骡也。'"此作"乌孙"，或涉传上言乌孙公主女而误。㊸"而刻"二句：语出《后汉书·马援传》："效伯高不成，犹为谨敕之士，所谓刻鹄不成尚类鹜者也。"鹄，天鹅。鹜，野鸭。

[译文]

……好的国史，主要体现在叙事完善上，而叙事完善，又以简要为主。简要的意义是很大的啊！遍观自古以来的史书，在作者初起的阶段，《尚书》发起了开端，所记载的（主要是言论）追求事情少而精；《春秋》改变了体例（所记载主要是事情），注重省略记言的文字。这大概是时代风气厚薄不同，作者观念意趣有了变化，先后编撰的史书面貌自然也有差异。既然它们都这样重视简省，那么文辞简约而史事丰富，这应该是历史著作中特别完善的了。从两汉开始，直到三国，国史的文字，越来越失之于烦琐富丽。到了晋朝以下，恣意纵笔，走得更远了。假如要在史书中寻找冗赘的句子，挑出多余的词语，那么一行之中，必定有几个字是误加上的；一张纸上，常常有几行是空费笔墨。把千万只小蚊子聚集在一起，能够发出如雷的声音；把太多轻微的东西堆积在车上，也会压断坚固的车轴。何况章句不加节制，言词没有限制，冗余的字句够装满几大车了,还有什么值得称道的呢?

叙事的体例,可以区分为四种:有直接记载人物才能品行的,有仅仅记载人物生平事迹的,有根据相关言论就可以了解的,有借助史官赞论而自然明白的。至于像《古文尚书》称赞帝尧的德行,标榜为"允恭克让";《春秋左传》说子太叔的状貌,品题为"美秀而文"。所称述的仅此而已,再没有增加其他说法,这就是所谓直接记载人物才能品行的例子。又如《左传》记载申生被骊姬所诬陷,上吊而死;班固《汉书》记载纪信被项羽围困代替刘邦而被烧死。这些都没有明说人物的节操如何,但他们的忠孝自然彰显出来,这就是仅仅记载人物生平事迹的例子。又如《尚书》叙述武王历数商纣王的罪恶,在誓词中说:"烧烤忠良,剖挖孕妇。"《左传》记载随会(当作栾书)论述楚国历史,所说的话是:"柴车敝衣,开辟山林。"这些都是人物的才能品行、生平事迹完全不作明确的记载,但是别人的言论里有所涉及,相关人物的事迹便显露出来了,这就是根据相关言论就可以了解的例子。又如《史书·卫青传》后面,太史公说:"苏建曾经责备大将军不推荐贤才,不以礼待士。"《汉书·文帝纪》结尾,班固的赞语说:"吴王濞装病不来朝见天子,文帝反而赐给他几案、手杖。"这些都是本纪和列传里并没有记载的,而在史官发表议论时另外说出他们的事情,这就是借助史官赞论而自然明白的例子。如此说来,才能品行、生平事迹、相关言论、史官赞论,所有这四个方面,都不能相互重叠。如果都要完全写出来,那就花费笔墨特别多了。但是自古以来的经文史书,通常多有这种毛病,能够避免的,大概不到十分之一二。

另外叙事的省略,可以分为两类:一叫省句,二叫省字。如《左传》记载宋国华耦来鲁国会盟,说他的祖先曾得罪于宋国君主,愚钝的人认为他很聪敏。用愚钝的人来称赞他聪敏,那就表明他被贤达的人所讥笑,这就是省句。《春秋》经文说:"陨石于宋五。"

先听到声音知道有东西落下，看了以后知道是陨石，数一下才知道是五块。增加一个字就太详细，减少一个字就太简略，在详略之间寻求一个适中的分寸，尽量做到既简要又合理，这就是省字。还有与此相反的例子。如《公羊传》记载，郤克独眼，季孙行父秃头，孙良夫跛脚，齐国让跛脚的接待跛脚的，秃头的迎接秃头的，独眼的接待独眼的。大概应该删除"跛脚的"以下句子，只说"分别让同类的人去接待"。如果一定要把事情细说两遍，那就很费文辞了，这是多余的句子。《汉书·张苍传》说："年老，口中无齿。"大概在这一句之内省去"年"和"口中"三个字就可以了。这里六个字组成一句，却有三个字是虚增的，这是多余的文字。如此说来，省句容易，省字更难，能深刻体会到这一认识，才可以谈得上著史。如果句子尽是多余的，文字都是重复的，史书的烦琐杂乱，主要就是由于这个原因。……

　　修饰语言成为文字，组织文字成为句子，句子累积起来就构成章节，章节累积起来就成为整篇文章了。一篇篇文章按标题区分编排起来，代表一家之言的著作就完备了。古时候外交官员出使别国，以辞令为根本；大夫在外交场合的应对，以文辞为主旨。何况要把它们排列组织成为章句，书写在竹简、丝帛之上成为史册，怎么可以不尽力地精心雕琢，流传给后人来阅读背诵呢？由古代圣贤著作编述的，就被称作经典，句句都如同《韶》、《夏》乐曲，字字都好像琳琅美玉，清清爽爽的优美声音，缕缕阵阵悦耳动听。譬如在大海中遨游的人，空自惊异它的浩瀚辽阔；登临泰山的人，只能感叹它的高峻至极。假如让他选取最为突出的观感来说说，就不知道先从哪一点说起了。然而章句中的言辞，有明显的，有隐晦的。明显的，词句繁多，道理已经在文章中说尽；隐晦的，文字简约，事情超出字句之外。那么隐晦的与明显的相比，它们的优劣不同，就能明显地看出来了。能够省略小事而保留大事，举出重要的以说明次要的，一个字词就事无巨细全包括进去，三言两语就使大事小事都没有遗漏，这些都是运用隐晦的道理。……

从此以后，著史的原则日渐衰微，作者的繁芜音节、累赘字句，就像云气升腾、泉水喷涌般层出不穷。他们写起文章来，大都组织文词不用单字，锤炼句子都要成双，长短要均匀，单双相配合。所以本来应该用一个字概括的，常常要凑足为两个字；应该用三句成文的，必定要分为四句。到处都是重叠拖沓，不知有所剪裁。所以陈寿（当作王沈）受到裴松之的责难，温子升被王劭所讥笑，并非运气不好而被冤枉。

作者的文字虽然简略，记载的事理都很重要，所以能够疏略而没有遗漏，俭省却没有缺失。就像善用奇兵的人，以一当百，能够保全战胜敌人的功效。如果才能并不杰出冒尖，思维大多糊涂迟滞，花费词句已经很多，叙述事情方才周详，也就像卖铁钱的，用两个当一个，才能谈成买卖交易的价钱。如此说来，《史记》、《汉书》以前，是那样的简洁扼要；《三国志》、《晋书》以下，又是这样的繁杂琐碎。假如一定要评定它们的美丑，分清它们的好坏，那些读古代史书的人，弄明白它的所有章句，以为都值得朗读吟诵；看近代史书的人，满足于略知它的头绪，直接寻求事情的大意。那么它们的贵贱高低，不说也可以知道，用不着再作讨论，其中的道理就自然显现出来了。

有了文章著述以后，比喻、寄托的手法就由此而生。用鸟兽来比拟贤愚，用草木来比喻男女，作《诗》三百篇的诗人、写《楚辞》之赋的作家，就已经使用得很完善了。到了中古时代，文章体裁稍有不同，有的拟人必用同类古人，有的叙事多采古事相比。当汉代帝王君临天下的时候，君主其实称为皇帝，事理已与商、周称为王不同；皇帝的儿子分封为王，名称也不是周代鲁、卫等诸侯所称的公、侯之类。但是著史的人仍然称中央朝廷为王室，称朝廷上的三公、辅相为王臣，分封诸侯王国要加上磐石之固的话语，任命诸王为国君要申明黄河如带的誓言。而史官编撰史书，也如同那些官样文章，假借古代词句，翻改替换当今语言。修饰润色，泛滥成风，就从这里开始了。

往下到了近代，更加显现出它的严重程度。以至于像各种流派的短小书籍、丛杂的笔记小说之类，谈论叛臣就说是"问鼎"，称呼大盗就叫做"长鲸"；国家起初建立，全都说成"草昧"；帝王预兆迹象，必定号称"龙飞"。这些都兼含暗示比喻的义理，不是明白指称的言辞，与子游、子夏措辞严谨，南史、董狐明白直书，用意都不一样。比如魏收的《魏书》，吴均的《齐春秋》，或统括北魏一代，或通贯北齐一朝，自然可以申明后人无法修改的模范言论，弘扬最为公道的正确说法。但是魏收称南朝刘宋向北魏进贡，就说成"来献百牢"；吴均叙述北齐皇帝元日临朝，必定说"朝会万国"。用吴国征收鲁国赋税的"百牢"，夏禹在涂山会合诸侯的"万国"，那些都是以往的事情，拿来作为今天的说法，放在一般文章中还可以，用在史书里就不行了。……

从前孔子说过："文饰胜过朴质就像史书。"所以知道史书的编撰，必定要借助于文辞。从五经以下，三史以前，用文辞叙事，有可以称道之处。但是现在人所著之书，与这些古书不一样了。他们撰写史书，有的虚加修饰，随意进行刻画描绘；有的文体如同赋颂，言词类似优伶。文章不像文章，史书不像史书。就像乌孙（当作龟兹）王建造宫室，杂用汉家礼仪，结果好比刻画天鹅不成，反倒像野鸭了。

品藻第二十三

……史氏自迁、固作传，始以品汇相从。然其中或以年世迫促,或以人物寡鲜,求其具体必同,不可多得。是以韩非、老子,共在一篇;董卓、袁绍,无闻二录。岂非韩、老俱称述者,书有子名;袁、董并曰英雄,生当汉末。用此为断,粗得其伦。亦有厥类众夥,宜为流别,而不能定其同科,申其异品,用使兰艾相杂①,朱紫不分②,是谁之过欤?盖史官之责也。……

爰及近代,史臣所书,求其乖失,亦往往而有。借如阳瓒效节边城,捐躯死敌③,当有宋之代,抑刘、卜之徒欤④?而沈氏竟不别加标榜,唯寄编于《索虏》篇内。纪僧珍砥节砺行⑤,终始无瑕,而萧氏乃与群小混书,都以恩幸为目。王頍文章不足⑥,武艺居多,躬诣戚藩,首阶逆乱。撰《隋史》者如不能与枭感并列⑦,即宜附出《杨谅传》中,辄与词人共编,吉士为伍。凡斯纂录,岂其类乎?

子曰:"以貌取人,失之子羽;以言取人,失之宰我⑧。"光武则受误于庞萌⑨,曹公则见欺于张邈⑩。事列在方(册,连类而)书⑪,惟善与恶,昭然可见,不假许、郭之深鉴⑫,裴、王之妙察⑬。而作者存诸简牍,不能使善恶区分,故曰:"谁之过欤?史官之责也。"夫能申藻镜⑭,别流品,使小人君子臭味得朋,上智中庸等差有叙,则惩恶劝善,永肃将来,激浊扬清,郁为不朽者矣。

[题解]

所谓品藻,就是对历史人物鉴定等级、区分流品。纪传体史书品藻人物的方法有多种途径,如《汉书·古今人表》直接指明人物的等级,或者通过其在各种类传中的归属,或者通过合传。如果归类不当,就不能正确品藻人物。刘知几批评了前代史书在这方面的失误,其评价标准和具体说法,未必适合当今,但史书对历史人物的品藻应起到"惩恶劝善"的作用,这一点是永远不会过时的。

[注释]

①兰艾相杂:《楚辞·离骚》:"户服艾以盈要兮,谓幽兰其不可佩。"艾,白蒿。②朱紫不分:《论语·阳货》:"恶紫之夺朱也。"③"借如"二句:南朝宋武帝永初三年(422),北魏攻打滑台(今河南滑县东),守将逃跑,司马阳瓒拒降战死。④刘、卜:指南朝宋将领刘康祖、卜天与。刘死于伐魏战事,《宋书》为立传。卜死于太祖长子刘劭之乱,《宋书》入《孝义传》。⑤纪僧珍:又作僧真,南朝齐丹阳建康(今江苏南京)人。刘宋时事萧道成,入齐,仕高帝、武帝、明帝数朝。萧子显以其出身寒微,列入《南齐书·幸臣传》。⑥王頍(kuǐ):字景文。曾任北周露门学士。入隋任国子博士等,又为杨谅汉王府谘议参军。隋文帝死后,杨谅举兵反,计多出王頍。⑦枭感:即杨玄感。杨素之子,官至礼部尚书。隋末起兵,众至十余万,后败死。炀帝下诏改其姓为枭。⑧"子曰"句:语出《韩非子·显学》、《孔子家语·子路初见》。澹台灭明,字子羽,貌丑,孔子初以为其材薄,受业后名动诸侯。宰我,亦称宰予,字子我,能言善辩,孔子自称原来是"听其言而信其行",以后要"听其言而观其行"。故又感叹说:"以容取人乎,失之子羽;以言取人乎,失之宰予。"⑨光武则受误于庞萌:庞萌,东汉山阳(今山东金乡)人。光武帝刘秀很相信他,以为"可以托六尺之孤,寄百里之命"。后起兵反叛,刘秀对人说:"吾尝以庞萌社稷之臣,将军得无笑其言乎?"⑩曹公则见欺于张邈:张邈,字孟卓,东平寿张(今山东阳谷)人。汉末群雄之一,袁绍曾让曹操杀掉他,曹操不从,视同亲友。后叛曹操,为部将所杀。陈寿曾评论说:"昔光武谬于庞萌,近魏祖亦蔽于张邈。"⑪"事列"二句:原作"事列在方书",浦按:"句有脱字。"此处要点不在是否列于史书,而在于能否分类编排,以使善恶一目了然,故下文又批评"存诸简牍,不能使善恶区分"。史书可以通称为"方册",而本篇首段说:"盖厥迹相符,则虽隔越为偶,奚必差肩步武,方称连类者乎?"据此补足为"事列在方册,连类而书",则上下通畅,首尾呼应。⑫许、郭之深鉴:许劭,字子将,东汉汝南平舆(今属河南)人。常品评乡里人物,每月更换品题,称为"月旦评"。郭泰,字林宗,太原人。性明知人,好奖训士类。当时天下言拔士者,咸称许、郭。⑬裴、王之妙察:裴

楷,字叔则,西晋河东闻喜(今属山西)人,裴秀从弟。明悟有识量,少与王戎齐名。时人称:"裴楷清通,王戎简要。"王戎,字濬冲,琅琊临沂(今属山东)人,为竹林七贤之一,史称有"人伦鉴识"。⑭藻镜:装饰华美的镜子。此指鉴别人物。

[译文]

……史家从司马迁、班固作列传,才开始按人物品类编排。然而其中有的因为年代短暂,有的因为人物稀少,要寻找具体各方面都相同的,不可多得。所以韩非子、老子共同编在一篇之中,董卓、袁绍没有分别成为两篇。岂不就是因为韩非子和老子都号称著述之家,所著的书又都有"子"的名称;袁绍、董卓并称为英雄豪杰,又都生在东汉末年。根据这些来确定二人合传,大致上符合人物的分类次序。但是也有的一篇之中类别众多,本来应该加以区别,却不能确定哪些是同类,申明哪些是异类,因而使得芝兰和艾蒿相互混杂,朱红和紫色不能区分,这是谁的过错呢?大概是史官的责任了。……

等到了近代,史官所书写的,要寻找其中的乖谬失误,也常常会有。比如阳瓒在边防城市奉献忠诚,牺牲躯体死于外敌,这在刘宋时代,或许算是刘康祖、卜天与的同类了吧?但沈约竟然不另外加上标题(指像刘、卜二人,或立专传,或入《孝义传》),只是附编在《宋书·索虏传》里。纪僧珍磨炼节操与德行,从始至终没有瑕疵,但萧子显竟然把他和一班小人混在一起书写,汇总用"恩幸"作为篇名。王頍的文学修养不足称道,以武艺居长,亲身前往藩王府,带头引发叛乱。编撰《隋书》的人假如不能把他和杨玄感并列,就应该附出于《杨谅传》中,现在却和文人同编在《文苑传》,与贤良人士为伍。诸如此类的编撰,难道分类得当吗?

孔子说:"以相貌取人,我错看了澹台灭明;以语言取人,我错看了宰我。"汉光武帝刘秀就误信了庞萌,曹操就被张邈欺骗过。

内篇 139

事情记载在史书里，同类的编在一起，是善还是恶，明明白白就能看出来，并不需要借助于许劭、郭泰的深刻鉴别，裴楷、王戎的高妙洞察。相反，作者只是把事情记载在史书上，却不能使得善恶明白区分，所以我在上文说："这是谁的过错呢？大概是史官的责任了。"如果能够表明对人物的品评鉴别，区分人物的品行高下，使小人和君子各以同类编在一起，上智之人和平庸之徒按等级排列有序，那么就可以惩戒坏人坏事，勉励好人好事，作为将来永远的鉴戒，冲走污浊，保持清洁，成为不朽之作了。

直书第二十四

夫人禀五常①，士兼百行②，邪正有别，曲直不同。若邪曲者，人之所贱，而小人之道也；正直者，人之所贵，而君子之德也。然世多趋邪而弃正，不践君子之迹，（背直）而行曲，自陷小人之途者③，何哉？语曰："直如弦，死道边；曲如钩，反封侯④。"故宁顺从以保吉，不违忤以受害也。

况史之为务，申以劝诫，树之风声⑤。其有贼臣逆子，淫君乱主，苟直书其事，不掩其瑕，则秽迹彰于一朝，恶名被于千载。言之若是，吁可畏乎！夫为于可为之时则从，为于不可为之时则凶。如董狐之书法不隐，赵盾之为法受屈⑥。彼我无忤，行之不疑，然后能成其良直，擅名今古。至若齐史之书崔弑⑦，马迁之述汉非⑧，韦昭仗正于吴朝⑨，崔浩犯讳于魏国⑩。或身膏斧钺，取笑当时；或书填坑窖，无闻后代。夫世事如此，而责史臣不能申其强项之风⑪，励其匪躬之节⑫，盖亦难矣。是以张俨发愤，私存《嘿记》之文⑬；孙盛不平，窃撰辽东之本⑭。以兹避祸，幸获两全。足以验世途之多隘，知实录之难遇耳。

然则历考前史，征诸直词，虽古人糟粕⑮，真伪相乱，而披沙拣金，有时获宝。按金行在历⑯，史氏尤多。当宣、景开基之始⑰，曹、马构纷之际，或列营渭曲，见屈武侯⑱，或发仗云台，取伤成济⑲。陈寿、王隐咸杜口而无言，干宝、虞预各栖毫而靡述⑳。至习凿齿，乃申以死葛走生达之说，抽戈犯跸之言㉑。历代厚诬，一朝始雪。考斯人之书事，盖近古之遗直欤㉒？次有宋孝王《风俗传》、王劭《齐志》，其叙述当时，亦务在审实。按于时河朔王公，箕裘未陨㉓；邺城将相，薪构仍存㉔。而二子书其所讳，曾无惮色。刚亦不吐㉕，其斯人欤？

盖烈士徇名㉖，壮夫重气，宁为兰摧玉折，不作瓦砾长存。若南、董之仗气直书，不避强御；韦、崔之肆情奋笔，无所阿容㉗。虽周身之防有所不足，而遗芳余烈，人到于今称之。与夫王沈《魏书》，假回邪以窃位，董统《燕史》㉘，持诡媚以偷荣，贯三光而洞九泉㉙，曾未足喻其高下也。

[题解]

所谓直书，是指史家完全依照事实来记载历史人物和事件，不虚美，不隐恶。这是中国史学家一直提倡的优良传统，春秋齐国的太史、汉代的司马迁、三国吴国的韦昭、北魏的崔浩，就是其中的代表人物。刘知几对他们舍生取义的精神深表赞叹，希望后世史家引为楷模，都能不计个人安危荣辱，"仗气直书，不避强御"；退而求其次，也应当像张俨私撰《嘿记》和孙盛"窃撰辽东之本"，既保存了直笔之史，又保护了自己。他还指出，即使史书某些方面不能直书，后人根据相关史料，也能考证出历史的原貌，这是对怙恶不悛的权奸和不能直书的史臣的警诫。

[注释]

①禀：领受。五常：有多种说法，汉代以后较通行的指仁、义、礼、智、信。②百行：泛指人的各种品行、德行。《诗·卫风·氓》郑笺："士有百行。"唐初杜正伦撰《百行章》，以宣扬忠孝节义为主。③（背直）而行曲，自陷小人之途：旧本多作"而行由小人"。《史通全译》据诸家旧校，疑"此句当作'□□而行曲，自陷小人之途'"。按，此处诸句皆以邪正曲直对言，又《旧唐书·许敬宗传》有"背直从曲"之句，据补"背直"二字。"背"字亦或为"违"、"去"之类。④"直如"四句：东汉顺帝末年京都童谣。李固等正直士人因反对外戚梁冀专权，被处死并暴尸路边，而许多奸邪之徒因讨好梁冀得以封侯，故有此谣。⑤风声：风化声教。⑥赵盾之为法受屈：《左传》宣公二年记载，晋卿赵盾为躲避灵公的迫害，想逃到国外，未出境而灵公被杀。太史董狐在史书上记载说："赵盾弑其君。"赵盾不服，董狐指责他逃跑未出境，回朝不追凶，赵盾只好承担这个罪名。孔子评论说："董狐，古之良史也，书法不隐。赵宣子，古之良大夫也，为法受恶。惜乎！越竟乃免。"⑦齐史之书崔弑：《左传》襄公二十五年记载，齐大夫崔杼弑庄公，太史记载说："崔杼弑其君。"崔杼杀了他。太史的两个弟弟接着这样记，都被杀掉，第三个弟弟还不改，崔杼只好作罢。⑧马迁之述汉非：《史记》对汉代帝王多所批评，如说文帝"赏太轻，罚太重"，指责武帝穷兵黩武、卖官鬻爵等。据《后汉书·蔡邕传》记载，汉人王允就已说过："武帝不杀司马迁，使作谤书，流于后世。"⑨韦昭仗正于吴朝：韦昭已见《六家》篇。其著《吴书》三十卷，因得罪吴主孙皓而被诛。⑩崔浩犯讳于魏国：崔浩（？—450），字伯渊，北魏清河东武城（今山东武城西北）人。拜太常卿，受诏撰《魏书》，并刻石置于路旁，以示直笔。因对北魏祖先之事毫无隐晦，招致鲜卑贵族的忌恨，太武帝拓跋焘怒而杀之。⑪强项：性格刚强而不肯低头。⑫匪躬：尽忠而不顾自身安全。⑬张俨：字子节，三国吴郡（今江苏苏州）人。任大鸿胪，曾出使吊祭晋文帝，晋贾充、裴秀、荀勖等欲傲以所不知，而不能屈。著有《默记》三卷，"默"通"嘿"。⑭"孙盛"二句：孙盛《晋阳秋》据事直书，其中有桓温在枋头打败仗的事，威胁孙盛之子作了修改。孙盛另写两定本寄至辽东慕容隽处保存。晋武帝时博求异闻，始于辽东得之，与传相校，多

有不同，书遂两行。⑮糟粕：泛指所有书籍。参见《疑古》篇"轮扁称其糟粕"注。⑯金行：指晋朝。按五行之说，晋以金德王天下。⑰宣、景：指晋宣帝司马懿、景帝司马师。⑱"或列"二句：蜀相诸葛亮伐魏，屯兵五丈原，与司马懿相持于渭曲（今陕西大荔县东南）。司马懿坚壁不出，诸葛亮送女人衣饰羞辱之。⑲"或发"二句：三国魏高贵乡公曹髦即位后，不忍坐等司马昭的废辱，在陵云台给数百童仆发放兵器，亲率出讨。成济在贾充指挥下，刺杀曹髦。⑳"干宝"句：据《三国志》裴注，干宝《晋纪》记载成济刺杀曹髦事甚详，刘知几所记有误。然浦改"干宝"为"陆机"，亦属无据。㉑"至习"三句："死葛走生达"为魏晋民谚"死诸葛走生仲达"之省，"抽戈犯跸"指成济刺杀曹髦事。据《三国志》裴注，前者出习凿齿《汉晋春秋》，后者出干宝《晋纪》。跸，皇帝出行时，禁止行人以清道。犯跸，侵犯皇帝。㉒古之遗直：古人正直的遗风。原为孔子称赞叔向的话，见《左传》昭公十四年。㉓河朔王公，箕裘未陨：指北魏王公后裔威势没有消失。河朔，黄河以北地区，此代指北魏。箕裘，指祖先的事业。典出《礼记·学记》："良冶之子，必学为裘；良弓之子，必学为箕。"㉔邺城将相，薪构仍存：指北齐将相犹有地位。邺城，北齐都城，用以代指北齐。薪构，即负薪构堂之意，指祖先创立的基业。㉕刚亦不吐：指不畏强暴。语出《诗·大雅·烝民》。㉖徇名：为追求美好的名声而献身。㉗阿容：阿谀奉承。㉘董统《燕史》：十六国后燕建兴元年（386），董统受诏修史，共成三十卷，对后燕历史褒美失实。其书后世书目不载，本书《古今正史》述之。㉙贯三光而洞九泉：指天壤之别。三光，日、月、星，代指天上。

[译文]

　　人们天生具有五种基本品质，也兼有后天形成的各种品行，邪正有所区别，曲直各有不同。邪曲，是常人所鄙视的，却是小人好走的道路；正直，是常人所崇尚的，正是君子的品德。然而世人大多趋向邪而抛弃正，不跟随君子的足迹，背离直而行走曲，自陷于小人的路途，这是为什么呢？东汉谚语说："直如弓弦，死在路边；曲如弯钩，反而封侯。"所以人们宁愿顺从权势来保护自己的安全和利益，也不肯违背触犯他们而使自己受到伤害。

何况史官的主要任务，在于申明勉励警诫，树立良好风尚。有些贼臣逆子，淫君乱主，假如忠实地记载他们的事情，不掩盖他们的罪行，那么污秽的事迹彰显于一个朝代，丑恶的名声流传到千年以后。像这样记载下来，（对作恶者来说）真是太可怕了啊！（而对作者来说）在可以这样做的时候做了也就罢了，在不能这样做的时候这样做是很凶险的。如董狐坚持直书的笔法而毫不隐晦，赵盾因为这种笔法而接受委屈，彼此之间没有抵触，可以毫不迟疑地这样做，然后才能成就董狐这样的良史直笔，扬名古今。至于像齐太史直书"崔杼弑其君"，司马迁记载西汉帝王的过失，韦昭在吴国仗笔伸张正义，崔浩在北魏直书触犯忌讳。有的身体成为喂刀之肉，被当时人所取笑；有的所写书被埋在坑洞之中，后世没有人知道。世上的事情往往这样，却来责难史官不能表现出刚强不屈的风范，发扬奋不顾身的节操，大概也太困难了吧！所以张俨发愤著述，私藏所撰《嘿记》一书；孙盛不服桓温的逼迫，偷偷抄写了《晋阳秋》的辽东本。用这样的办法来逃避灾祸，幸好书和人两者都得到保全。这些足以证明世路险阻重重，可知记录真实的史书难以遇到了。

那么遍考前代史书，征求如实记载的言词，虽然书籍都是古人遗留下来的糟粕，真真假假相互淆乱，但沙里淘金般地细心挑选，有时还能获得宝贵的资料。查考有晋一代，编撰史书的人特别多。当司马懿、司马师创业的初期，曹氏、司马氏争斗纷乱的时候，或者是司马懿在渭曲排列阵营却不敢出战，受到诸葛亮的羞辱；或者是曹髦在陵云台发放兵器，亲率童仆讨伐司马昭，反而被成济刺杀。对这些事件，陈寿、王隐都闭口不谈，干宝、虞预也都搁笔不写。到了习凿齿，才申述"死诸葛吓走生仲达"的说法，以及成济拔戈刺杀曹髦的文字。历代歪曲不实的记载，立即得到昭雪。考察习凿齿这样记载史实，大概接近古人刚直不阿的遗风了吧？其次有宋孝王的《关东风俗传》、王劭的《齐志》，它们叙述当时发生的事件，也务必精确真实。查考那时北魏王公的威势没有消失，北齐将相的遗业仍然存在，而宋孝王、王劭记载这些人所忌讳的事情，一点没有畏惧的神色。所谓不畏强暴，大概就是指这样的人吧？

大概坚贞刚强的人舍身取义，壮怀激烈的人崇尚气节，他们宁愿像兰玉一样洁白地被完全摧毁，也不愿像瓦砾那样破烂地苟且长存。像南史、董狐坚持正气直笔书写，不畏避强权的逼迫；韦昭、崔浩纵情奋笔，没有任何的阿谀奉承。虽然从周全保护自身的角度看有所不够，但是留下了美誉和功绩，直到现在人们还称赞他们。比起王沈的《魏书》借歪曲历史而得到高官，又如董统的《后燕书》用巴结奉承来窃取荣华富贵，即使用九天之上和九地之下，也不足以比喻他们之间的高下啊！

曲笔第二十五

肇有人伦，是称家国。父父子子，君君臣臣①，亲疏既辨，等差有别。盖"子为父隐，直在其中②"，《论语》之顺也；略外别内，掩恶扬善③，《春秋》之义也。自兹已降，率由旧章。史氏有事涉君亲，必言多隐讳，虽直道不足，而名教存焉。

其有舞词弄札，饰非文过，若王隐、虞预，毁辱相凌④；子野、休文，释纷相谢⑤。用舍由乎臆说，威福行乎笔端，斯乃作者之丑行，人伦所同疾也。亦有事每凭虚，词多乌有：或假人之美，藉为私惠；或诬人之恶，持报己仇。若王沈《魏录》，滥述贬甄之诏⑥；陆机《晋史》，虚张拒葛之锋⑦。班固受金而始书，陈寿借米而方传⑧。此又记言之奸贼，载笔之凶人。虽肆诸市朝，投畀豺虎可也。

然则史之不直，代有其书，苟其事已彰，则今无所取。其有往贤之所未察，来者之所不知，今略广异闻，用标先觉。按《后汉书·更始传》称其懦弱也，其初即位，南面立，朝群臣，羞愧流汗，刮席不敢视。夫以圣公身在微贱，已能结客报仇，避难绿林，名为豪杰。安有贵为人主，而反至于斯者乎？将作者曲笔阿时，独成光武之美；谀言媚主，用雪伯、叔之怨也⑨。且中兴之史，出自东观，或明皇所定，或马后攸刊⑩。而炎祚灵长⑪，简书莫改，遂使他姓追撰，空传伪录者矣。陈氏《国志·刘后主传》云，蜀无史职，故灾祥靡闻。案黄气见于秭归，群鸟堕于江水；成都言有景星出，益州言无宰相气⑫。若史官不置，此事从何而书？盖由父辱受髡⑬，故加兹谤议者也。

古者诸侯并争，胜负无恒，而他善必称，已恶不讳。逮乎近古，无闻至公，国自称为我长，家相谓为彼短。而魏收以元氏出于边裔，见侮诸华，遂高自标举，比桑干于姬、汉之国⑭；曲加排抑，同建邺于蛮貊之邦⑮。夫以敌国相仇，交兵结怨，载诸移檄，用可致诬，列诸缃素⑯，难为妄说。苟未达此义，安可言于史邪？

盖霜雪交下⑰，始见贞松之操；国家丧乱，方验忠臣之节。若汉末之董承⑱、耿纪，晋初之诸葛、毋丘，齐兴而有刘秉、袁粲⑲，周灭而有王谦、尉迥，斯皆破家殉国，视死犹生。而历代诸史，皆书之曰逆，将何以激扬名教，以劝事君者乎！古之书事也，令贼臣逆子惧；今之书事也，使忠臣义士羞。若使南、董有灵，必切齿于九泉之下矣。

自梁、陈已降，隋、周而往，诸史皆贞观年中群公所撰，近古易悉，情伪可求㉑。至如朝廷贵臣，必父祖有传，考其行事，皆子孙所为，而访波流俗，询诸故老，事有不同，言多爽实。昔秦人不死，验苻生之厚诬㉑；蜀老犹存，知葛亮之多枉㉒。斯则自古所叹，岂独于今哉！

盖史之为用也，记功司过，彰善瘅恶，得失一朝，荣辱千载。苟违斯法，岂曰能官㉓？但古来唯闻以直笔见诛，不闻以曲词获罪。是以隐侯《宋书》多妄，萧武知而勿尤㉔；伯起《魏史》不平，齐宣览而无谴。故令史臣得爱憎由己，高下在心，进不惮于公宪，退无愧于私室，欲求实录，不亦难乎？呜呼！此亦有国家者所宜惩革也。

[题解]

所谓曲笔，不仅指直书的反面，即不敢据事直书，还包括任意歪曲史实而虚美诬恶。刘知几对此深恶痛绝，斥之为"作者之丑行，人伦所同疾"，"记言之奸贼，载笔之凶人"。他所举的班固、陈寿等例证，未必尽妥，但古代史家的曲笔现象，特别是敌国相毁，王朝交替之际，把为旧政权殉节的忠臣义士写成逆臣贼子，确实极为常见。这里刘氏实际已在直指曲笔的根源，正是出于统治者的威逼。但他又认为为君亲讳的曲笔是符合礼教精神的，这是其思想局限和不足之处。

[注释]

①父父子子，君君臣臣：语出《论语·颜渊》。②子为父隐，直在其中：语出《论语·子路》。③略外别内，掩恶扬善：《春秋》记事为鲁国国君讳，而对其他诸侯国则与此有别。《公羊传》隐公十年："《春秋》录外而略内。于外大恶书，小恶不书；于内大恶讳，小恶书。"④王隐、虞预，毁辱相凌：晋元帝命王隐撰《晋书》，虞预则私修《晋书》，曾借王隐史稿并加以剽窃。其后交结权贵，毁谤排斥王隐，致使其免官。⑤子野、休文，释纷相谢：裴子野

为裴松之之曾孙，沈约字休文，沈璞之子。《南史·裴子野传》记载，"沈约所撰《宋书》称松之已后无闻焉"，子野撰《宋略》二十卷，"而云戮淮南太守沈璞，以其不从义师故也。沈约惧，徒跣谢之，请两释焉"。今本《宋书》无"已后无闻"，当为沈约后删。《宋略》当亦删"不从义师"，其书已佚，无可质言。⑥"若王沈"二句：王沈著《魏书》，详载贬甄后的诏书，这是故意张扬曹魏丑事。甄后原为袁绍子袁熙之妻，后归曹丕，生明帝，因郭皇后谗言而被贬杀。一说"甄"指鄄城侯曹植。⑦"陆机"二句：陆机著《晋三祖纪》，其中夸张司马懿抗拒诸葛亮取胜立功。⑧"班固"二句：《周书·柳虬传》："班固致受金之名，陈寿有求米之论。"《文心雕龙·史传篇》："（班固）遗亲攘美之罪，征贿鬻笔之愆，公理（仲长统）辨之究矣。"陈寿事载《晋书》本传："丁仪、丁廙有盛名于魏，寿谓其子曰：'可觅千斛米见与，当为尊公作佳传。'丁不与之，竟不为立传。"此说首出东晋裴启《语林》，后人已辨其诬。参王鸣盛《十七史商榷》卷三九。⑨伯、叔之怨：刘縯、刘秀兄弟两人对刘玄的怨恨。光武帝刘秀，字文叔；其兄刘縯，字伯升，为更始刘玄所杀。⑩明皇所定，马后攸刊：指东汉的历史记载，有的是明帝所定，有的经过马皇后删削。据《后汉书·东平王苍传》，明帝曾"以所作《光武本纪》示苍"。明帝马皇后，伏波将军马援小女，肃宗时亲自编撰明帝的起居注，削去其兄马防参与医疗明帝之事，说："吾不欲令后世闻先帝数亲后宫之家。"⑪炎祚灵长：指汉代统治年代长久。炎祚，汉朝的国运。按五行说，汉代以火德王，所以又称"炎汉"。⑫"案黄"四句：《三国志·蜀志·先主传》："章武二年，先主军秭归，于猇亭驻营，黄气见。"又《后主传》裴注引《汉晋春秋》：建兴九年，"江阳至江州有乌，从江南飞渡江北，不能达，堕水死者以千数"。又《后主传》："景耀元年，史官言景星见。"又《费祎传》："延熙十四年夏，成都望气者云：都邑无宰相位。"⑬父辱受髡：陈寿之父为马谡参军，受失街亭事牵连，被剃去头发。⑭桑干：指元魏。因其开始建国的地区在桑干河（今河北永定河）流域，故称。⑮同建邺于蛮貊之邦：建邺（今江苏南京）为南朝宋、齐、梁的都城，此用以代指三朝。《魏书》称宋、齐、梁为"岛夷"，同于北方五胡。⑯缃素：古代写本用缣帛，染成浅黄色的叫缃素。这里泛指史书。⑰"盖霜雪交下"上，旧本或将下篇《鉴识》"夫史"至

"甚乎"大段文字错简于此。按，上段言敌国相毁之曲笔，此段言王朝交替之际的曲笔，文义相接，不容隔断。又此下一段，方及贞观诸史，而错简中亦及魏征，刘氏原书不当错乱如此。今为移正，说详下篇。⑱董承：东汉末曹操擅权，献帝舅车骑将军董承受帝衣带诏，谋诛曹操，事败伏诛。⑲刘秉、袁粲：刘秉，字彦节，刘宋宗室。袁粲，字君倩，官至尚书令。二人密谋以太后诏杀齐王萧道成，事泄俱被杀。⑳情伪：情，真实；伪，虚假。㉑"昔秦"二句：苻生，字长生，十六国前秦第二代帝王。《晋书·载记·苻生传》说他"荒耽淫虐，杀戮无道"，"宗室勋旧，亲戚忠臣，杀戮略尽"。但《洛阳伽蓝记》卷二记载隐士赵逸自言亲历十六国："国灭之后，观其史书，皆非实录，莫不推过于人，引善自向。苻生虽好勇嗜酒，亦仁而不杀，观其治典，未为凶暴。及详其史，天下之恶皆归焉。"㉒"蜀老"二句：《魏书·毛修之传》："昔在蜀中闻长老言，寿曾为诸葛亮门下书佐，被挞百下。故其论武侯云：'应变将略，非其所长。'"然据考诸葛亮死时，陈寿仅二岁。而《三国志·蜀志·董厥传》裴注引孙盛《异同记》："蜀史常璩说长老云，陈寿尝为瞻吏，为瞻所辱。"瞻为诸葛亮之子，后世误混。㉓能官：善于为官，能干的官。《国语·晋语四》："能其官有赏。"《尸子》："能官者必称事。"㉔萧武：浦注："梁武。"《南齐书·文学·王智深传》记载，齐武帝萧赜命沈约撰《宋书》，且云"我昔经事宋明帝，卿可思讳恶之义"。今人据以谓"萧武"当指齐武帝。然刘知几之意，似谓知其"讳恶"而不尤，仍以梁武为佳。

[译文]

　　人类开始有了长幼尊卑之类的群体关系，这种群体就称作家庭和国家。父亲像父亲，儿子像儿子，君主像君主，臣民像臣民，亲密和疏远的关系分辨清楚以后，等级次序就有了区别。"儿子为父亲隐讳，直道就在其中"，这是《论语》所遵循的道理；内外有别，对鲁国隐恶扬善，对他国则相反，这是《春秋》所包含的大义。从此以后，大家都遵循这个老规矩。史官遇到涉及自己的君主、父亲的事情，在言词上必定多加隐瞒回避，这虽然在正直的原则上有所不足，但是维护了名分礼教。

至于有些人舞文弄墨，掩饰错误，遮盖过失，像王隐、虞预互相攻击凌辱，沈约向裴子野解释纠纷、表示道歉，采用或舍弃全由自己的心意胡说，贬斥或褒奖都在自己的笔下乱写，这是作者的丑恶行为，是为人类所共同痛恨的。也有的人记事常常凭空编造，文词大多子虚乌有：或通过虚载别人的好事，借以作为给人的私人恩惠；或诬陷地写别人的坏事，拿来报自己的私仇。比如王沈的《魏书》滥述曹魏贬谪甄后的诏书，陆机的《晋三祖纪》虚夸司马懿抗拒诸葛亮的兵锋。班固接受了别人的金钱才肯把他祖先写进史书，陈寿让人借给大米就替他父亲写篇佳传。这就更是记载历史的奸贼、手持史笔的凶徒了，即使在朝市上斩首示众，扔给豺狼虎豹去吃都不过分。

　　如此说来，历史写得不够正直，历代都有这样的史书。如果事情已经大白于天下，那么这里就不再提了。还有一些前贤所没有觉察，后人也不能轻易知道的，现在略微增加一些不同的见闻，用来作为我个人的先期觉悟。查考《后汉书·更始传》中说更始帝刘玄非常懦弱，当初即位的时候，面朝南而立，接受群臣朝见，满面羞愧，浑身流汗，双手刮弄坐席，不敢抬头看人。刘玄在身份微贱的时候，就能结交刺客报复仇敌，避难来到绿林山，成为著名的豪杰。怎么可能贵为帝王的时候，却反而懦弱到这种情形呢？这大概是作者歪曲史实以迎合当时的形势，突出光武帝刘秀的美好形象；用阿谀的言辞取媚帝王，来洗雪刘縯、刘秀兄弟俩对刘玄的怨恨。况且光武中兴时期的历史，都出自于东观，有的就是汉明帝所编定，有的经过马皇后删削。而汉代国运长久，当时的史书都没做修改，于是使后来别的朝代再来编撰这段历史，（因为没有其他不同的记载）就只能传承这种虚假的记录。陈寿《三国志·刘后主传》说："蜀国没有史官的职务，所以灾害、祥瑞之类事情都没有记载下来。"查考蜀国曾有黄气在秭归出现，群鸟坠落在江水中，成都说有景星出现，益州说没有出宰相的地气，如果蜀国没有设置史官，这些事情怎么能记载下来？大概是因为陈寿的父亲在蜀国受过髡刑的羞辱，所以他才加上这种诽谤性的议论。

古时候诸侯同时争霸称雄，胜败没有定数。而史官记载时，对别国的好事必定要夸赞，本国的坏事也不隐讳。到了近古时代，没听说有这样极为公正的史书，都说自己的国家好，别人的国家坏。而魏收因为元魏发源于边远族裔，被华夏各族所轻侮，于是自我抬高标榜，把从桑干河兴起的元魏比拟成姬姓的周朝、刘姓的汉代；对别国排斥贬低，把定都建邺的南朝等同于其他北方蛮夷小国。这是用两国敌对相仇、打仗结怨的时候，写在檄文里、用来诬蔑对方的说法，把它们直接记载到史册当中，是很难替他胡乱说出个道理来的。如果不能深刻理解这一点，怎么能谈论历史呢？

大概霜降雪飞交加之时，才能显现出青松的贞操；国家动乱危亡之际，才能考验出忠臣的气节。比如汉末的董承、耿纪，甲初（魏末）的诸葛诞、毋丘俭，南齐兴起时有刘秉、袁粲，北周灭亡前有王谦、尉迟迥，这些人都是毁了自己的家庭，以身殉国，视死如归的。但历代的史书，都记载他们是叛逆，将用什么来激励和发扬名分礼教，以勉励忠心事奉君主的人呢！古人记载史事，让贼臣逆子们感到害怕；现在记载史事，使忠臣义士们受到羞辱。假使南史、董狐灵魂有知，必定会在九泉之下切齿痛恨。

从梁、陈以后，隋、周之前的各朝史书都是贞观年间史官们所编撰的，近古时代的事情容易了解清楚，真实还是虚假可以探求出来。至于像那些朝廷的显贵高官，其父亲、祖辈必定都有传记，考察他们的事迹，都是子孙们编造的。如果到民间去察访，向老人们询问，就可以知道史书记事多有不同，言论大多违背事实。过去前秦有人没死，验证了苻生受到的种种诬蔑；蜀国老人还在，才知道诸葛亮所受的很多冤枉。这都是自古以来人们所叹息的，哪里是单单今天才有的呢!

　　大概史书的作用,在于记录功德,察知过错,表彰美善,憎恨丑恶,一时的优劣得失,决定了千年的荣辱。如果违背了这个原则,难道还称得上是能干的史官吗?但自古以来只听说因为秉笔直书而被杀的,没听说因为歪曲史实而获罪的。所以沈约的《宋书》多有虚妄,梁武帝知道了却并不责怪;魏收的《魏书》很不公平,齐宣帝看过后也没有谴责。所以让史官得以爱憎全由自己,褒贬随心所欲,进到朝廷不怕国家法令,退回私室没有丝毫愧疚,想要追求实录,不也太困难了吗?唉!这也是拥有国家的帝王所应该惩戒革除的啊!

鉴识第二十六

　　夫人识有通塞,神有晦明,毁誉以之不同,爱憎由其各异。盖三王之受谤也,值鲁连而获申[①];五霸之擅名也,逢孔宣而见诋[②]。斯则物有恒准,而鉴无定识,欲求铨核得中,其唯千载一遇乎!况史传为文,渊浩广博,学者苟不能探赜索隐,致远钩深,乌足以辩其利害,明其善恶。

　　观《左氏》之书,为传之最,而时经汉、魏,竟不列于学官,儒者皆折此一家,而盛推二传。夫以丘明躬为鲁史,受经仲尼,语世则并生,论才则同耻[③]。彼二家者,师孔氏之弟子,预达者之门人[④],才识本殊,年代又隔,安得持彼传说,比兹亲受者乎!加以二传理有乖僻,言多鄙野,方诸《左氏》,不可同年。故知《膏肓》、《墨守》[⑤],乃腐儒之妄述;"卖饼"、"太官"[⑥],诚智士之明鉴也。

逮《史》、《汉》继作，踵武相承。王充著书，既甲班而乙马；张辅持论，又劣固而优迁⑦。然此二书，虽互有修短，递闻得失，而大抵同风，可为连类。张晏云：迁殁后，亡《龟策》、《日者传》。褚先生补其所缺，言词鄙陋，非迁本意。按迁所撰《五帝本纪》、七十列传，称虞舜见厄，遂匿空而出⑧；宣尼既殂，门人推奉有若⑨。其言之鄙，又甚于兹，安得独罪褚生，而全宗马氏也？刘轨思商榷汉史⑩，雅重班才，唯讥其本纪不列少帝，而辄编高后。按弘非刘氏⑪，而窃养汉宫。时天下无主，吕宗称制，故借其岁月，寄以编年。而野鸡行事，自具《外戚》⑫。譬夫成为孺子，史刊摄政之年⑬；厉亡流彘，历纪共和之日⑭。而周、召二公，各世家有传。班氏式遵曩例，殊合事宜。岂谓虽浚发于巧心，反受嗤于拙目也。

刘祥撰《宋书》序录⑮，历说诸家晋史，其略云："法盛《中兴》，荒拙少气⑯，王隐、徐广，沦溺罕华。"夫史之叙事也，当辩而不华，质而不俚，其文直，其事核，若斯而已可也。必令同文举之含异，等公干之有逸，如子云之含章，类长卿之飞藻，此乃绮扬绣合，雕章缛彩，欲称实录，其可得乎？以此诋诃，知其妄施弹射矣⑰。

夫史之曲笔芜书⑱，不过一二，语其罪负，为失已多。而魏收杂以寓言，殆将过半，固以知仓颉已降，罕见其流。而李氏《齐书》称为实录者，何也？盖以重规亡考未达，伯起以公辅相加⑲，字出大名⑳，事同元叹㉑。既无德不报，故以虚美相酬。然必谓昭公知礼㉒，吾不信也。

语曰："明其为贼，敌乃可服㉓。"如王劭之抗词不挠，可以方驾古人。而魏征持论激扬㉔，称其有惭正直。夫不彰其罪，而轻肆其诛，此所谓兵起无名，难为制胜者。寻此论之作，盖由君懋书法不隐，取咎当时，或有假手史臣，以复私门之耻。不然，何恶直丑正，盗憎主人之甚乎㉕！

夫人废兴，时也；穷达，命也。而书之为用，亦复如是。盖《尚书》古文，七经之冠冕也；《春秋左氏》，三传之雄霸也。而自秦至晋，年逾五百，其书隐没，不行于世。既而梅氏写献㉖，杜侯训释㉗，然后见重一时，擅名千古。若乃《老经》撰于周日，《庄子》成于楚年，遭文、景而始传，值嵇、阮而方贵㉘。若斯流者，可胜纪哉！故曰："废兴，时也；穷达，命也。"适使时无识宝，世缺知音，若《论衡》之未遇伯喈㉙，《太玄》之不逢平子㉚，逝将烟烬火灭，泥沉雨绝，安有殁而不朽，扬名于后世者乎！

[题解]

所谓鉴识，是指品评鉴别史书优劣的识见。这实际上就是讨论在史书编撰中如何吸取前人的经验教训。如前人轻《左传》而重《公》、《榖》，争论《史》、《汉》的高下，从文辞上贬抑诸家晋史，往往站在经学、文学的立场来评史，不足为训。至于虚称魏收之书为"实录"，诬蔑王劭之书"有惭正直"，更是曲笔现象在史评中的反映。刘知几把《古文尚书》称作"七经之冠冕"，虽与后人伪书之说相违，但站在史学立场上说，并非毫无道理。

[注释]

①"盖三"二句：《文选》曹植《与杨德祖书》："昔田巴毁五帝，罪三王，訾五霸于稷下，一旦而服千人。鲁连一说，使终身杜口。"李善注："《鲁连子》曰：齐之辩者曰田巴，辩于徂丘，而议于稷下，毁五帝，罪三王，一旦而服千人。有徐劫弟子曰鲁连，谓劫曰：'臣愿当田子，使不敢复说。'"三王，指夏禹、商汤、周文王。鲁连，即鲁仲连，战国末齐人，有《鲁仲连子》十四篇，已佚。②"五霸"二句：《汉书·董仲舒传》："仲尼之门，五尺之童

羞称五伯，为其先诈力而后仁谊也。"五伯，即五霸，一般认为是指春秋齐桓公、晋文公、秦穆公、宋襄公、楚庄王。③同耻：《论语·公冶长》："子曰：巧言、令色、足恭，左丘明耻之，丘亦耻之；匿怨而友其人，左丘明耻之，丘亦耻之。"④"彼二"三句：《公羊》、《榖梁》二传都出自孔子弟子子夏。公羊高及其子孙平、地、敢、寿五代相传，至汉景帝时，公羊寿与其弟子胡母子都著于竹帛。榖梁淑（一名赤）传荀子，下传鲁人申公、博士江翁。⑤《膏肓》、《墨守》：东汉何休著。何休，字邵公，任城（今山东微山县西北）人。专治公羊学，作《公羊解诂》、《公羊墨守》，其意谓严守公羊家法，如墨翟之守城，又作《左氏膏肓》、《榖梁废疾》，谓二传如病入膏肓，当废疾之。后郑玄发《墨守》，针《膏肓》，起《废疾》，何休见而叹曰："康成入吾室，操吾矛以伐我乎！"⑥卖饼、太官：《三国志·魏志·裴潜传》裴注引《魏略》："时钟繇不好《公羊》而好《左氏》，谓《左氏》为太官厨，《公羊》为卖饼家。"太官，类书多引作"太官厨"，秦汉时掌宫廷膳食的机构。⑦"王充"四句：原注："王充谓彪文义浃备，纪事详赡，观者以为甲，以太史公为乙也。张辅《名士优劣论》曰：'世人称司马迁、班固之才优劣，多以班为胜。余以为史迁叙三千年事，五十万言，班固叙二百年事，八十万言。烦省不敌，固之不如迁必矣。'"王充，字仲任，东汉会稽上虞（今属浙江）人。师事班彪，著《论衡》八十五篇，原注引文出《超奇》篇。张辅，字世伟，西晋南阳西鄂（今河南南阳北）人。《晋书》本传引录其说颇详。⑧"称虞"二句：传说舜父瞽叟盲而舜母死，爱后妻所生子象，常欲杀舜，使穿井，与象共下土填井，舜藏身井壁空隙，然后从旁边穿孔而出。⑨"宣尼"二句：《史记·仲尼弟子列传》："孔子既没，弟子思慕。有若状似孔子，弟子相与共立为师，师之如夫子时也。"⑩刘轨思：渤海（今河北南皮）人，仕北齐为国子博士。今《北齐书·儒林传》载其事仅寥寥数语，全同《北史》，盖原传已佚，后人据《北史》抄补。刘氏所见当为全帙，或有论史之文。⑪"唯讥"三句：汉惠帝无子，取后宫美人之子为太子。帝死，立为少帝。不久被吕太后幽杀，另立常山王刘弘为帝，也称少帝。故"弘非刘氏"有误，前少帝才不是刘氏子。两少帝八年间，都是吕后掌权，所以《史记》、《汉书》皆不列少帝纪，而以《高后纪》（《史记》作《吕后纪》）纪年。⑫"而野"二句：高祖皇后吕氏，

内篇　155

名雉。雉即野鸡，故此以"野鸡"代指高后。《汉书》本纪仅以纪年，其事迹则在《外戚传》。⑬"譬夫"二句：周成王即位时年幼，周公摄政。《史记·周本纪》："周公行政七年，成王长，周公返政成王。"此即"史刊摄政之年"。⑭"厉亡"二句：《史记·周本纪》："厉王出奔于彘，召公、周公行政，号曰共和。共和十四年，厉王死于彘。"⑮刘祥：字显徵，南朝齐东莞莒（今属山东）人。撰《宋书》，讥斥禅代。后徙广州。⑯拙：浦作"庄"，云："草盛貌。一作'拙'。"按，下文之"质"与此对应，"拙"字胜。⑰弹射：攻击，批评。⑱芜：象本云："蜀本作'伪'，宋本作'芜'。"浦作"诬"，未出校记。按，下文"杂以寓言，殆将过半"，即言其芜。后人误以为此段专言曲笔，妄改为"伪"、"诬"耳。⑲"盖以"二句：李百药，字重规。魏收，字伯起。李百药之父李德林，少孤，没有取字。后来受到魏收器重，说"必至公辅"，并用"公辅"作为他的字。加，通"嘉"。⑳大名：《左传》闵公元年："魏，大名也。"此以大名代指魏收。㉑事同元叹：元叹是三国吴顾雍的字。顾雍少年时从蔡邕学琴技书法，蔡邕对他说："卿必成名，今以吾名与卿。"邕与雍同。㉒昭公知礼：《论语·述而》记载，陈司败问孔子鲁昭公是否知礼，孔子回答说"知礼"。陈司败事后对人说，昭公娶同姓的吴国女子，违反同姓不婚的古礼，如果说他知礼，还有谁不知礼。孔子之说，则是为自己的国君讳。㉓明其为贼，敌乃可服：指明敌人为贼，才能降服他。语出《汉书·高帝纪上》。㉔魏征：旧本作"魏收"，据顾千里校记改。下句所谓"有惭正直"，指《隋书·王劭传》末评论中的"直愧南、董"等说法不一。㉕"何恶"二句：《左传》昭公二十八年："恶直丑正，实蕃有徒。"成公十五年："盗憎主人，民恶其上。子好直言，必及于难。"又，"夫史"至"甚乎"二段，象本在此，他本多错在《曲笔》篇。顾千里校记云："李百药以魏收为实录，魏征以王劭为有惭正直，皆子玄所摘鉴识之谬者耳。若曲笔者，载事而失其实；鉴识者，评史而乖其理，二篇之别在此。"按，本书各篇，多由古及近，而本篇以上诸段止及晋史，必补此二段，文意始足。㉖梅氏写献：梅赜，字仲真，东晋豫章内史。梅赜得到孔安国所传《古文尚书》，奏之，阙《舜典》一篇。唐人皆以为真，明清以后考定为伪书。㉗杜侯训释：杜预（222—264），字元凯，西晋京兆杜陵（今陕西西安东南）人。官至镇南大将军，以功封为当阳县侯,故曰杜侯。自谓"有《左传》癖",著《春秋左氏经传集解》,大行于世。㉘ "遭文"二句:汉文帝、景帝好《老子》,以为过于五经,见《汉书·扬雄传》赞。魏晋时《老》、《庄》、《易》号称"三玄",嵇康(223—262)、阮籍(210—263)都是西晋玄学代表人物,且分别著有《养生论》、《达庄论》等。㉙《论衡》之未遇伯喈:王充《论衡》原来没有传入中原,蔡邕(伯喈)入吴,始得之,以后才流传开来。㉚《太玄》之不逢平子:《太玄》,扬雄著,模仿《易》。张衡(78—139),字平子,东汉南阳西鄂人。历仕太史令,造地动仪等。曾对人说:"吾观《太玄》,方知子云妙极道数,乃与五经相拟。"

[译文]

人的见识有畅通、滞塞,神智有昏聩、清醒,因此对于事物的诋毁、赞誉不会相同,喜爱、憎恶各有差异。三王受到田巴诽谤,碰到鲁仲连而得到昭雪;五霸独揽美名,遇上孔子而受到批评。这就是事物有固定的标准,但鉴别没有一定的见识,想要追求评价研核得恰到好处,或许一千年才能遇上一次吧!何况史传作为一种文体,精深广博,学者如果不能探究它的幽渺隐微,获取其中包含的深远事理,怎么能够辨别其中的得失,分清其中的善恶。

观看《左传》这部书,是《春秋》三传中最好的,但在汉魏两代,竟然不把它列入官方教学内容,儒者都指责《左传》一家,而极力推崇《公羊》、《穀梁》二传。左丘明身为鲁国史官,直接从孔子手中接受《春秋》,论时世,他们共同生活在一个时代;论才德,他们感到可耻的事情都相同。而另外那二家,以孔子的弟子为师,只是忝列孔门贤达的门人,他们的才能见识本来就与左氏相差悬殊,年代又隔得很远,怎么能拿他们那些经过数传的说法,和这亲自从孔子处接受来的《左传》相比呢?加上二传的道理有所偏颇,言辞大多粗野,和《左传》相比,是不能相提并论的。由此可知,何休的《左氏膏肓》、《公羊墨守》只是迂腐儒生的胡言乱语;钟繇以《公羊》为卖饼家,以《左传》为太官厨,确实是有识之士的高明见解。

到了《史记》、《汉书》相继出现，前后承接。王充著书，已经称班彪父子第一而司马迁第二；张辅立论，又以班固为劣而以司马迁为优。然而这两种书，虽然互有长短，不断听到评论它们的得失，但是它们的风格大抵相同，可以作为同一类著作。张晏说："司马迁死后，亡佚《龟策传》、《日者传》。褚少孙补上它所缺的篇数，言词粗鄙浅陋，不是司马迁的本意。"查考司马迁所编撰的《五帝本纪》、《仲尼弟子列传》，说虞舜被困在井中，就藏身于井壁空穴，穿孔而出；孔子死后，门人推奉有若为师。它们言词的鄙俗，又超过了这些补作，怎么能只怪罪褚先生，而完全尊崇司马迁呢？刘轨思研讨《汉书》，十分看重班固的才能，只讥笑他本纪中不列入少帝，反而去编写了《高后纪》。查考少帝刘弘（当作前少帝）并不是刘氏之子，而是官人所生私下养在汉官的。当时国无君主，吕后行使皇帝的权力，所以借她行使权力的八年岁月，依附用来编年，而吕后个人的言行事迹，另自放在《外戚传》详述。就像周成王年幼时，《史记》记载召公、周公摄政的年代；周厉王流亡在彘，历法用共和作为纪日，而周公、召公又各自在世家中有传记。班固完全遵照以往的惯例，非常符合事理。哪想得到即使这样颇具匠心的做法，反而会受到见识浅薄的人讥笑呢！

刘祥撰写《宋书》的序录，一一评说各家晋史。大略是说："何法盛的《晋中兴书》荒芜拙朴而缺少气象，王隐的《晋书》、徐广的《晋纪》沉溺史实而缺少华彩。"史书的叙事，应当明辨而不浮华，质朴而不俚俗，它的言词正直，它的事情真实，能像这样也就可以了。如果非要如同孔融的文章那样含有特异的气质，像刘祯的文章那样有飘逸的文采，如扬雄的文章那样内蕴美质，同司马相如的辞赋那样文采飞扬，这都是汇集华丽的词藻，雕琢繁密的文采，想要称为实录，难道是可能的吗？用这些来诋毁史书，可见是无的放矢乱加批评了。

　　大多数史书中的歪曲史实、芜杂记事，不过只有十分之一二，但要谈论它们的罪责，这些过失就已经够多了。而魏收的《魏书》中掺杂进很多编造的故事，几乎超过一半的内容，确实可知从仓颉以来，很少见到这样的史书。但是李百药的《齐书》却称赞它为"实录"，这是为什么呢？大概因为李百药的亡父生前没有显达的时候，魏收用"必至公辅"的话来夸奖他，他的字"公辅"就是魏收给取的，这事与蔡邕用自己的名字给顾雍取名相同。既然没有恩德是可以不报答的，所以李百药就用这种虚假的赞美来报答魏收。然而一定要（像孔子那样对陈司败）说鲁昭公"知礼"，（人们也可以像陈司败那样说）我不相信。

　　古语说："指明他们是奸贼，敌人就可以征服了。"像王劭那样刚正直笔而不受屈服，可以和古人相提并论，但魏收（当作魏征）立论偏激而不现实，说他有愧于正直的原则。不指明对方的罪状，却轻易地大肆杀戮，这就是所谓的"师出无名，难以取胜"了。探寻这种议论的起源，大概由于王劭撰写史书的笔法毫不隐讳，得罪了当时的人，有的人就借助史官之手，来报复私人家里所受的耻辱。不然的话，为什么厌恶正直，真的就像强盗憎恨主人般地强烈呢！

　　人有时遭废黜，有时被提升，这是时机造成的；有的困穷，有的显贵，这是命运决定的。而书籍发挥的作用，也正像这样。《尚书》的古文经，为六经中最重要的；《春秋》的《左氏传》，是三传里最优秀的。但是从秦代到晋代，经过了五百年，这两部书都遭埋没，不流行于世间。后来梅赜抄写上献《古文尚书》，杜预训诂解释而成《春秋左氏经传集解》，然后两书才受到当时人的推重，千百年来享有很大的名声。至于像老子《道德经》著作于周代，庄周《庄子》成书于楚国，遇到汉文帝、景帝才开始流传，碰上嵇康、阮籍才受到珍贵。像这样一类的事情，能够尽数记载下来吗？所以说："有时遭废黜，有时被提升，这是时机造成的；有的困穷，有的显贵，这是命运决定的。"假使当时没有识宝的人，世上缺乏知音，就像《论衡》不遇到蔡邕，《太玄》不遇到张衡，这些书肯定会烟消火灭，湮没无闻，哪里还会有作者死而不朽，扬名于后世这样的事呢？

探赜第二十七

古之述者，岂徒然哉！或以取舍难明，或以是非相乱。由是《书》编典诰，宣父辨其流；《诗》列风雅，卜商通其义①。夫前哲所作，后来是观。苟失其指归，则难以传授。而或有妄生穿凿，轻究本源，是乖作者之深旨，误生人之耳目②，其为谬也，不亦甚乎！

昔夫子之刊鲁史，学者以为感麟而作③。按子思有云：吾祖厄于陈、蔡，始作《春秋》④。夫以彼聿修⑤，传诸诒厥⑥，欲求实录，难为爽误。是则义包微婉，因攬莒而创词⑦；时逢西狩，乃泣麟而绝笔。儒者徒知其一，而未知其二，以为自反袂拭面，称吾道穷⑧，然后追论五始⑨，定名三叛⑩。此岂非独学无友，孤陋寡闻之所致耶⑪？……

孙盛称《左氏春秋》书吴、楚则略，荀悦《汉纪》述匈奴则简，盖所以贱夷狄而贵诸夏也。按春秋之时，诸国错峙，关梁不通，史官所书，罕能周悉。异乎炎汉之世，四海一家，马迁乘传以求自古遗文⑫，而州郡上计⑬，皆先集太史，若斯之备也。况彼吴、楚者，僻居南裔，地隔江山，去彼鲁邦，尤为迂阔，丘明所录，安能备诸？且必以蛮夷而固略也，若驹支预于晋会，长狄埋于鲁门，葛卢之辨牛鸣，郯子之知鸟职⑭，斯皆边隅小国，人品最微，犹复收其琐事，见于方册。安有主盟上国，势迫宗周，争长诸华，威陵强晋，而可遗之者哉？又荀氏著书，抄撮班史，其取事也，中外一概，夷夏皆均，非是独简胡乡，而偏详汉室。盛既疑丘明之摈吴、楚，遂诬仲豫之抑匈奴，可谓强奏庸音，持为足曲者也⑮。……

隋内史李德林著论，称陈寿蜀人，其撰《国志》，党蜀而抑魏⑯。刊之国史，以为格言。按曹公之创王业也，贼杀母后，幽逼主上⑰，罪百田常，祸千王莽。文帝临戎不武，为国好奢，忍害贤良，疏忌骨肉。而寿评皆依违其事⑱，无所措言。刘主地居汉宗，仗顺而起，夷险不挠，终始无瑕。方诸帝王，可比少康、光武；譬以侯伯，宜辈秦缪、楚庄。而寿评抑其所长，攻其所短。是则以魏为正朔之国，典午攸承⑲；蜀乃僭伪之君，中朝所嫉。故曲称曹美，而虚说刘非，安有背曹而向刘，疏魏而亲蜀也？夫无其文而有其说，不亦凭虚、亡是者耶⑳？……

[题解]

所谓探赜，是指探求古代史家编撰史书的本意。古人写史时，对史料的取舍，对是非的评判，都有自己的原则。由于时移世异，后代人就对此产生隔膜，出现一些错误的"探赜"。如说孔子感麟而作《春秋》，说《左传》记载吴、楚事简略是贱夷狄；甚至有些人对前代史书的编撰本意妄加附会，如说《史记》把伯夷放在列传之首以表示其对"善而无报"的愤恨，把项羽列在本纪表示"居高位者非关有德"的看法，陈寿"党蜀而抑魏"等。刘知几主张探赜应该客观、全面、公正，结论要平实可信，不能妄为新奇之说。

[注释]

①卜商通其义：卜商即孔子弟子子夏，以文学著称。孔子死后，他序《诗》传《易》。②耳目：原作"后学"，据程《笺记》校改。③感麟而作：麟，麒麟，古人认为是祥瑞之兽。《公羊》、《穀梁》传之《春秋》皆终于"（哀公）十有四年春，西狩获麟"。儒者认为这是孔子有感于麟出非时，伤周道之不兴，故绝笔于此。④"按子"三句：语出《孔丛子·居卫》："祖君屈陈、蔡，作《春秋》。"子思名伋，孔子之孙。作《中庸》四十九篇。⑤聿修：指祖父。典出《诗·大雅·文王》："无念尔祖，聿修厥德。"⑥诒厥：指孙子。典出《诗·大雅·文王有声》："诒厥孙谋。"⑦攫莓：孔子厄于陈、蔡时，有次颜回煮饭，煤灰掉进甑里，就用手抓起来吃。这里以此代指厄于陈、蔡。莓，通"煤"。⑧"以为"二句：《公羊传》哀公十四年，孔子听说获麟后，"反袂拭面，涕沾袍：'吾道穷矣！'"反袂拭面，反转衣袖擦眼泪。⑨五始：《春秋》经文首句："元年春王正月。"儒者认为其中包含五始之义：元为气之始，春为四时之始，王为受命之始，正月为政教之始，公即位为一国之始。⑩三叛：指春秋时三个投奔鲁国的小国叛臣，即邾庶其、莒牟夷、邾黑肱。⑪独学无友，孤陋寡闻：语出《礼记·学记》。⑫"马迁"句：《西京杂记》卷六："太史公司马谈世为太史，子迁，年十三，使乘传行天下，求古诸侯史记。"传，古代驿站为公务人员提供的马车。⑬上计：地方官于年终将境内户口、赋税等项编造计簿，遣吏逐级上报给朝廷，称为上计。⑭"若驹"四句：春秋时晋卿范宣子在朝廷上责备戎族酋长驹支不听从晋命，驹支作了有力的辩驳，并赋诗而退。鲁国在咸地打败狄人，抓获长狄侨如，砍下他的头，埋在鲁国子驹门下。介君葛卢听到牛鸣，就知道它生的三头小牛已被用作祭品。郯子朝见鲁君，在宴会上详述少皞氏以鸟名官等传说中的官制。分别见《左传》襄公十四年、文公十一年、僖公二十九年、昭公十七年。⑮强奏庸音，持为足曲：语出陆机《文赋》："放庸音以足曲。"⑯"隋内"四句：《隋书·李德林传》载其《答魏收书》云："汉献帝死，刘备自尊崇。陈寿，蜀人，以魏为汉贼，宁肯蜀主未立，已云魏武受命乎？"⑰贼杀母后，幽逼主上：指曹操杀害伏皇后，逼迫汉献帝。详见《后汉书·伏皇后纪》。⑱依违：或依或违，没有决断。⑲典午：《三国志·蜀志·谯周传》有"典午忽兮，月

酉没今"之语,为谯周预言司马昭死于是年八月,后人以"典午"代指晋朝。
⑳凭虚、亡是:张衡《西京赋》、司马相如《上林赋》分别有凭虚公子、亡是公二人,其名字即表示这是凭空捏造的人物。

[译文]

　　古人传述先贤的典籍,哪里仅仅是件简单的事情呢!或者因为材料的取舍难以明白,或者因为是非的评价已经混乱。因此《尚书》汇编的典诰,只有孔子能够辨析它们的类别;《诗经》编排的风雅,只有子夏能够通达它们的旨义。前代哲人所作的典籍,是给后来人阅读的。如果丢失了作者的旨趣,那就很难传授下去了。而有人胡乱编造出穿凿附会的解释,轻率地探究前人著作的本意,这实际违背了作者的深刻旨意,误导了世人的视听。这种做法的荒谬,岂不也是很过分的吗!

　　从前孔子编撰鲁国史,学者们认为是有感于获麟而作。查考子思说过:"我的祖父在陈、蔡两国之间遇到困窘,开始写作《春秋》。"它是从祖父传到孙子的说法,想要追求真实记录,这应该难以有错误了。这两句话包括着委婉的含义,是说孔子在陈、蔡两国之间遇到困窘(就感到自己的学说完了),因而开始写作《春秋》。等到遇上西狩获麟之事的时候,才因为麟生不逢时而感伤落泪,并停止了写作。儒者只知道孔子一次感到自己的学说完了,而不知道其实有两次,以为孔子自从听说获麟而挥袖擦泪,说"我的学说完了",然后才动笔编写《春秋》,回头讨论"五始"的含义,确定"三叛"的名字。这难道不是独自学习,没有朋友相互探讨,因而孤陋寡闻所导致的结果吗?……

　　孙盛说《春秋左氏传》记载吴、楚二国就很疏略,荀悦《汉纪》叙述匈奴就很简单,大概是用这种方法来表示轻贱夷狄而重视华夏。查考春秋时代,各个国家交错对峙,水陆关口桥梁不能畅通,史官所记载的内容,很少能够周到详备。而汉代的情况已经完全不一样，四海之内成为统一国家，司马迁可以乘坐驿车，到各地搜求自古以来散落的诸侯古史，而且各个州郡向朝廷上报文书档案，都先集中到太史那里，他能得到的资料已经如此丰富完备了。何况春秋时代的吴、楚二国，处在偏僻的南方，地理上和中原各国隔着大江高山，距离鲁国，更为遥远，左丘明所记录的，怎么能够完备呢？况且假如因为吴、楚是蛮夷而故意简略记载，那么像驹支参与晋国召集的会议，长狄的头颅被埋在鲁国的子驹门下，介君葛卢能够辨识牛的叫声，郯子知道少皞氏用鸟名作为官名的制度，这些都是边远小国的君长，其地位最为低微，尚且还收录他们的琐碎事情，出现在《左传》中。哪有像吴、楚两大强国的君主，能够主持中原各国的盟会，势力足以压迫周王朝，与华夏各国争雄称霸，威胁欺凌强大的晋国，反而可以遗弃不记的道理呢？另外，荀悦编著《汉纪》，是摘抄班固《汉书》而成的。他选取的历史事件，中国、外国一样看待，夷狄、华夏都能均衡，不是单独省略外族，而偏偏详载汉朝的。孙盛既然怀疑左丘明排斥吴、楚，于是又诬蔑荀悦贬抑匈奴，这可以说是勉强弹奏平庸的音调，拿来凑足成为一支曲子。……

　　隋代内史李德林发表议论，说陈寿是蜀人，他编撰《三国志》，偏袒蜀国而贬抑魏国。这种说法被载入国史，作为一种模范言论。查考曹操为开创自己的帝王事业，狠毒杀害伏皇后，囚禁威逼汉献帝，犯下的罪过百倍于田常，造成的祸害千倍于王莽。魏文帝曹丕作战没有武略，治国喜好奢侈，残忍杀害忠良贤士，疏远忌恨骨肉同胞。而陈寿对这些事情的评语都是模棱两可，没有加以应有的谴责。蜀先主刘备的门第是汉室宗亲，顺应道义而兴起，无论平安还是险阻，都百折不挠，从始至终没有任何瑕疵。用古代帝王来作比拟，可以比得上中兴夏代的少康、建立东汉的刘秀；用春秋诸侯来作比喻，应该与五霸中的秦缪公、楚庄王并列。而陈寿的评语贬抑他的长处，攻击他的短处。这是把魏国作为正统的国家，因为它为晋朝所继承；把蜀主作为僭冒的国君，因为他被中原王朝所嫉恨。所以陈寿千方百计地称颂曹魏的好处，而无中生有地诋毁刘蜀的不是，哪里有背弃曹氏而偏向刘氏，疏远魏国而亲近蜀国之处呢？陈寿根本没有那样的文字，李德林却有这样的说法，这不也是像"凭虚公子"、"亡是公"那样捏造出来的吗？……

模拟第二十八

……盖模拟之体，厥途有二：一曰貌同而心异，二曰貌异而心同。

何以言之？盖古者列国命官，卿与大夫为别。必于国史所记，则卿亦呼为大夫，此《春秋》之例也。当秦有天下，地广殷、周，变诸侯为帝王，目宰辅为丞相。而谯周撰《古史考》①，思欲摈抑马记，师仿孔经。其书李斯之齐市也，乃云"秦杀其大夫李斯"。夫以诸侯之大夫名天子之丞相，以此而拟《春秋》，所谓貌同而心异也。……

惟夫明识之士则不然。何则？其所拟者非如图画之写真，熔铸以象物，以此而似彼。其所以为似者，取其道术相会，义理互同，若斯而已。亦犹孔父贱为匹夫②，栖惶放逐③，而能祖述尧、舜，宪章文、武④，亦何必居九五之位，处南面之尊⑤，然后谓之连类者哉！

盖《左氏》为书，叙事之最。自晋已降，景慕者多⑥，有类效颦⑦，弥益其丑。然求诸偶中，亦可言焉。盖君父见害，臣子所耻，义当略说，不忍斥言。故《左传》叙桓公在齐遇害，而云："彭生乘公，公薨于车⑧。"如干宝《晋纪》叙愍帝殁于平阳，而云："晋人见者多哭，贼惧，帝崩⑨。"以此而拟《左氏》，所谓貌异而心同也。……

大抵作者，自魏已前，多效三史；从晋已降，喜学五经。夫史才文浅而易摸，经文意深而难拟，既难易有别，故得失亦殊。盖貌异而心同者，模拟之上也；貌同而心异者，模拟之下也。然人皆好貌同而心异，不尚貌异而心同者，何哉？盖鉴识不明，嗜爱多僻，悦夫似史而憎夫真史，此子张之所以致讥于鲁矣，有叶公好龙之喻也⑩。袁山松云⑪："书之为难也有五：烦而不整，一难也；俗而不典，二难也；书不实录，三难也；赏罚不中，四难也；文不胜质，五难也。"夫拟古而不类，此乃难之极者，何为独阙其目乎？呜呼！自子长以还，似皆未睹斯义。后来明达，其鉴之哉！

[题解]

本篇讨论史书编撰过程中的拟古问题。刘知几认为，模拟前人有两种情况：一种是"貌同而心异"，一种是"貌异而心同"，前者是"形似"，后者是"神似"。他追求神似，反对泥古不化，主张模拟前代史书的原则和精神，而不是个别的字句。

[注释]

①谯周：字允南，三国蜀巴西西充（今四川阆中西南）人。仕蜀至光禄大夫，入魏以功封阳城亭侯，故亦称谯侯。所著《古史考》皆据旧典，以纠《史记》书周秦以上事之误。②孔父贱为匹夫：孔父，对孔子的尊称。《论语·子罕》："吾少也贱，故多能鄙事。"③栖惶：忙忙碌碌，奔波不定的样子。亦作"栖皇"、"栖遑"。④"而能"二句：语出《礼记·中庸》："仲尼祖述尧、舜，宪章文、武。"⑤"亦何"二句：《易·乾卦》："九五，飞龙在天，利见大人。"又《说卦传》："圣人南面而听天下。"后人以九五、南面代

指帝王。⑥景慕：仰慕。⑦效颦：即东施效颦的故事，出《庄子·天运》。⑧"故《左传》"三句：鲁桓公与妻子文姜访问齐国，齐侯与文姜通奸，并指使公子彭生杀害了桓公。《左传》桓公十八年叙述桓公遇害，只用了"彭生乘公，公薨于车"八个字。杜注："上车曰乘。彭生多力，拉公干而杀之。"⑨"如干宝"诸句：西晋愍帝被匈奴俘虏后，刘聪出猎时命其执戟前导，宴席上命其斟酒洗杯，上厕所命其执伞盖，晋朝故老见了无不痛哭流涕，不久被刘聪杀害。《晋书》本纪所记较详，而干宝《晋纪》不忍细言，只用了十个字，颇得《左传》徽意。平阳，今山西临汾南。⑩"此子"二句：孔子弟子颛孙师，字子张。《艺文类聚》卷九六引《庄子》、《新序》卷五都记载子张见鲁哀公，受到怠慢，就说："君之好士也，有似叶公子高之好龙。"⑪袁山松：东晋陈郡阳夏（今河南太康）人，官吴郡太守。著《后汉书》百卷，今有辑本。

[译文]

……大概模拟的体例，其途径有两种：一是貌同而心异，二是貌异而心同。

为什么这么说呢？古代诸侯国任命官员，卿与大夫有区别。假如在国史中记载，则卿也可以称为大夫，这是《春秋》的体例。当秦朝拥有天下的时候，地域比商、周两朝都要广阔，诸侯变成了帝王，宰辅称为丞相。而谯周撰写《古史考》，想要排斥贬抑司马迁的《史记》，师法模仿孔子的《春秋》。它书写李斯被杀死弃市这件事，就说"秦杀其大夫李斯"。拿诸侯国的大夫称呼天子的丞相，用这样的手法来模拟《春秋》，就是所谓的貌同而心异。……

想那有见识的人就不是这样。为什么呢？他们所模拟的，不是像图画中的外貌写真，像熔铸出的物体形象，让描写、铸造出来的东西与真实的事物很相似。他们所认为的相似，是取其道德学术上相互会通，意旨理趣完全相同，如此而已。也就像孔夫子地位低贱，只是一个普通人，到处奔波而不被接纳，却能继承唐尧、虞舜，效法周文王、武王，又何必身居帝王的地位，拥有君主的尊严,然后才称之为与帝王同类呢!

　　大概《左传》作为一部书籍,叙述事情是最为成功的。从晋代以后,仰慕模拟它的很多,有点类似于东施效颦,更增加其丑陋。然而要寻求偶尔模拟得像样些的,也有可以说一说的。大概国君、父亲被人杀害,是臣民、儿子所感到耻辱的事,原则上应当简略地说,不忍心作直白的叙述。所以《左传》记叙鲁桓公在齐国遇害,只说:"彭生把桓公抱上马车,桓公死在车中。"比如干宝的《晋纪》记叙晋愍帝死在平阳,只说:"晋人看见的大多痛哭流涕,贼君刘聪害怕,愍帝去世。"用这样的手法来模拟《左传》,就是所谓的貌异而心同。……

　　大致上说来,自魏代以前的作者,大多效法三史;从晋代以后,喜好学习五经。史书文字浅显而容易模拟,经文意旨深远而难以模拟,既然难易有所区别,所以模拟的得失也不一样。大概貌异而心同的,是上等的模拟;貌同而心异的,是下等的模拟。然而人们都喜好貌同而心异的,不崇尚貌异而心同的,为什么呢?大概一般人鉴赏识别不够高明,嗜欲爱好大多怪僻,喜欢那些面目类似的史书,而憎恶真正的史书,这就是子张之所以要讥笑鲁哀公,有个叶公好龙的比喻。袁山松说:"著史书的难处有五方面:繁杂而不整齐,一难;庸俗而不典雅,二难;书写不是实录,三难;褒贬不够适中,四难;文采不足,质朴有余,五难。"模拟古书而不伦不类,这是最难的了,为什么单独缺少这一条目呢?可叹啊!自从司马迁以来,似乎都没有看出这一层意思。将来的聪明通达之士,应该引以为鉴啊!

书事第二十九

　　昔荀悦有云:"立典有五志焉:一曰达道义,二曰彰法式,三曰通古今,四曰著功勋,五曰表贤能①。"干宝之释五志也:"体国经野之言则书之②,用兵征伐之权则书之,忠臣烈士、孝子贞妇之节则书之,文诰专对之辞则书之,才力技艺殊异则书之。"于是采二家之所议,征五志之所取,盖记言之所网罗,书事之所总括,粗得于兹矣。然必谓故无遗恨,犹恐未尽者乎!今更广以三科,用增前目:一曰叙沿革,二曰明罪恶,三曰旌怪异。何者?礼仪用舍,节文升降则书之③;君臣邪僻,国家丧乱则书之;幽明感应,祸福萌兆则书之。于是以此三科,参诸五志,则史氏所载,庶几无阙。求诸笔削,何莫由斯④?

但自古作者,鲜能无病。苟书而不法,则何以示后?盖班固之讥司马迁也:"论大道则先黄老而后六经,序游侠则退处士而进奸雄,述货殖则崇势利而羞贱贫,此其所蔽也⑤。"又傅玄之贬班固也:"论国体则饰主阙而折忠臣,叙世教则贵取容而贱直节,述时务则谨辞章而略事实,此其所失也⑥。"寻班、马二史,咸擅一家,而各自弹射,递相疮痏⑦。夫虽自卜者审⑧,而自见为难,可谓笑他人之未工,忘己事之已拙⑨。上智犹且若此,而况庸庸者哉⑩!苟目前哲之指踪⑪,校后来之所失,若王沈、孙盛之伍,伯起、德棻之流,论王业则党悖逆而诬忠义,叙国家则抑正顺而褒篡夺,述风俗则矜夷狄而陋华夏,此其大较也。必伸以纠摘,穷其负累,虽擢发而数⑫,庸可尽邪!子曰:"于予何诛⑬!"于此数家见之矣。……

大抵近代史笔,叙事为烦。榷而论之,其尤甚者有四。夫祥瑞者,所以发挥盛德,幽赞明王。……求诸《尚书》、《春秋》,上下数千载,其可得言者,盖不过一二而已。爰及近古则不然。凡祥瑞之出,非关理乱。盖主上所惑,臣下相欺。故德弥少而瑞弥多,政逾劣而祥逾盛。是以桓、灵受祉,比文、景而为丰;

刘、石应符，比曹、马而益倍。而史官征其谬说，录彼邪言，真伪莫分，是非无别。其烦一也。

当春秋之时，诸侯力争，各擅雄伯，自相君臣。经书某使来聘，某君来朝者，盖明和好所通，盛德所及。此皆国之大事，不可阙如。而自《史》、《汉》已还，相承继作。至于呼韩入侍[14]，肃慎来庭[15]，如此之流，书之可也。若乃藩王岳牧[16]，朝会京师，必也书之本纪，则异乎《春秋》之义。夫臣谒其君，子觐其父，抑惟恒理，非复异闻。载之简策，一何辞费！其烦二也。

若乃百职迁除，千官黜免，其可以书名本纪者，盖惟槐鼎而已[17]。故西京撰史，唯编丞相、大夫；东观著书，止列司徒、太尉。而近世自三公以下，一命已上[18]，苟沾厚禄，莫不备书。且一人之身，兼预数职，或加其号而阙其位，或无其实而有其名。赞唱为之口劳[19]，题署由其力倦。具之史牒，夫何足观？其烦三也。

夫人之有传也，盖唯书其邑里而已。其有开国承家，世禄不坠，积仁累德，良弓无改[20]。项籍之先，世为楚将[21]；石建之后，廉谨相承[22]。此则其事尤异，略书于传可也。其失之者，则有父官令长，子秩丞郎[23]，声不著于一乡，行无闻于十室[24]，而乃叙其名位，一二无遗。此实家谍，非关国史。其烦四也。……

[题解]

本篇题目与《叙事》相似，实际有别：《叙事》篇说的是记述史事在语言文辞上的要求，本篇则讨论史料取舍的标准问题。刘知几在荀悦"五志"及干宝的进一步阐释的基础上，增加了三条标准，即叙沿革、明罪恶、旌怪异。他认为依据这八项标准采录史料，记事就不会有大的缺漏。他又认为魏晋以后史料庞杂，史书随之产生了四种繁芜的弊病,要求史家处理好详略繁简问题,做到"简而且详,疏而不漏"。

[注释]

①"立典"诸句:见荀悦《汉纪·高祖第一》及《后汉书·荀悦传》。②体国经野:泛指规划治理国家。语出《周礼·天官·序官》。体,划分;国,都城;经,丈量;野,田野。③节文:质朴和文采。④何莫由斯:语出《论语·雍也》:"谁能出不由户,何莫由斯道也?"⑤"论大"诸句:见《汉书·司马迁传》赞。⑥"又傅"诸句:傅玄,字休奕,西晋北地泥阳(今陕西耀县东南)人。官至司隶校尉,预撰魏史。又著《傅子》百二十卷,今有辑本六卷。所引文字见《意林》卷五。折,《意林》及本书《忤时》篇俱作"抑"。⑦递相疮痏(wěi):指彼此揭露缺点毛病。疮痏,瘢痕。⑧自卜者审:对自己的估量容易精确。嵇康《与山巨源绝交书》:"自卜已审。"⑨"可谓"二句:语出陆机《豪士赋》序。⑩"上智"二句:且,原作"其",据杨《释补》校改。语出刘孝标《辨命论》:"圣贤且犹若此,而况庸庸者乎!"⑪指踪:《史记·萧相国世家》:"夫猎,追杀兽兔者,狗也;而发踪指示兽处者,人也。"⑫擢发而数:《史记·范雎传》载须贾向范雎谢罪,自言:"擢贾之发,以续贾之罪,尚未足。"后以擢发难数表示罪恶之多。⑬于予何诛:语出《论语·公冶长》:"宰予昼寝,了曰:'朽木不可雕也,粪土之墙不可杇也。于予与何诛?'"诛,责备,批评。⑭呼韩:指匈奴呼韩邪单于。《汉书·宣帝纪》载其甘露三年来朝事。⑮肃慎:古族名,后世女真族的先民。《史记·孔子世家》载周武王时,"肃慎贡矢石"。《三国志》、《晋书》都有肃慎来贡的记载。⑯岳牧:相传尧、舜时有四岳、十二牧,合称岳牧。后泛指封疆大吏。⑰槐鼎:指朝廷里三公等最高级官员。周代宫殿庭前植三槐九棘,公卿大夫分坐其下,其中三公面槐而坐。又鼎有三足,古人用以象征三公。所以后世用三槐、槐棘、槐鼎等代指三公。周汉三公名称不同,唐宋以后三公只是名誉性官职。⑱一命:最低一级官员。命,官阶。最高者为九命。⑲赞唱:古代朝廷任命官吏,司仪要在朝堂上宣唱礼仪和被任命者的姓名职官。⑳良弓:《礼记·学记》:"良弓之子,必学为箕。"后指子承父业。㉑"项籍"二句:《史记·项羽本纪》:"项氏世世为楚将,封于项,故姓项氏。"㉒"石建"二

句:《史记·万石君传》载,石奋"无文学,恭谨无与比",连对子孙都不直呼其名。他的子孙也行事谨慎。长子石建写奏书,事后发现"马"字少写了一点,都要惶恐不安。少子石庆,皇帝问他驾车的马有几匹,都要用马鞭一一数过,才说是六马。史传未言石建子孙事,且说石庆死后门风衰败,则此处"石建"当作"石奋"。㉓"则有"二句:令、长,指县令、县长。秦汉时万户以上县的长官称令,万户以下称长。丞、郎,朝廷各部门中的低级官员。㉔十室:《论语·公冶长》:"十室之邑,必有忠信如丘者焉,不如丘之好学也。"

[译文]

从前荀悦说过:"撰写史书有五条宗旨:一是通达道义,二是彰显法则,三是贯通古今,四是著录功勋,五是表彰贤能。"干宝解释这五条宗旨是:"关于治理国家的言论就记载,用兵征伐的权谋就记载,忠臣烈士、孝子贞妇的节操就记载,朝廷文诰以及外交应对的言辞就记载,才气能力、技巧艺术等方面特别优异的就记载。"因此采用二人的议论,征求五条宗旨涉及的范围,大概史书记言所应网罗的,记事所应总括的,粗略都包含在里面了。然而一定要说完全没有遗漏了,恐怕还有没说到的地方吧!这里再扩充三条,用来增补前面的条目:一是叙述沿革,二是表明罪恶,三是标示怪异。具体指什么呢?礼节仪式的创立废弃,质朴文采的升降变化就记载;君臣邪恶怪僻,国家昏暗动乱就记载;冥间和人世相互感应,灾祸或福瑞萌生征兆就记载。因此用这三条,配合上面的五条宗旨,那么史书所记载的,差不多就没有缺漏了。探求史书的编撰,哪一种不是根据这些宗旨的呢?

但是自古以来的作者,很少能没有毛病的。如果撰写史书却不遵守法则,那么用什么给后人示范呢?班固讥讽司马迁,说道:"谈论大的道理就把黄老摆在前面而六经摆在后面,记叙游侠之士就贬低处士的作用而抬高奸雄的功业,叙述货殖之家就崇尚权势财利而羞于低贱贫困,这是他的弊病之所在。"另外,傅玄贬斥班固,说道:"谈论国家典章大事就粉饰君主的过错而贬抑忠臣的作为,记叙世风教化就看重取媚讨好的言行而轻视正直不阿的气节,叙述实际事务就谨修辞赋而忽略事实,这是他的失误之处。"探寻班固、司马迁二人的史书,都各有擅长,自成一家,却各自攻击别人,递相揭露疮疤。虽说对自己的估量容易精确,但完全看清楚自己是困难的,这可以说是笑话别人不够精巧,却忘记自己做事已经够笨拙了。上等智力的人尚且如此,何况平平庸庸的人呢!如果看看前代哲人指示的踪迹,用来校正后来人的失误,像王沈、孙盛之辈,魏收、令狐德棻之流,论述帝王的事业就偏袒叛逆之人而诬蔑忠义之士,记叙国家就贬抑正统且符合道义的而褒扬篡夺而来的,叙述民风世俗就夸耀夷狄而鄙薄华夏,这是他们的大致情况。假如要进一步地收集搜罗,找出他们全部的错误,即使拔下头发来数,哪里可以数得尽呢!孔子说:"对于宰予,哪值得责备!"在这数家的史书中,见到这样的情况了。……

　　大致上说来,近代史书的笔法,叙事比较烦琐。粗略加以讨论,其中最严重的有四点。祥瑞,是用来阐发盛大的德行,隐微地颂扬圣明之君的。……从《尚书》《春秋》中去寻找,上下数千年里,能够得到记载的,大概不过一两件而已。等到了近古时代就不是这样了。凡是祥瑞出现,都与国家治乱没有什么关系。大概君主受到迷惑,臣下相互欺骗,因此君主的德行越少,而灵瑞越多;政治愈败坏,而祥异愈盛大。所以汉桓帝、灵帝所受的福祉,比起汉文帝、景帝却更多;前赵刘氏、后赵石氏感应的符瑞,比起魏国曹氏、晋代司马氏却成倍增多。而史官征求他们荒谬的说法,记录那些怪诞的言论,真假不分,是非不辨。这是第一个烦琐之处。

　　在春秋时代,诸侯全力争战,各自称霸一方,在国内相互称为君臣。《春秋》经文书写某国使者来聘,某国君主来朝,是为了表明与本国友好、通使往来的国家，君主盛德感化所到达的地方。这都是国家的大事，不可缺少。但从《史记》、《汉书》以来，承袭经文继续这样写作。对于匈奴呼韩邪单于入朝侍奉，肃慎氏来进贡方物，像这样的一类，记载下来是可以的。至于像分封的藩王、任命的封疆大吏，来京师朝见会聚，假如也书写在本纪中，这就和《春秋》大义不一样了。臣下谒见君主，儿子觐见父皇，大概只是普通的道理，不是什么特异的事情。把这些记载到史书里，是多么的浪费笔墨！这是第二个烦琐之处。

至于像各种职务的升迁，各种官员的贬黜，其中可以在本纪中书写姓名的，大概只有三公等最高级官员而已。因此西汉人写史，只编入丞相、大夫之类；东汉人著书，只列入司徒、太尉之类。而近代从三公以下，一命以上，如果得到优厚的俸禄，没有不详细书写。而且同属一人之身，兼任数个职位，有的只是加个虚号而没有实际职位，有的没有实权而有名义上的官位。宣唱的司仪把嘴都念累了，题署姓名的人把手都写累了。把这些详细记载到史册中，有什么值得看的？这是第三个烦琐之处。

那些史书里有传记的人物，大概只要书写他们居住的乡里也就可以了。其中有的祖先封国受邑，子孙继承家业，世袭爵禄没有丧失；有的先辈积仁累德，子孙继承家风，职业志向没有改变。就像项羽的祖先，世代都做楚国将领；石建（当作石奋）的后代，人人都传承了廉洁谨慎的行事风格。这些都属于事迹特别优异的，在史传中简略书写还是可以的。这方面的失误之处是，有的父亲官位不过县令、县长，儿子官阶仅是丞、郎，声望在一乡之内都谈不上著名，行为在十户人家都没有被传闻，而竟然一一叙述他们的名字官位，毫无遗漏。这其实是家谱，与国史无关。这是第四个烦琐之处。……

人物第三十

夫人之生也，有贤不肖焉①。若乃其恶可以诫世，其善可以示后，而死之日名无得而闻焉，是谁之过欤？盖史官之责也。

观夫文籍肇创，史有《尚书》，知远疏通②，网罗历代。至如有虞进贤，时宗元凯③；夏氏中微，国传寒浞④；殷之亡也，是生飞廉、恶来⑤；周之兴也，实有散宜、闳夭⑥。若斯人者，或为恶纵暴，其罪滔天；或累仁积德，其名盖世。虽时淳俗质，言约义简，此而不载，阙孰甚焉？

洎夫子修《春秋》，记二百年行事，三传并作，史道勃兴。若秦之由余、百里奚⑦，越之范蠡、大夫种⑧，鲁之曹沫、公仪休⑨，齐之宁戚、田穰苴⑩，斯并命代大才，挺生杰出。或陈力就列⑪，功冠一时；或杀身成仁⑫，声闻四海。苟师其德业，可以治国字人⑬；慕其风范，可以激贪励俗。此而不书，无乃太简？……

夫天下善人少而恶人多，其书名竹帛者，盖唯记善而已。故太史公有云⑭："自获麟以来，四百余年，明主贤君、忠臣死义之士，废而不载，余甚惧焉。"即其义也。至如四凶列于《尚书》⑮，三叛见于《春秋》，西汉之纪江充、石显⑯，东京之载梁冀、董卓，此皆干纪乱常，存灭兴亡所系。既有关时政，故不可阙书。

但近史所刊，有异于是。至如不才之子，群小之徒，或阴情丑行，或素餐尸禄⑰，其恶不足以曝扬，其罪不足以惩戒，莫不搜其鄙事，聚而为录，不其秽乎？抑又闻之，十室之邑，必有忠信；而斗筲之才，何足算也[18]。若《汉》传之有傅宽、靳歙[19]，《蜀志》之有许慈[20]，《宋书》之虞丘进[21]，《魏史》之王宪[22]，若斯数子者，或才非拔萃，或行不逸群，徒以片善取知，微功见识，阙之不足为少，书之唯益其累。而史臣皆责其谱状，征其爵里，课虚成有，裁为列传，不亦烦乎？

语曰："君子于其所不知，盖阙如也[23]。"故贤良可记，而简牍无闻，斯乃察所不该，理无足咎。至若愚智毕载，妍媸靡择，此则燕石妄珍[24]，齐竽混吹者矣[25]。夫名刊史册，自古攸难；事列《春秋》，哲人所重。笔削之士，其慎之哉！

[题解]

纪传体史书主要以人物传记为中心，哪些人物才有资格立传，这是史书编撰中的一个重要问题。刘知几认为择人入史的标准是"其恶可以诫世，其善可以示后"。前者如干纪乱常，凶残纵暴，与国之兴亡、时之治乱有密切关系；后者如德业可以治国抚民，风范可以激贪励俗，才能杰出而领一代风骚，义烈可嘉足以申礼教于后世。而那些罪不以诫世的群小和那些仅有片善微功之人，即使具有较高的官职，都不值得收录。他批评《后汉书》记载蔡文姬而不记载徐淑，表现了其重才德而轻文采的倾向。

[注释]

①不肖：本意为子不似父。引申为不孝子，或不正派的人。②知远疏通：语出《礼记·经解》："疏通知远，《书》教也。"③元凯：指八元、八恺。凯，通"恺"。见《载文》篇"二八"注。④寒浞：传说夏禹五世孙相在位时，后羿代行夏政，以寒浞为相，寒浞又杀死后羿，自立为帝。后寒浞被杀，相子少康复位，夏代中兴。⑤飞廉、恶来：传说伯翳的后代中潏生蜚廉，蜚廉生恶来。恶来有力，蜚廉善走，父子俱以材力事商纣王。⑥散宜、闳夭：周文王的两个辅佐之臣。其名见于《尚书·君奭》篇，刘知几说"不载"，略有疏误。

⑦由余、百里奚：由余，祖先为晋人，逃亡入戎。曾出使秦国，秦缪公听了他的话后，以为是"圣人之言"，就用离间计，迫使由余降秦。秦用由余之谋，益国十二，开地千里，遂霸西戎。百里奚，原为虞大夫，晋献公灭虞后，被作为秦缪公夫人的陪嫁送给秦国，逃走，为楚人所执。缪公用五羖（gǔ，黑色公羊）羊皮赎回，后相秦，人称五羖大夫。⑧范蠡、大夫种：春秋末越王勾践被吴王夫差打败后，用大夫范蠡的计谋，卧薪尝胆。范蠡又向勾践推荐文种主持内政，自己负责外交、军事，最终兴师灭吴。⑨曹沫、公仪休：《史记·刺客列传》中的曹沫，即《左传》之曹刿，庄公十年、二十三年载其论战、谏观社事。公仪休，战国初鲁博士，以高第为鲁相。⑩宁戚、田穰苴：宁戚，春秋时卫人，经商至齐，喂牛而歌，桓公闻之，知其贤，任为大夫。或作"宁越"。田穰（ráng）苴（jū），春秋齐田氏后裔。齐景公时为将，捍燕、晋之师，被尊为大司马。战国时齐威王使大夫追论古司马兵法，附穰苴于其中，因号为《司马穰苴兵法》。⑪陈力就列：贡献才力，担任相应的官职。陈力，贡献才力。就，担任。列，职位。语出《论语·季氏》："周任有言曰：陈力就列，不能者止。"⑫杀身成仁：指为正义而牺牲生命。语出《论语·卫灵公》："志士仁人，无求生以害仁，有杀身以成仁。"⑬字人：抚育人民。⑭太史公：下引文字撮取《史记·自序》所载司马谈临终之言而成。⑮四凶：不服从于舜的四个部族首领。《尚书·尧典下》："流共工于幽洲，放欢兜于崇山，窜三苗于三危，殛鲧于羽山，四罪而天下咸服。"《左传》文公十八年记舜"流四凶族"，名称与此不同。⑯江充、石显：江充，字次倩，西汉赵国邯郸（今属河北）人。靠诬告发迹，为武帝所信任。后又诬陷太子刘据，刘据起兵诛江充，兵败后自杀。武帝醒悟，夷充三族。石显，字君房，济南人。年轻时犯罪受腐刑，入宫为宦官。汉元帝时受宠信，贼害朝廷大臣甚多。成帝时失势，忧惧而死。⑰素餐尸禄：不劳而食，空占官位而不理事。素餐，语出《诗·魏风·伐檀》："彼君子兮，不素餐兮。"尸，古代祭祀时，以死者的臣下或晚辈象征死者神灵，代死者受祭，称尸。后世多以牌位、画像代。⑱斗筲（shāo）之才，何足算也：《论语·子路》："斗筲之人，何足算也。"斗，古代单位较小的量具。筲，古代竹制容器，容一斗二升。算，数。⑲傅宽、靳歙：都是随刘邦起事的将领，汉初封侯。《史记》以傅宽、靳歙、周緤三人合

内　篇　177

传,《汉书》则以三人与樊哙、郦商、夏侯婴、灌婴共七人同传。但所载三人事迹极少,仅云斩首、斩骑若干而已。此举二人以例其余。⑳许慈:字仁笃,三国蜀汉博士。《三国志·蜀志》本传仅载其与胡潜争吵事。㉑虞丘进:字豫之,南朝宋人。《宋书》虽载其累战有功及所迁官职,但传末评论说,诸将都出身低下,"徒以心一乎主,遂缮封侯之报"。这属于刘知几所谓"微功见识"。㉒王宪:字显则,前秦丞相王猛之孙。归北魏后,颇受礼遇。《魏书》以其与宋隐等十人合传,唯言其官职迁转而已,并无具体事迹。㉓"君子"二句:语出《论语·子路》。阙如,空缺的样子。后世用以指空缺不书、存疑不言等。㉔燕石妄珍:《后汉书·应劭传》李贤注引《阙子》载,宋人得燕石于梧台,以为大宝。周客见之,掩口卢胡而笑曰:"此燕石也,与瓦甓不殊。"㉕齐竽混吹:指齐国东郭处士滥竽充数的故事,出《韩非子·内储说上》。

[译文]

　　人生世上,有贤良的,有不贤的。至于像一个人的罪恶可以警戒世人,一个人的善良可以作为后人的示范,但这人死的时候他的或好或坏的名声不能流传下来,这是谁的过错呢?大概是史官的责任。

　　考察文献典籍开始创造的时候,史书就有了《尚书》,用来了解远古的事情,通达历史的变迁,其中包罗了尧舜至周历代的材料。至于像虞舜举用贤能,时人尊崇为八元、八恺;夏代中间衰落,国家传给了寒浞;商代将要灭亡,这时出现了飞廉、恶来;周代兴起,因为有散宜生、闳夭。像这样一些人,有的作恶纵暴,罪恶滔天;有的仁德深厚,名声盖世。虽然当时习俗淳厚质朴,史书的文字义理都崇尚简约,但是这些都不记载,缺漏还有比这更严重的吗?

　　到了孔夫子修《春秋》,记载二百年内的事情,三传又一齐为它作解释,史书就迅速兴起了。像秦国的由余、百里奚,越国的范蠡、文种,鲁国的曹沫、公仪休,齐国的宁戚、田穰苴,这些都是著名于一世的大人才,鹤立鸡群的杰出人物。他们有的贡献才力,身居大任，功绩冠于一时；有的牺牲生命，成全仁义，名声传于四海。如果师法他们的品德业绩，可以治理国家，抚育民众；仰慕他们的风格榜样，可以阻遏贪欲，振奋风俗。这些都不书写，岂不是太简略了吗？……

天下善人少而恶人多，名字书写入史书里的，大概主要是记载善人而已。所以太史公说过："自从春秋末年以来，四百多年间，贤明的君主、忠诚的大臣以及为道义捐躯的义士，舍弃而不加以记载，我很担忧（自己的失职）啊！"就是这个意思。至于像四凶列在《尚书》，三叛见于《春秋》，西汉史书记载江充、石显，东京史书记载梁冀、董卓，这些都是干涉法纪、败乱纲常的人物，与国家的存灭兴亡有紧密联系。既然有关于当时的政局，所以不能缺少记载。

但是近代史书所编录的，与此有所不同。以至于像无才的庸人，无德的小人，有的干些阴暗的事情、丑陋的行径，有的不干正事白拿俸禄、空占国家的官位，他们的恶行还不值得暴露宣扬，罪过还够不上惩罚警诫，竟也无不搜集他们鄙陋的事情，聚在一起加以记录，不是太芜秽了吗？而且我又听说，十户人家的小地方，也一定会有忠心诚信的人；而有斗筲那么点小小的才能，算得了什么呢！比如《汉书》列传有傅宽、靳歙，《三国志·蜀志》有许慈，《宋书》中的虞丘进，《魏书》中的王宪，像这样的几个人，有的才能并非突出，有的行为并不超群，仅仅因为一点小善行而被人知道，一点小功劳而被人认识，缺少他们并不会让人嫌少，写出他们只是增加累赘。可是史官都索取他们的家谱行状，来证成他们的官爵籍贯等事项，把那些空洞虚假的记载，考核成为实有的事情，编写成列传，不也太烦琐了吗？

古语说："君子对于自己所不知道的事情，大概只能让它空缺在那里。"因此有些可以记载的贤良人物，史书上却没有记载，这属于考察不够详尽，按道理不值得指责。至于像愚人智者全都记载，美丽丑陋没有选择，这就是宋人错把燕石当作珍宝，齐人混进乐队假装吹竽了。姓名写进史册，自古以来都是很难的；事情列入《春秋》，是被贤哲的人所看重的。从事史书编撰的人，应当谨慎啊！

核才第三十一

夫史才之难，其难甚矣。《晋令》云[①]："国史之任，委之著作，每著作郎初至，必撰名臣传一人。"斯盖察其所由[②]，苟非其才，则不可叨居史任[③]。历观古之作者，若蔡邕、刘峻、徐陵、刘炫之徒[④]，各自谓长于著书，达于史体，然观侏儒一节[⑤]，而他事可知。按伯喈于朔方上书[⑥]，谓宜广班氏《天文志》。夫《天文》之于《汉史》，实附赘之尤甚者也。必欲申以掎摭[⑦]，但当锄而去之，安可仍其过失，而益其芜累？亦奚异观河倾之患，而不遏以堤防，方欲疏而导之，用速怀襄之害[⑧]？述史如此，将非练达者欤？孝标持论谈理，诚为绝伦。而《自叙》一篇，过为烦碎；《山栖》一志，直是文章。谅难以偶迹迁、固，比肩陈、范者也。孝穆在齐，有志梁史，及还江左，书竟不成。嗟乎！以徐公文体，而施诸史传，亦犹灞上儿戏，异乎真将军[⑨]，幸而量力不为，可谓自卜者审矣。光伯以洪儒硕学，而违遭不遇[⑩]。观其锐情自叙，欲以垂示将来，而言皆浅俗，理无要害。岂所谓"诵《诗》三百，虽多，亦奚以为[⑪]"者乎！

昔尼父有言："文胜质则史。"盖史者当时之文也。然朴散淳销，时移世异，文之与史，较然异辙。故以张衡之文，而不闲于史⑫；以陈寿之史，而不习于文。其有赋述《两都》⑬，诗裁《八咏》⑭，而能编次汉册，勒成宋典。若斯人者，其流几何？……

但自世重文藻，词宗丽淫，于是沮诵失路⑮，灵均当轴⑯。每西省虚职⑰，东观仁才，凡所拜授，必推文士。遂使握管怀铅，多无铨综之识；连章累牍，罕逢微婉之言。而举俗共以为能，当时莫之敢侮。假令其间有术同彪、峤，才若班、荀，怀独见之明，负不刊之业，而皆取窘于流俗，见嗤于朋党。遂乃哺糟歠醨⑱，俯同妄作，披褐怀玉⑲，无由自陈。此管仲所谓用君子而以小人参之，害霸之道者也⑳。

昔傅玄有云："观孟坚《汉书》，实命代奇作。及与陈宗、尹敏、杜抚、马严撰中兴纪传㉑，其文曾不足观。岂拘于时乎？不然，何不类之甚者也。是后刘珍、朱穆、卢植、杨彪之徒㉒，又继而成之。岂亦各拘于时，而不得自尽乎？何其益陋也。"嗟乎！拘时之患，其来尚矣。斯则自古所叹，岂独当今者哉！

[题解]

本篇着重论述史才。刘知几认为史才难得，经过考核，如果不是史才，就不能让其充任史职。他总结过去修史的经验教训，认为文士不适合修史，因为他们既不通晓史书的体例，又无研核参会的才识，像班固、沈约那样才兼文史的人，毕竟是极少的。然而当时史馆却推重文士，真正对史学有"独见之明"的人，经常受到困辱和讥笑，不能充分发挥才智。这显然寄寓了他三为史官的切身感受，并可以与史传记载其"史有三长，才、学、识世罕兼之"的说法相参。

[注释]

①《晋令》：四十卷，晋贾充撰。晋代法令的汇编，宋代亡佚。②察其所

内 篇　181

由:《论语·为政》:"视其所以,观其所由,察其所安,人焉廋哉!"意为从一个人做事的原因、过程、态度等方面综合考察,使其无法隐藏。这里指通过写一篇名臣传,考察作者的史才。③叨(tāo):通"饕",贪婪,非分占有。④刘炫:字光伯,河南景城(今河北献县东北)人。隋代经学家,亦曾奉命修史。⑤侏儒一节:《太平御览》卷四九六引桓谭《新论》:"谚曰:侏儒见一节,而长短可知。"⑥伯喈于朔方上书:伯喈,蔡邕字。蔡邕遭人陷害,流放朔方,居五原安阳县(今内蒙古包头)。《蔡中郎外传》载其《上汉书十志疏》,首句云:"朔方髡钳徒臣邕上书。"⑦掎摭(jǐ zhí):指责,批评。⑧怀襄之害:指水灾。《尚书·尧典》:"荡荡怀山襄陵,浩浩滔天。"意为洪水浩荡,包围山岗,冲上山岭。怀,怀抱。襄,上。⑨"亦犹"二句:《史记·绛侯世家》载,汉文帝视察周亚夫细柳军营后说:"此真将军矣,曩者霸上、棘门军若儿戏耳。"霸上即灞上。⑩迍邅(zhūn zhān):处境困难。⑪诵《诗》三百,虽多,亦奚以为:语出《论语·子路》。⑫闲:熟练。⑬《两都》:指班固的《西都赋》、《东都赋》。⑭《八咏》:指沈约任东阳太守时所作《八咏》诗,咏秋月、春风、衰草、落桐、夜鹤、晓鸿、朝市、山东八种事物。⑮沮诵失路:意为史家不能担任史职。沮诵,传说为黄帝的史臣。⑯灵均当轴:意为辞赋之士担任史职。灵均,屈原字,此处代指辞赋之士。⑰西省:唐高宗龙朔中(661—663)改中书省为西台,史馆隶属于中书省,故以西省代指史馆。⑱哺糟歠(chuò)醨:吃酒糟,饮薄酒。这里指坐食俸禄,同流合污,或随波逐流。歠,通"啜",饮,喝。⑲披褐怀玉:比喻身处贫贱却有真才实学的人。褐,粗布衣。⑳"此管"二句:《说苑·尊贤》载管仲之言:"不知贤,害霸;信而复使小人参之,害霸。"㉑"及与"句:《后汉书·班固传》载班固"与前睢阳令陈宗、长陵令尹敏、司隶从事孟异共成《世祖本纪》"。又《马援传》载其兄子严,字威卿,"与校书郎杜抚、班固等杂定《建武注记》"。㉒"是后"句:刘珍(?—126),字秋孙,南阳蔡阳(今河南上蔡东北)人。参与校定东观群书,撰《建武以来名臣传》。朱穆(100—163),字公叔,南阳苑(今河南南阳)人,曾任尚书。卢植(?—192),字子干,涿郡涿(今属河北)人,拜议郎。杨彪,字文先,名儒杨震曾孙。卢、杨二人与蔡邕等同时在东观校书,补续《汉记》。

[译文]

具备修史才能是困难的，而且是非常困难的。《晋令》说："国家史书的编纂任务，交给著作郎承担。每个著作郎刚刚上任，必定要试写一个名臣的传记。"这大概是通过写传来考察他的史才，如果不是这样的人才，就不能让他滥竽充数担任史官职务。遍观古代的作者，像蔡邕、刘峻、徐陵、刘炫这批人，他们都认为自己擅长著书，通晓史书的体例，然而就像看侏儒的部分肢体就能知道他的全身一样，看他们所著的一小部分，其他的情况就可以知道了。查考蔡邕在朔方的上书，说应该扩充班固的《天文志》。可是《天文志》在《汉书》里，实在是最大的累赘。假如要加以指责的话，只应当把它去除掉，怎么能沿袭它的过失，而且还要增加芜杂累赘呢？这与看到河水倾泻酿成的灾祸，却不修筑堤防去堵住它，反而想要挖开口子放开它，用来招致洪水浸漫山野的更大灾害，有什么不同呢？像这样叙述历史，或许不是精练通达的吧？刘孝标立论谈理，确实是超越常人。然而他的《自叙》一文，过于烦琐零碎；《山栖志》一文，简直纯属文学作品。想必他还难以和司马迁、班固并列，与陈寿、范晔比肩。徐陵逗留在北齐时，立志要编纂梁史，等他回到江南后，这部史书最终没有编成。唉！以徐陵的骈丽文体，而施用到史传里来，也就像汉代灞上驻军拿军纪当儿戏，不同于周亚夫这样的真将军。幸好他能量力而行，没有编写，可算是有自知之明了。刘炫作为学识渊博的大儒，却处境困顿，怀才不遇。看他感情洋溢的自叙，要想以此留传后世，但言辞都很浅薄庸俗，事理无关紧要。这难道不就是孔子所谓的"熟读《诗经》三百篇，虽然读得多，又有什么用处"吗？

从前孔子说过："文采过于质朴就像史书。"大概史书就是当时的文章。然而质朴淳厚的风习烟消云散，时代社会日新月异，文章和史书，明显地走向了不同的道路。因此以张衡的文笔，却不熟练作史；以陈寿的史笔，却不熟悉作文。当然也有班固撰述《两都赋》，沈约创作《八咏》诗，而又能分别编撰《汉书》、《宋书》。但像这样兼具文史之才的人，又有多少呢？……

但是自从世人推崇文采，词句追求华丽美艳，于是像沮诵之类的史家失掉了职位，像屈原一样的辞人占据了史职。每当史馆职位有空缺，书府需要储备人才，凡是拜官受职的，必定推荐文士。于是使执掌笔墨的史官，大多没有权衡综合的见识；连篇累牍的史书，很少见到精微婉约的言论。然而举世俗人都认为他们有才能，当时没有人敢于轻慢。假使其中有人学问如同班彪、华峤，才能好像班固、荀悦，怀抱独到高明的见解，自负修撰不刊之史的事业，都将受到流俗的困辱，被这帮结伙的文士所讥笑。于是只好索然无味地随波逐流，自甘下贱地同流合污，跟他们一样胡乱涂鸦。尽管有真知灼见，但由于没有地位，始终没有机会表现自己。这就是管仲所说的"任用君子，却又让小人参杂其中，这是损害霸业的治国方法"。

从前傅玄说过："看班固的《汉书》，的确是驰名一代的奇书。等到他和陈宗、尹敏、杜抚、马严等撰写东汉中兴时的纪传，那文辞简直不值得一读。难道是受当代时势的牵制吗？如果不是这样，为什么前后如此不一样呢？在这以后刘珍、朱穆、卢植、杨彪这批人，又继续编撰，最终成书。难道也是各自受到当代时势的牵制，而不能竭尽自己的才力吗？是何等更加鄙陋啊！"唉！受当代时势牵制的祸患，大概由来已久了。这是自古以来人们所慨叹的，哪里只是今天才这样的呢！

序传第三十二

盖作者自叙，其流出于中古乎？按屈原《离骚经》，其首章上陈氏族，下列祖考；先述厥生，次显名字①。自叙发迹，实基于此。降及司马相如，始以自叙为传。然其所叙者，但记自少及长，立身行事而已。逮于祖先所出，则蔑尔无闻②。至马迁，又征三闾之故事③，放文园之近作④，模楷二家，勒成一卷⑤。于是扬雄遵其旧辙⑥，班固酌其余波⑦，自叙之篇，实烦于代。虽属辞有异，而兹体无易。

寻马迁《史记》，上自轩辕，下穷汉武，疆宇修阔，道路绵长。故其自叙始于氏出重黎⑧，终于身为太史。虽上下驰骋，终不越《史记》之年。班固《汉书》，止叙西京二百年事耳。其自叙也，则远征令尹⑨，起楚文王之世；近录《宾戏》⑩，当汉明帝之朝。苞括所及⑪，逾于本书远矣。而后来叙传，非止一家，竟学孟坚，从风而靡。施于家谍，犹或可通；列于国史，每见其失者矣。

然自叙之为义也，苟能隐己之短，称其所长，斯言不谬，即为实录。而相如自序，乃记其客游临邛，窃妻卓氏⑫。以《春秋》所讳⑬，持为美谈。虽事或非虚，而理无可取，载之千传，不其愧乎！又王充《论衡》之《自纪》也，述其父祖不肖，为州闾所鄙，而己答以"瞽顽舜神，鲧恶禹圣⑭"。夫自叙而言家世，固当以扬名显亲为主，苟无其人，阙之可也。至若盛矜于己，而厚辱其先，此何异证父攘羊⑮，学子名母⑯？必责以名教，实三千之罪人也⑰。……

[题解]

所谓序传，是指史书中作者的自序，通常包括作者的家世渊源和写作缘起、目的、内容大概等。刘知几批评前代史书的序传中存在的种种错误倾向：如班固《汉书》不能严守史书的年代断限，叙述的内容超出了汉代的范围；再如司马相如、王充记载自己或父祖不光彩的事迹，违背名教"扬名显亲"的宗旨；还有些人过分夸耀自己的才能，甚至硬拉上古名人为祖先以自高身份，这都是不合乎序传写作原则的。

[注释]

①"其首"四句：屈原《离骚》开头说："帝高阳之苗裔兮，朕皇考曰伯庸。摄提贞于孟陬兮，惟庚寅吾以降。皇览揆余于初度兮，肇锡余以嘉名。名余曰正则兮，字余曰灵均。"首句陈氏族，次句列祖考，三、四两句自述出生，末四句显其名字。②蔑：没有。尔：句中语助词，无义。③三闾：指屈原。屈原曾任三闾大夫。④文园：指司马相如。司马相如曾任管理文帝陵园的孝文园令，故以此代称。⑤勒成一卷：指《史记·太史公自序》。⑥扬雄遵其旧辙：指扬雄《自叙》，载《汉书》本传。⑦班固酌其余波：指班固《汉书·叙传》。⑧重黎：传说少昊氏之子曰重，掌管天文；颛顼氏之子曰黎，掌管地理。司马氏为黎之后代。⑨远征令尹：《汉书·叙传》："班氏之先，与楚同姓，令尹子文之后也。"⑩《宾戏》：《汉书·叙传》以班固所作《答宾戏》作结，时当汉明帝永平（58—75）年间。⑪苞括：同"包括"。⑫客游临邛，窃妻卓氏：司马相如游临邛，宴于豪富卓王孙家，卓女文君新寡，相如以琴心挑之。文君夜亡奔相如，遂与驰归成都。临邛，今四川邛崃。⑬《春秋》所讳：《左传》成公二年载，楚申公巫臣谋取夏姬，又于聘齐时尽室以行，时人称为"窃妻以逃"。此事经文不载，故刘知几说"《春秋》所讳"。⑭"又王"五句：王充《论衡·自纪》称其世祖、父亲常与人结怨，故先从会稽迁居钱塘，又迁至上虞（分别在今浙江绍兴、杭州、上虞）。有人嘲笑他"宗祖无淑懿之基"，他回答说："祖浊裔清，不妨奇人。鲧恶禹圣，叟顽舜神。"传说舜父瞽叟冥顽，总想害舜，禹父鲧为舜时四恶之一。⑮证父攘羊：《论语·子路》记载，有个叫直躬的人，"其父攘羊，而子证之"。孔子认为应该"父为子隐，子为父隐"。攘，盗。⑯学子名母：《战国策·魏策》记载，"宋人有学者，三年反而名其母"，其理由是"母贤不过尧舜，母大不过天地"。母亲说："子之于学者，将尽行之乎？愿子之有以易名母也。子之于学也，将有所不行乎？愿子之且以名母为后也。"⑰三千之罪人：《孝经·五刑》章："五刑之属

三千,而罪莫大于不孝。"

[译文]

　　大概作者的自叙,源头出自中古时代吧?查考屈原的《离骚》,第一章前面陈述自己的氏族,下面列出父亲;然后先叙述自己的出生,再写明自己的名和字。自叙的兴起,其实就是从这里开始的。下面到了司马相如,才开始以自叙的方式写传记。然而他所叙述的,只是记载自己从小到大,如何做人行事而已。至于祖先的来源,则闭口不提。到司马迁,又采取屈原过去的做法,仿效司马相如新近的创作,模拟这两家作品,写成一篇自序。于是扬雄直接按部就班,班固更加推波助澜,自叙这类文章,确实在汉代一下子增多起来。虽然遣词造句都不相同,但这种体例没有变化。

　　探寻司马迁的《史记》,记事上起轩辕氏,下终汉武帝,范围广阔,年代久长。因此他的自序从其姓氏出自重黎开始,结束于自己担任太史令。虽然驰骋上下数千年,但始终没有超越《史记》记事的年代。班固的《汉书》,只叙述西汉二百年间的史事而已。而他的自叙,却上溯令尹子文,起自春秋楚文王的时代;直到记录自己的《答宾戏》,已经是汉明帝的时代。它所包括的年代,超出本书记载的年代很多了。但是后来的自叙体传记,不止一家,都争着学习班固,顺从这股风气而倾倒在地。这样的写法,施用在家谱里,或许还说得过去;列在国史之中,却往往表现出他们的失误。

　　然而自叙的义例,如果能隐藏自己的短处,发扬自己的长处,它的言论没有谬误,就是真实记录。但司马相如的自叙,却记载自己外出游历来到临邛,偷偷娶了卓文君做妻子。把这种《春秋》所隐讳不记的丑事,拿来作为夸夸其谈的好事。虽然事情可能不假,但道理上没有可取之处,把它记载在传记里,难道不感到羞愧吗?另外,王充《论衡》的《自纪》,叙述他的父亲、祖先不贤,被州县乡里所鄙视,而他自己回答说:"瞽瞍冥顽,虞舜成圣;鲧虽凶恶，禹为圣人。"自叙中谈论自己的家世，当然应该以宣扬显耀亲属的美名为主，如果没有值得宣扬的人，空缺不写就可以了。至于像这样大肆夸耀自己本人，却严重污辱自己的祖先，这与那种证明父亲偷了别人羊的儿子，游学回来称呼母亲名字的儿子，又有什么不同呢？假如用名分礼教来责备，这实是所谓三千罪名中罪行最大的不孝之人啊！……

烦省第三十三

昔荀卿有云，录远略近①。则知史之详略不均，其为患者久矣。及干令升《史议》，历诋诸家，而独归美《左传》，云："丘明能以三十卷之约，括囊二百四十年之事，靡有孑遗。斯盖立言之高标，著作之良模也。"又张世伟著《班马优劣论》，云："迁叙三千年事，五十万言；固叙二百四十年事，八十万言。是班不如马也。"然则自古论史之烦省者，咸以左氏为得，史公为次，孟坚为非。自魏、晋已还，年祚转促，而为其国史，亦不减班《书》。此则后来逾烦，其失弥甚者矣。余以为近史芜累，诚则有诸，亦犹古今不同②，势使之然也。辄求其本意，略而论之。

何者？当春秋之时，诸侯力争，各闭境相拒，关梁不通。其有吉凶大事，见知于他国者，或因假道而方闻，或以同盟而始赴③。苟异于是，则无得而称。鲁史所书，实用此道。至如秦、燕之据有西北，楚、越之大启东南④，地僻界于诸戎，人罕通于上国。故载其行事，多有阙如。且其书自宣、成以前，三纪而成一卷⑤；至昭、襄已下，数年而占一篇。是知国阻隔者，记载不详；年浅近者，撰录多备⑥。此丘明随闻见而成传，何有故为简约者哉！……

夫论史之烦省者，但当求其事有妄载，苦于榛芜，言有阙书，伤于简略，斯则可矣。必量世事之厚薄，限篇第以多少，理则不然。且必谓丘明为省也，若介葛辨牺于牛鸣，叔孙志梦于天压，楚人教晋以拔旆，城者讴华以弃甲⑦。此而毕书，岂得谓之省邪？且必谓《汉书》为烦也，若武帝乞浆于柏父，陈平献计于天山，长沙戏舞以请地，杨仆怙宠而移关⑧。此而不录，岂得谓之烦邪？由斯而言，则史之烦省不中，从可知矣。

又古今有殊，浇淳不等。……往之所载，其简如彼；后之所书，其审如此。若使后来同于往世，限一概以成书，将恐学者必诟其疏遗，尤其率略者矣。而议者苟嗤沈、萧之所记，事倍于孙、习；华、谢之所编，语烦于班、马，不亦谬乎！……

[题解]

本篇讨论史书的详略问题，但与《载文》、《叙事》、《书事》三篇分别从记言、记事、选事的角度提倡"简要为主"不同，特地就年代的长短远近与史书篇幅的关系问题展开论述。刘知几认为，简略固然是撰史的基本原则，但不能"限世量篇"，即不能仅用年代的长短限定篇幅的大小，而应当看它是否"事有妄载"、"言有阙书"，这才是"烦省"的真正要义。只要不"妄载"，即记事恰当，当记则记，虽记载较多，也不能看作烦琐；只要没有"阙书"，遗漏重要史事，虽记载简略，也不能认作草率粗疏。一般而言，年代越久远则记载越简略，年代越近则记载越翔实，篇幅越长。史书编撰中的"略远详近"，是"势使之然"。这表面上似与前面一再批评近代史书繁杂自相矛盾，其实正好是相辅相成的。

[注释]

①录远略近：《荀子·非相》："传者，久则论略，近则论详，略则举大，

详则举小。愚者闻其略而不知其详，闻其详而不知其大也。"盖荀子患远略近详，而以为古事虽略，皆当记取，且推其详；近事虽详，当略其小，而存其大。《文心雕龙·史传》所谓"荀况称录远略近"，得其真意。浦径改作"远略近详"，又改下文之"患"为"辨"，皆似是而非。②犹：通"由"。③同盟而始赴：春秋时诸侯国君及其夫人薨，则赴于同盟之国。赴，通"讣"，报丧。④启：开发。⑤纪：一纪为十二年。⑥"多备"下，原注："杜预《释例》云：文公已上六公，书日者二百四十九。宣公已下亦俱六公，书日者四百三十二。计年数略同，而日数加倍，此亦久远遗落，不与近同也。"⑦"叔孙"三句：春秋时叔孙豹记得一个天压住自己而得救的梦，为鲁卿后有人来见，与梦中人一样，于是宠信他。晋楚泌之战，晋师败逃，马盘旋不前，楚人教其拔掉车前大旗，扔掉车轭。宋将华元打了败仗，筑城的士卒唱歌谣讽刺他弃甲而回。分别见《左传》昭公四年、宣公十二年、宣公二年。⑧"若武"四句：汉武帝微服私访，夜宿柏谷，向主人翁讨水喝，遭拒，主人见其相貌异常，厚相款待。汉高祖被匈奴围困在平城，陈平送美女图给阏氏，说愿将美女献给单于，阏氏怕夺己宠，于是劝单于解围。汉景帝时诸王来朝，诏令称寿歌舞，长沙定王刘发只张袖小举手，解释说是"国小地狭，不足回旋"，景帝给他增加封地。汉武帝诏徙函谷关于新安，以故关为弘农县，时功臣杨仆耻为关外民，上书乞徙东关，武帝于是徙关三百里。以上四条，《汉书》都没有记载，前一条出《汉武故事》，后三条皆见颜师古注引应劭之说。

[译文]

　　从前荀子主张，记取远古的事情，省略近代的事情。由此可知，史书的详略不均，很久以前就为人所担忧了。到了干宝撰写《史议》，逐一地非议各家史书，唯独特别赞美《左传》，说："左丘明能用三十卷简约的文字，包罗二百四十年的事情，没有遗漏。这是立言的较高标准，著作的良好典范。"又有张辅著《班马优劣论》，说："司马迁叙述三千年的事情，用了五十万字，班固叙述二百四十年的事情，用了八十万字，这就是班固不如司马迁。"如此看来，自古以来评论史书的繁简，都认为左丘明做得最好，司马迁次之，班固最差。自从魏、晋以来，各个王朝的年代变得更加短暂了，但为这些国家编撰的史书，篇幅不少于班固的《汉书》。这就使得后来的史书愈写愈烦，他们的缺点也就更加严重了。我认为近代史书的繁杂累赘，确实是有的，这是由于古今时代不同，是形势使它这样的。这里探求作者本来的意图，粗略作些论述。

史书为什么详略不同呢？在春秋时代，诸侯国之间竭力争战，各自关闭国境相互抵抗，关口桥梁不能通行。大概有些国家的吉凶大事，能够被别的国家知道的，或者因为它前来借道才得以听说，或者因为是同盟国家才派遣使者讣告。如果不是这样，就不能得到记载。鲁史（主要指《春秋》和《左传》）所记别国的事情，其实就是用这种方法。至于像秦国、燕国占据西部和北部，楚国、越国大力开辟南部和东部，地域偏僻，邻近各种少数民族，人们很少与中原大国往来。因此鲁史记载这些国家的事情，大多都有空缺。而且在宣公、成公以前，三十多年才合成一卷；到襄公、昭公以后，仅数年就占据一篇。由此可知，空间距离远的国家记载得不详细，时间距离近的年代记载大多完备。这是左丘明根据所闻所见而写成的传文，哪里有故意写得简约之事呢！……

评论史书的繁简，只应当探求它是否对事情胡乱记载，有太过芜杂的嫌疑，言论缺少记载，有过于简略的弊病，这样也就可以了。假如定要根据世上事情的多少，来限定史书篇幅卷数的多少，在道理上就不对了。况且假如定要说《左传》简略，像介葛卢从牛叫声辨别出它生的三条牛犊已经做了祭品，叔孙豹记住天压着他的噩梦，楚人教晋军拔掉车上的旌旗尽快逃跑，筑城的士卒唱着歌谣讽刺华元弃甲而回，这一类小事它都全部记载下来了，难道还能说是简约吗？假如定要说《汉书》烦琐，像汉武帝在柏谷向旅店老人讨水喝，陈平设计使汉高祖逃脱出匈奴的围困，长沙定王刘发借戏舞来请求扩大封地，杨仆依仗宠幸来影响函谷关的迁移，这一类大事它都没有记载，难道还能说是烦琐吗？从这些事例来说，史书的繁简不够适中，随着就可以知道（究竟在什么地方）了。

再说古今的情况有所不同，社会风习的厚薄有所差别。……过去的记载，是那样简略；后代的记载，是如此详审。如果使后代与过去同样，限定一个追求简略的标准来写成史书，恐怕学者必定会痛骂它疏忽遗漏，责怪它草率粗略了。而评论者很随意地嗤笑沈约、萧子显所记载的，事情成倍地多于孙盛、习凿齿的书；华峤、谢沈所编撰的，语言比班固、司马迁的书烦琐，不也是很荒谬的吗？……

杂述第三十四

昔在三坟、五典、《春秋》、《梼杌》，即上代帝王之书，中古诸侯之记。行诸历代，以为格言。其余外传，则神农尝药，厥有《本草》①；夏禹敷土，实著《山经》②；《世本》辨姓，著自周室；《家语》载言，传诸孔氏。是知偏记小说，自成一家。而能与正史参行，其所从来尚矣。

爰及近古，斯道渐烦。史氏流别，殊途并骛。权而为论，其流有十焉：一曰偏记，二曰小录，三曰逸事，四曰琐言，五曰郡书，六曰家史，七曰别传，八曰杂记，九曰地理书，十曰都邑簿。……

大抵偏纪、小录之书，皆记即日当时之事，求诸国史，最为实录。然皆言多鄙朴，事罕圆备，终不能成其不刊，永播来叶③，徒为后生作者削稿之资焉。

逸事者，皆前史所遗，后人所记，求诸异说，为益实多。及妄者为之，则苟载传闻，而无铨择。由是真伪不别，是非相乱。如郭子横之《洞冥》④，王子年之《拾遗》⑤，全构虚词，用惊愚俗。此其为弊之甚者也。

琐言者，多载当时辨对，流俗嘲谑。俾夫枢机者藉为舌端，谈话者将为口实。及蔽者为之，则有诋评相戏，施诸祖宗，亵狎鄙言，出自床第⑥，莫不升之纪录，用为雅言，固以无益风规，有伤名教者矣。

郡书者，矜其乡贤，美其邦族，施于本国，颇得流行，置于他方，罕闻爱异。其有如常璩之详审，刘昞之该博，而能传诸不朽，见美来裔者，盖无几焉。

家史者，事唯三族⑦，言止一门，正可行于室家，难以播于邦国。且箕裘不堕，则其录犹存；苟薪构已亡，则斯文亦丧者矣。

别传者，不出胸臆，非由机杼⑧，徒以博采前史，聚而成书。其有足以新言，加之别说者，盖不过十一而已。如寡闻末学之流，则深所嘉尚；至于探幽索隐之士，则无所取材。

杂记者，若论神仙之道，则服食炼气，可以益寿延年；语魑魅之途⑨，则福善祸淫⑩，可以惩恶劝善，斯则可矣。及谬者为之，则苟谈怪异，务述妖邪，求诸弘益，其义无取。

地理书者，若朱赣所采⑪，浃于九州；阚骃所书⑫，殚于四国⑬。斯则言皆雅正，事无偏党者矣。其有异于此者，则人自以为乐土，家自以为名都，竞美所居，谈过其实。又城池旧迹，山水得名，皆传诸委巷，用为故实，鄙哉！

都邑薄者，如宫阙⑭、陵庙、街廛、郭邑，辨其规模，明其制度，斯则可矣。及愚者为之，则烦而且滥，博而无限。故论榱栋则尺寸皆书⑮，记草木则根株必数，务求详审，持此为能。遂使学者观之,瞀乱而难纪也[16]。

于是考兹十品,征彼百家[17],则史之杂名,其流尽于此矣。至于期间得失纷糅,善恶相兼,既难为缆缕[18],故粗陈梗概。且同自郐[19],无足讥焉。

又按子之将史,本为二说。然如《吕氏》、《淮南》、《玄晏》、《抱朴》,凡此诸子,多以叙事为宗,举而论之,抑亦史之杂也。但以名目有异,不复编于此科。

盖语曰:"众星之明,不如一月之光[20]。"历观自古,作者著述多矣。虽复门千户万,波委云集,而言皆琐碎,事必丛残。固难以接光尘于五传[21],并辉烈于三史。古人以比玉屑满箧[22],良有旨哉!然则刍荛之言,明王必择;蒋菲之体[23],诗人不弃。故学者有博闻旧事,多识其物。若不窥别录,不讨异书,专治周、孔之章句,直守迁、固之纪传,亦何能自致于此乎?且夫子有云:"多闻,择其善者而从之,知之次也[24]。"苟如是,则书有非圣,言多不经,学者博闻,盖在择之而已。

[题解]

本篇把正史之外的"偏记小说"分成偏记、小录、逸事、琐言、郡书、家史、别传、杂记、地理书、都邑簿十类,一一论述它们的体例特征、代表书目、价值高低等。刘知几认为这些著作和正史相比,"言皆琐碎,事必丛残",但又肯定其中有些杂史是最真实的记载,有些种类图书具有特殊价值,可以"博闻旧事","为益实多",这是相当通达的见解。本篇与《外篇》的《古今正史》篇合观,可谓古代史籍的综述;与《采撰》篇相参照,可谓对它的补充论述;与《隋书·经籍志》相比较,则可以反映出二者在史书分类上的异同。

[注释]

①《本草》：传说神农氏尝百草而发明了医药，后世托名编撰《神农本草》，约出于东汉。②《山经》：即《山海经》。汉唐时人多以为是夏禹、伯益所作，今人以为出于战国秦汉时期。③来叶：后世。④郭子横之《洞冥》：郭宪，字子横，汉汝南宋（今安徽太和）人。王莽时避居海滨。东汉初征拜博士，迁光禄勋。后托病辞归。著有《汉帝洞冥记》四卷，序云："洞心于道教，使冥迹之奥，昭然显著，故曰洞冥。"⑤王子年之《拾遗》：王嘉，字子年，东晋陇西安阳（今甘肃渭阳）人。隐居终南山，前秦时屡召不就。著有《拾遗录》十卷，记事多诡怪。⑥第（zǐ）：竹编的床垫，亦指床。⑦三族：一般指父族、母族、妻族。⑧机杼（zhù）：原意为织布机。其转轴称机，带动纬线的梭子称杼。后用以比喻诗文创作中的构思和布局的精巧。⑨魑魅（chī mèi）：怪物妖精。⑩福善祸淫：语出《尚书·汤诰》："天道福善祸淫。"⑪朱赣所采：《汉志·地理志》："成帝时，刘向略言其域分，丞相张禹使属颍川朱赣条其风俗。"《隋志·地理志》作"朱贡"。⑫阚骃所书：阚骃，字玄阴，敦煌（今属甘肃）人。仕北凉官至尚书。著有《十三州记》十卷。⑬四国：四方邻国，亦泛指四方、天下。《诗·大雅·崧高》："揉此万邦，闻于四国。"⑭阙：古代宫殿门外左右相对的高建筑物，也常用来代指皇宫。⑮榱（cuī）：椽子。⑯瞀（mào）：目眩。⑰百家：指本篇前文介绍十类杂史时列举的各家图书，每类四家，共四十家。⑱馉（luó）缕：详细而有条理地叙述。⑲自郐（kuài）：郐，春秋小国名。《诗·国风》有《郐风》，《史记·吴太伯世家》："自《郐》以下无讥焉。"原意是说《郐风》以下的诗无所刺讥。后世用以表示自此以下都不值得一提。⑳"众星"二句：语出《文子·上德》，"众"，《文子》作"百"。㉑光尘：《老子》："和其光，同其尘。"意为与世浮沉，不立异。此指旧的传统。五传：《春秋》三传再加上已失传的《邹氏传》、《夹氏传》，合称五传。㉒玉屑满箧：《论衡·书解》："或曰：古今作书者非一，各穿凿失经之实，传违圣人质，故谓之丛残，比之玉屑。故曰：丛残满车，不成为道；玉屑满箧，不成为宝。"玉屑，玉的碎末。㉓葑菲之体：《诗·邶风·谷风》："采葑采菲，无以下体。"郑笺："此二菜者，蔓菁与葍（fú）之类也，皆上下可食。然而其根有美时，有恶时，采之者不可以根恶时

并弃其叶。"常用以比喻有一点可取之处。㉔"多闻"三句：语出《论语·述而》："多闻，择其善者而从之，多见而识者，知之次也。"

[译文]

从前的三坟、五典、《春秋》、《梼杌》，都是记载上古帝王、中古诸侯的史书。它们流行于各个时代，都被当作典范著作。在这些正规著作之外，当时还有些可以统称为外传的杂述，如神农尝草药之味，就有了《本草》；夏禹陈述各地风物，编著了《山海经》；《世本》辨别帝王诸侯的姓氏、世系等，撰作于周代；《孔子家语》记载孔子及其弟子的言论，来自于孔氏。由此可知，各种偏记小说，各自成为一个流派，而且能够和正式史书参互流行，那是由来已久的了。

到了近古时代，著述途径日渐增多，正史以外各种流派的史书，沿着不同的道路发展。粗略加以讨论，它的流派有十种：一是偏记，二是小录，三是逸事，四是琐言，五是郡书，六是家史，七是别传，八是杂记，九是地理书，十是都邑簿。……

大致说来，偏记、小录之类的书，都记录当日当时的事情，按国史要求的标准，它是最真实的记录。然而言辞大多粗鄙拙朴，事情很少能够完整，终究不能成为不可改易的著作，永久传播于后世，只能作为后世的作者修定著述的资料。

逸事这类书，都是前代史书有所遗漏，后人才把它记载下来的。探求事情的不同说法，它的益处很多。到了那些虚妄的人来编纂这类书，就随便地记载些传闻，而不加以考核选择。因此真假没有区别，是非相互淆乱。如郭宪的《洞冥记》、王嘉的《拾遗记》，完全是虚构文辞，用来引起无知庸人的惊奇。这是它最为严重的弊病。

琐言这类书，大都是记载当时的辩论对答，社会上的调笑戏谑，使那些鼓弄舌头的人把它当作舌端的莲花，夸夸其谈的人拿来作为口中的悬河。到了那些粗鄙的人来编纂这类书,就出现了诋毁攻讦,相互嘲弄,用到了祖宗头上;男女调戏,淫秽粗话,出自于枕席之间。这些东西全都被堂而皇之记录下来,当作美言,当然是无益于风化,有害于礼教的了。

郡书之类,夸耀家乡的贤士,赞美自己的家族。放在本地区,很能得到传播通行;放在别的地方,很少听说它能得到喜爱。其中如常璩《华阳国志》那样的详细周密,刘昞《敦煌实录》那样的完备广博,从而能传之于不朽,被后人所称赞的,恐怕没有几种吧!

家史这类书,事迹只涉及亲属之间,言论只记载家门之内,正可以在自己的家族内部流行,而难以在全国范围内传播。况且子孙能够继承祖业,那它的记载还能保存;如果祖先的家业衰亡,那么这家史也就消失了。

别传这类书,并不是出于自己的见解,也没有经过巧妙的构思布局,只是广泛采集前人的史书,聚集编纂成书。其中有补足新的言论,增加别的说法的,大概不过十分之一罢了。像那些孤陋寡闻、学识浅薄的人,就会十分推崇赞赏这类书;至于那些探求事理、考索真相的人,就没有什么可取之处。

杂记这类书,如果是谈论神仙道术的,那么它提倡的服食丹药、炼养内气,可以益寿延年;述说鬼怪故事的,那么它宣扬的善人得福,恶人得祸,可以惩恶劝善,这是可以的。到了那些荒诞的人来编纂这类书,就随意谈说怪异的事情,专门讲述妖邪的法术。从弘扬礼教、开卷有益的作用来作要求,它的意义没有多少可取之处。

地理书之类,像朱赣所采集的风俗,遍及九州;阚骃所记载的地区,穷尽四方。这些书文辞典雅纯正,事实没有偏颇。其他有不同于这些书的,就人人把自己的家乡当作乐土,家家把自己的城池当作名都，争相赞美自己所居住的地方，写得言过其实。还有城池的古迹，山水的得名，都是来自街巷的传闻，把它作为真实的典故，真是鄙陋啊！

都邑簿这类书，如宫殿、陵墓、庙宇、街巷、坊宅、城墙、村落等等，辨别它的规模，说明它的制度，这样就可以了。到了那些无知的人来编纂这类书，就烦琐而泛滥成灾，广博而没有边际。因此说起屋椽脊梁，就一尺一寸都要记录，记叙草木，就一根一株定要数清，务必追求详尽周密，以此夸耀自己的才能。于是使得学者阅读时，眼花缭乱而难以理清头绪。

这里考察这十种品类，引征了四十家著述作为例子，正史以外各种杂述的名称，它们的不同流派，全部都在这里了。至于其中的得失混杂，利弊兼有，既然难以一一条分缕析，因此只是粗略地陈述梗概。况且如同《诗》自《邶风》以下的诗一样（这十类杂述总体来说都不如其他各篇讨论的正史），不值得做更多的讥评。

又查考子书与史书，本来是两种不同性质的书，然而如《吕氏春秋》、《淮南子》、《玄晏春秋》、《抱朴子》，所有这些诸子之书，大多都以叙事为主，列举出来加以评论，或许也可以说是杂述。但因为书名有所不同，就不再编入这里的杂述一类了。

古语说："众多星星的亮光，不如一个月亮的光辉。"遍观自古以来，各位作者编撰的著述可算很多了。虽然如同千门万户，波浪连接，浮云委积，然而言辞都很烦琐零碎，事情也很丛杂残漏，当然难以接续五传的优良传统，与三史的光辉功业相提并论。古人把它们比喻作满箱的玉屑（终究不能成为宝器），是很有道理的啊！然而田夫、野老的言谈，圣明的君主一定要加以选取；蔓菁、萝卜的叶子，古代诗人也讲不要轻易抛弃。因此学者中有些人是广博地了解从前的事情，更多地认识各种事物的。如果一点别的记录都不观看，任何其他图书都不研讨，专门研治周公、孔子的经典章句，仅仅死守司马迁、班固的纪传史书，又怎么能够达到这样的境界呢？况且孔夫子说过："多听，选择其中合理部分加以接受遵从，这样的知可算是仅次于生而知之了。"如果真是这样，那么尽管有些书不是圣贤之书，有些言论大多不符合经典，学者仍然可以多看多听，关键在于善加选择而已。

辨职第三十五

夫设官分职，伫绩课能①，欲使上无虚授，下无虚受，其难矣哉！昔汉文帝幸诸将营，而目周亚夫为真将军。嗟乎！必于史职求其若斯，乃为难遇者矣。

史之为务，厥途有三焉。何则？彰善贬恶，不避强御，若晋之董狐，齐之南史，此其上也。编次勒成，郁为不朽，若鲁之丘明，汉之子长，此其次也。高才博学，名重一时，若周之史佚②，楚之倚相③，此其下也。苟三者并阙，复何为者哉？

昔鲁叟之修《春秋》也，不藉三桓之势④；汉臣之著史记也，无假七贵之权⑤。而近古每有撰述，必以大臣居首。……大抵监史为难，斯乃尤之尤者。若使直若南史，才如马迁，精勤不懈若扬子云，谙识故事若应仲远，兼斯具美，督彼群才，使夫载言记事，藉为模楷，搦管操觚⑥，归其准的，斯则可矣。但今之从政则不然。凡居斯职者，必恩幸贵臣，凡庸贱品，饱食安步⑦，坐啸画诺⑧，若斯而已矣。夫人既不知善之为善，则亦不知恶之为恶。故凡所引进，皆非其才，或以势利见升，或以干祈取擢⑨。遂使当官效用，江左以"不落"为谣⑩；拜职辨名，洛中以"职闲"为说⑪。言之可为大噱，可为长叹也。……

唯夫修史者则不然，或当官卒岁，竟无刊述，而人莫之知也；或辄不自揆，轻弄笔端，而人莫之见也。由斯而言，彼史曹者，崇闬峻宇⑫，深附九重，虽地处禁中⑬，而人同方外⑭。可以养拙⑮，可以藏愚，绣衣直指所不能绳⑯，强项申威所不能及⑰。斯固素餐之窟宅，尸禄之渊薮也。凡有国有家者，何事于斯职哉！……

昔丘明之修传也，以避时难⑱；子长之立记也，藏于名山⑲；班固之成书也，出自家庭⑳；陈寿之草志也，创于私室㉑。然则古来贤俊，立言垂后，何必身居廨宇，迹参僚属，而后成其事乎？是以深识之士，知其若斯，退居清静，杜门不出，成其一家，独断而已。岂与夫冠猴献状㉒，评议其得失者哉！

[题解]

本篇讨论朝廷设立史馆的弊病。汉代之前，朝廷虽然有史官，但没有专门的修史机构，编撰史书皆为私家著述。东汉明帝时，班固等入东观修史，这是朝廷设立修史机构的开始。东晋以后亲王、权贵甚至恩幸之臣领导史局，唐代则继续以重臣监修，并把史局搬进宫内。刘知几曾"三为史臣，再入东观"，对史局内的修史状况非常了解。他认为帝王以不懂修史的权贵为监修，监修又引荐不称职的人担任史官，使得史馆成为"素餐之窟宅，尸禄之渊薮"，可谓切中了史局弊端的要害。本篇与《自叙》以及《外篇》的《忤时》、《史官建置》结合起来读，可以更全面地了解刘知几对史局的批判。

[注释]

①仂绩课能：累计功绩，考核能力。仂，通"勒"。②史佚：周初太史，名佚。《左传》成公四年："史佚之志有之。"③倚相：《左传》昭公十二年："左史倚相趋过，王曰：'是良史也，子善视之。是能读三坟、五典、八索、

九丘.'"《国语·楚语》:"有左史倚相,能道训典,以叙百物,以朝夕献善败于寡君,使寡君毋忘先王之业。"④"昔鲁"二句:鲁叟指孔子。三桓,春秋鲁国三大夫孟孙氏、叔孙氏、季孙氏,皆出于桓公,故称三桓。孔子修《春秋》,正是三桓强盛之时。⑤"汉臣"二句:《文选》潘岳《西征赋》"窥七贵于汉庭"下李善注:"七贵谓吕、霍、上官、赵、丁、傅、王也。"七贵皆西汉后族。此处疑用"七贵"代指两汉之权贵,而"汉臣"亦非专言司马迁父子,应包括班固父子、蔡邕等史官,"史记"则包括《史记》、《续史记》、《东观汉记》等。⑥搦(nuò)管操觚(gū):握笔写作。搦,持,握。觚,古代写字用的木板。⑦饱食安步:只知享乐而无所用心。《论语·阳货》:"饱食终日,言不及义。"《战国策·齐策》:"安步以当车。"⑧坐啸画诺:指做官不办事。典出《后汉书·党锢传》,宗资、成瑨二人担任郡太守时,都把政务交由佐吏处理,时谚有"南阳宗资主画诺"、"弘农成瑨但坐啸"之句。坐啸,闲无聊而撮口吟啸。画诺,在文书上签字。⑨干祈取擢:求取而得以升官。干,求取。擢,提升。⑩不落:原作"不乐",据陈《补释》校改。《颜氏家训·勉学》:"梁朝全盛之时,贵游子弟多无学术,至于谚云:'上车不落则著作,体中何如则秘书。'"⑪职闲:原作"不闲",据陈《补释》校改。《晋书·阎缵传》:"国子祭酒邹湛以缵才堪佐著作,荐于秘书监华峤,峤曰:'此职闲廪重,贵势多争之,不暇求其才。'遂不能用。"⑫崇扃(jiōng)峻宇:高门大院。扃,门户。宇,屋檐,房屋。⑬"深附"二句:九重、禁中皆指皇宫。唐前史馆隶秘书省著作局,贞观三年(629)始移史馆于禁中,在门下省北。大明宫建成后,移置于门下省南。⑭方外:世外。方,大地。⑮养:隐藏。⑯绣衣直指:此指有特殊权力的监察人员。汉武帝末年,各地频有突发事件,朝廷以暴胜之等为直指使者,衣绣衣,持斧节,分部逐捕,督课郡县官吏,称为绣衣直指。⑰强项:指刚正不阿的官员。东汉光武帝让洛阳县令董宣给公主叩头谢罪,董宣认为自己没错,即使被强按着头,仍两手据地,决不低头,皇帝笑称之为"强项令",赦免了他。⑱"昔丘"二句:《汉书·艺文志》说左丘明作传,"《春秋》所贬损大人当世君臣,有威权势力,其事实皆形于传,是以隐其书而不宣,所以免时难也"。⑲"子长"二句:司马迁《报任安书》云:"仆诚已著此书,藏之名山。"⑳"班固"二句:班固在其父班彪旧稿基础上编撰《汉书》，有人告发他私自改作国史，诏令逮捕下狱，"尽取其家书"。事见《后汉书》本传。㉑"陈寿"二句：陈寿入晋为本州岛中正，私撰《三国志》，死后诏令就其家写其书。事见《晋书》本传。㉒冠猴献状：《汉书·盖宽饶传》载，皇太子外祖许伯入第，众官往贺，"酒酣乐作，长信少府檀长乡起舞，为沐猴与狗斗"，盖宽饶劾奏为失礼不敬。献状，呈献自己的媚态。

[译文]

设立官职，划分职责，累计功绩，考核才能，要使君主授予的职位无不得当，臣下接受的官职都能胜任，大概是很困难的啊！从前汉文帝巡幸各位将领驻守的军营，而称周亚夫为"真将军"。可叹啊！假如要想在史职中寻找这样的人物，就很难遇到了。

从事于史职，其做法主要有三种。哪三种呢？表彰善人善事，贬抑恶人恶事，不畏避强权的逼迫，像晋国的董狐，齐国的南史，这是上等的。编撰出优秀的史书，成为不朽的名著，像鲁国的左丘明，汉代的司马迁，这是第二等的。具备很高的才能，广博的学问，名重于一时，像周代的史佚，楚国的倚相，这是下一等的。如果这三种都做不到，还来担任史职做什么呢？

从前孔子修《春秋》，不借助三桓的势力；汉代史官编著《史记》和国史，也都没有假借七贵们的权势。但近古时代每当撰述国史，必定用朝廷大臣领衔主持。……大致上来说，监修史书是困难的，这是难而又难的事情。假使有人耿直像南史，才华横溢像司马迁，专心勤奋而不懈怠像扬雄，熟悉典章旧事像应劭，同时具备这些才干和美德，由他来督促那些成群的才智之士，使大家记载言论史事，都用他作为榜样，握笔写作，都以他作为准则，这样就可以了。但是现在当官的却不是这样。凡是担任这个职务的，必定是受到宠幸的权贵之臣，见识平庸低下之辈，整天酒足饭饱，散步休息，闲坐吟啸，签字画押，如此而已。这样的人既然不知道好的好在什么地方，也就不知道坏的坏在什么地方。因此凡是他们所引进的人，都不是真正合适的人才，有的因为权势和利益而得到升迁，有的通过求取和请托而受到提拔。于是使得在职史官发挥的作用，江南用"上车不落为著作"作为谣谚；授予官职时说明其职责，中原有史官职务很清闲的说法。说起这些，可以为之大笑，可以为之长叹啊！……

只有修史的人不会有这样的后果。有的人担任史官一个整年了，居然什么也没有编写，而且也没有人发现这一点；有的人随便地不自量力，轻易地舞弄笔墨，但别人也看不到他写出的东西。从这种情况来说，那些修史的部门，高门大院，神秘地依附于九重皇宫，虽地处于宫墙之内，但人如同在尘世之外。在这里可以隐藏他的笨拙，可以遮盖他的愚蠢，朝廷特派的使者不能纠正处置他们，刚正不阿的官员想管也管不到他们。这里确实是白吃白喝的处所，空领俸禄的地方啊！凡是治理国家的人，设立这么个职位有何用处呢！……

从前左丘明修成《左传》而不公开，以避免当时权贵的迫害；司马迁编撰《史记》，也说要收藏在名山传给后人；班固撰成《汉书》，出自于他的家庭之中；陈寿起草《三国志》，开始于他的私人住所。如此看来，自古以来的贤人俊哲，著书立说，流传后世，何必定要身居官府衙门，列为史馆成员，然后成就他们的事业呢？所以见识深远的人士，知道这种情况，退居清静之地，闭门不出，著成一家之言，独立裁断而已。难道与那些扮成猴子献丑以邀宠的人，一起评论史书的得失吗？

自叙第三十六

予幼奉庭训[①]，早游文学。年在纨绮[②]，便受《古文尚书》。

每苦其辞艰琐，难为讽读。虽屡逢捶挞，而其业不成。尝闻家君为诸兄讲《春秋左氏传》③，每废书而听④。逮讲毕，即为诸兄说之。因窃叹曰："若使书皆如此，吾不复怠矣。"先君奇其意，于是始授以《左氏》，期年而讲诵都毕⑤。于时年甫十有二矣。所讲虽未能深解，而大义略举。父兄欲令博观义疏⑥，精此一经。辞以获麟已后，未见其事，乞且观余部，以广异闻。次又读《史》、《汉》、《三国志》。既欲知古今沿革，历数相承，于是触类而观，不假师训。自汉中兴已降，迄乎皇家实录，年十有七，而窥览略周。其所读书，多因假赁。虽部帙残缺，篇第有遗，至于叙事之纪纲，立言之梗概，亦粗知之矣。

但于时将求仕进，兼习揣摩⑦，至于专心诸史，我则未暇。洎年登弱冠⑧，射策登朝⑨，于是思有余闲，遂其本愿。旅游京洛，颇积岁年，公私借书，恣情披阅。至如一代之史，分为数家，其间杂记小书，又竞为异说，莫不钻研穿凿⑩，尽其利害。加以自小观书，喜谈名理⑪，其所悟者，皆得诸襟腑⑫，非由染习。故始在总角⑬，读班、谢两《汉》⑭，便怪《前书》不应有《古今人表》，《后书》宜为更始立纪。当时闻者共责以童子何知，而敢轻议前哲。于是赧然自失，无辞以对。其后见《张衡》、《范晔集》，果以二史为非。其有暗合于古人者，盖不可胜纪。始知流俗之士，难与之言。凡有异同，蓄诸方寸⑮。

及年以过立⑯，言悟日多，常恨时无同好，可与言者。唯东海徐坚⑰，晚与之遇，相得甚欢。虽古者伯牙之识钟期⑱，管仲之知鲍叔⑲，不是过也。复有永城朱敬则、沛国刘允济、义兴薛谦光、河南元行冲、陈留吴兢、寿春裴怀古⑳，亦以言议见许，道术相知。所有榷扬，得尽怀抱。每云："德不孤，必有邻㉑，四海之内，知我者不过数子而已矣。"

昔仲尼以睿圣明哲，天纵多能㉒，睹史籍之繁文，惧览之者不一。删《诗》为三百篇，约史记以修《春秋》，赞《易》道以黜八索，述《职方》以除九丘㉓，讨论坟、典，断自唐、虞，以迄于周㉔。其文不刊，为后王法。自兹厥后，史籍逾多，苟非命世大才，孰能刊正其失？嗟予小子，敢当此任！其于史传也，尝欲自班、马已降，讫于姚、李、令狐、颜、孔诸书，莫不因其旧义，普加厘革。但以无夫子之名，而辄行夫子之事，将恐致惊愚俗，取咎时人，徒有其劳，而莫之见赏。所以每握管叹息，迟回者久之㉕，非欲之而不能，实能之而不欲也㉖。

既朝廷有知意者，遂以载笔见推。由是三为史臣，再入东观㉗。每惟皇家受命，多历年所，史官所编，粗惟记录㉘。至于纪传及志，则皆未有其书。长安中年㉙，会奉诏预修《唐史》。及今上即位，又敕撰《则天大圣皇后实录》。凡所著述，常欲行其旧议。而当时同作诸士及监修贵臣㉚，每与其凿枘相违，龃龉难入㉛。故其所载削，皆与俗沉浮㉜。虽自谓依违苟从，然犹大为史官所嫉。嗟乎！虽任当其职，而吾道不行；见用于时，而美志不遂。郁怏孤愤，无以寄怀。必寝而不言，嘿而无述，又恐殁世之后，谁知予者？故退而私撰《史通》，以见其志。……

若《史通》之为书也，盖伤当时载笔之士，其义不纯，思欲辨其指归，殚其体统。夫其书虽以史为主，而余波所及，上穷王道，下掞人伦㉝，总括万殊，包吞千有。自《法言》已降，迄于《文心》而往，固以纳诸胸中，曾不蒂芥者矣㉞。夫其为义也，有与夺焉，有褒贬焉，有鉴诫焉，有讽刺焉。其为贯穿者深矣，其为网罗者密矣。其所商略者远矣，其所发明者多矣。盖谈经者恶闻服、杜之嗤㉟，论史者憎言班、马之失。而此书多讥往哲，喜述前非，获罪于时，固其宜矣。犹冀知音君子，时有观焉。尼父有云:"罪我者《春秋》,知我者《春秋》㊱。"抑斯之谓也。

昔梁征士刘孝标作《叙传》,其自比于冯敬通者有三㊲。而予辄不自揆,亦窃比于扬子云者有四焉。何者?扬雄尝好雕虫小技,老而悔其少作。余幼喜诗赋,而壮都不为㊳,耻以文士得名,期以述者自命。其似一也。扬雄草《玄》,累年不就,当时闻者,莫不哂其徒劳㊴。余撰《史通》,亦屡移寒暑。悠悠尘俗,共以为愚。其似二也。扬雄撰《法言》,时人竞尤其妄,故作《解嘲》以訕之㊵。余著《史通》,见者亦互言其短,故作《释蒙》以拒之㊶。其似三也。扬雄少为范逡、刘歆所重㊷,及闻其撰《太玄经》,则嘲以恐盖酱瓿㊸。然刘、范之重雄者,盖贵其文彩若《长杨》、《羽猎》之流耳㊹。如《太玄》深奥,理难探赜。既绝窥逾,故加讥诮。余初好文笔,颇获誉于当时;晚谈史传,遂减价于知己。其似四也。夫才唯下劣,而迹类先贤。是用铭之于心,持以自慰。

抑犹有遗恨,惧不似扬雄者有一焉。何者?雄之《玄经》始成,虽为当时所贱,而桓谭以为数百年外,其书必传㊺。其后张衡、陆绩,果以为绝伦参圣㊻。夫以《史通》方诸《太玄》,今之君山,即徐、朱等数君是也。后来张、陆,则未之知耳。嗟乎!傥使平子不出,公纪不生,将恐此书与粪土同捐,烟烬俱灭,后之识者,无得而观。此予所以抚卷涟洏㊼,泪尽而继之以血也㊽。

[题解]

本篇自述作者的治学经历和《史通》的写作缘起、内容宗旨及其自我评价。刘知几自幼对史学有着特殊的兴趣,虽三为史官,但其修史的主张和抱负却难以实现。于是退而私撰《史通》，想要"辨其指归，殚其体统"，即阐明修史必须严格遵循的体制。他称赞扬雄《法言》、王充《论衡》和刘勰《文心雕龙》都是针砭时弊之作，把它们引为效法的榜样。但又深知自己的真知灼见难免与当世权贵和时俗观念相冲突，有着知己难逢的忧惧，只能期望《史通》得以流传久远，后人能够发现它的价值。本篇没有像前人自序那样远溯家世，这和《序传》篇的理论一致。本篇可与书前的《叙录》和《外篇》的《忤时》参照来读。

[注释]

①庭训：《论语·季氏》记载孔子的儿子鲤"趋而过庭"，孔子教训他应学诗、学礼。后世遂以父亲的教诲为"庭训"。②纨绮（wán qǐ）：原指贵族子弟服饰，后作为少年儿童的代称。③家君：父亲。刘知几之父刘藏器，官比部员外郎，出为安州司马。④废书：不觉之间停顿读书。⑤期（jī）年：一周年。⑥义疏：此指后人关于《左传》的各种注释、解说性著作。⑦揣摩：揣度、估量。《战国策·秦策一》："简练以为揣摩。"此处专指科举考试前，推敲以往考题，练习写作应试文章，就像白居易《策林序》自述应制举前"闭户累月，揣摩当代之事"。⑧弱冠：《礼记·曲礼》："二十曰弱，冠。"意为二十岁叫弱，行冠礼。后人用"弱冠"代指二十岁。⑨射策登朝：指考中进士。汉代策问，将题目写在竹简上，抽中某支简就回答上面的问题，称为射策，后用以代指参加科举考试。登朝，考中进士后，名册转入吏部，有了官员的身份，称为升朝籍或登朝。⑩穿凿：深究琢磨。⑪名理：辨别分析事物的是非、道理。⑫襟腑：胸襟和脏腑，统指胸臆。⑬总角：指童年。古人未成年时束发为两结，形状如角，故称总角。⑭班、谢两《汉》：指班固《汉书》、谢沈《后汉书》。⑮方寸：指心。《列子·仲尼》："吾见子之心矣，方寸之地虚矣。"⑯年以过立：年纪已经超过三十岁。以，通"已"。《论语·为政》："三十而立。"⑰徐坚（659—729）：字元固，湖州长城（今浙江长兴）人。遍览经史，玄宗时任集贤院学士，副张说知院事，累封东海郡公。曾与刘知几等同修《三教珠英》，前后修撰格式、氏族及国史。⑱伯牙之识钟期：伯牙善鼓琴，

钟子期善听曲。钟子期死，伯牙终身不复鼓琴。后世以伯牙、子期为知音的代表。识，这里指被后者赏识。⑲管仲之知鲍叔：管仲、鲍叔牙二人相友甚戚，管仲尝叹曰："生我者父母，知我者鲍子也。"知，这里指为后者所知。⑳朱敬则（635—709）：字少连，亳州永城（今属河南）人。早以辞学知名，则天朝仕至宰相，以老疾请罢知政事。曾与刘知几等同修《唐书》，又撰《十代兴亡论》。刘允济：洛州巩（今河南巩义）人。长安中，官至凤阁舍人。博学，善属文。曾预修国史，又著《鲁后春秋》。薛谦光（647—719）：本名谦光，开元中因与太子同名，改名薛登。常州义兴（今江苏宜兴）人。博涉文史，少与徐坚、刘知几齐名友善。后拜御史大夫，开元中转太子宾客。元行冲（653—729）：名澹，以字行。河南（今河南洛阳）人。博学多通，狄仁杰甚重之。所著《魏典》三十卷，事详文简，为时人所称。开元中任秘书监，撰《群书四录》。吴兢（670—749）：陈留浚仪（今河南开封）人。博通经史，历任史职，在书府四十年。玄宗时官至卫尉少卿。曾与刘知几撰定《武后实录》，又撰《唐书》等。叙事简核，号称良史，当代董狐。裴怀古：寿州寿春（今安徽寿县）人。则天时出使突厥，被禁锢随军。后窜归，终幽州都督。㉑德不孤，必有邻：语出《论语·里仁》。意为有道德的人不会孤单，必定有人来和他为邻。这里引喻自己的史学见解得到诸人的赞同。㉒天纵多能：语出《论语·子罕》："天固纵之将圣，又多能也。"天纵，上天纵任而不限其止境。㉓"赞《易》"二句：刘知几认为八索之书是解释八卦的，孔子作《易》传后就失传了；九丘是古职方氏记载九州事物之书，《周礼》、《逸周书》中的《职方》删取其主要内容，其余部分也失传了。㉔"睹史"九句：皆伪孔安国《古文尚书》序原文。㉕迟回：徘徊，迟疑不决。㉖"非欲"二句：语出《文选》张衡《西京赋》："岂欲之而不能，将能之而不欲欤？"㉗三为史臣，再入东观：原注："则天朝为著作佐郎，转左史。今上初即位，又除著作。长安中，以本官兼修国史。会迁中书舍人，暂罢其任。神龙元年，又以本官兼修国史，迄今不之改。今之史馆，即古之东观也。"㉘粗惟记录：原注："起居、实录之类则有之。"㉙中年：浦作"中"，按云："一作'年'，一作'中年'。"象本作"中年"。长安（701—704）凡四年，诏修唐史在三年正月一日，确属"中年"。今从之。㉚监修贵臣：指武三思。㉛凿枘相违，龃龉（jǔ yǔ）难入：语出《楚辞·九辩》："圜凿而方枘兮，吾固知其鉏铻而难入。"圜凿，凿成圆孔；方枘（ruì），方的榫头，二者不能吻合。鉏铻、龃龉同，矛盾不相配合。㉜与俗沉浮：语出司马迁《报任安书》："故且从俗浮湛，与时俯仰。"㉝掞（shàn）：抒发，铺陈。㉞蒂芥：细小之物。比喻有嫌隙，心里想不通。㉟服、杜之嗤：服、杜即服虔、杜预。两《唐书·元行冲传》亦载当时"宁道孔圣误，讳闻郑、服非"。㊱"罪我"二句：语出《孟子·滕文公上》："孔子曰：知我者其惟《春秋》乎，罪我者其惟《春秋》乎？"㊲"昔梁"二句：征士，经朝廷征辟而不就者。《梁书·文学·刘峻传》："峻尝为《自序》，其略曰：余自比冯敬通，而有同之者三，异之者四。"文繁不录。敬通，后汉冯衍字。京兆杜陵（今陕西西安东南）人。曾投刘玄，后降于光武帝刘秀，出为曲阳令，迁司隶从事。因与外戚交往，免官。明帝即位，又遭诽谤，潦倒而死。㊳"扬雄"四句：扬雄《法言·吾子》："或问：'吾子好赋？'曰：'童子雕虫篆刻。'俄而曰：'壮夫不为也。'"㊴哂（shěn）：微笑，讥笑。㊵"扬雄"三句：扬雄《解嘲》为答客嘲《太玄经》而作，非《法言》，刘知几误。詶，通"酬"，答复。㊶《释蒙》：其文已佚，今无考。㊷范逡：《汉书·扬雄传》作"范逡"。逡、逡同。㊸恐盖酱瓿（bù）：程《笺记》谓此"乃刘歆语，与范逡无与"，又云："酱瓿之言，亦代伤知音之难遇耳，而子玄以为讥诮，虑未免失其旨也。"瓿，瓦器。㊹《长杨》、《羽猎》：扬雄仿司马相如的四赋中的两篇，文辞流朋，内容主要为歌颂朝廷声威及皇帝盛德。㊺"而桓"二句：《汉书·扬雄传》载："（王邑、严尤）谓桓谭曰：'子常称扬雄书，岂能传于后世乎？'谭曰：'必传，顾君与谭不及见也。'"㊻"其后"二句：张衡已见《鉴识》篇注。陆绩，字公纪，三国吴郡吴（今属江苏）人，曾为郁林太守。博学多识，星历算数无不该览，作《浑天图》，注《易》释《玄》。《三国志·吴志》本传评曰："陆绩之于扬《玄》，是仲尼之左丘明，老聃之严周矣。"㊼涟洏（lián ér）：泪流不断的样子。语出王粲诗："涕流涟洏。"㊽泪尽而继之以血：《韩非子·和氏》："（楚人和氏）抱其璞而哭于楚山之下，三日三夜，泪尽而继之以血。"《说苑·权谋》："下蔡威公闭门而哭，三日三夜，泣尽而继以血。"

[译文]

我幼年接受家庭教育，很早就开始学习文献典籍。还在少年时期,就学习《古文尚书》,常常苦于它的文字艰深烦琐,难以背诵朗读。虽然多次遭到鞭打责罚,但学业还是没有成就。曾经听到父亲给各位兄长讲授《春秋左氏传》,我往往会放下手中正在读的书,也跑去听讲。等到父亲讲完了,我就向哥哥们复述听讲的内容。因而私下感叹说:"假如让我读的书都像这样,我就不再懈怠了。"父亲对我的想法感到惊奇,于是开始教授我学习《左传》,满一年后所有的讲解和记诵都做完了。这时我刚刚十二岁。父亲讲解的内容我虽然还不能深刻地领悟,但大致的意思已经粗略弄清楚了。父亲和兄长想让我广泛地阅读一些注解经义的书,以求能够精通这一部经书。我推托说获麟以后的史事还不了解,请求暂且先读些后面的史书,来增加自己的见闻。接下来就又读了《史记》、《汉书》和《三国志》。继而又想要了解古今历史的沿袭变革,历代帝王的相互承接,于是把接触到同类的书籍都拿来阅读,也不需要借助老师的讲解指导了。从汉代光武中兴以来,到当代各种皇家史料的记录,到我十七岁的时候,都已经大致全部阅读一遍了。我当时所读的书,大多都是租借来的,虽然内容有残缺,篇目有遗失,但是叙事的纲要,论述的梗概,也还是粗略地知道了。

但是当时我正准备求取仕进,需要同时练习写作科举文章,至于专心研读各种史书,我还没有闲暇的时间。等到年过二十,考中了进士,成为官员,这时想着自己有了空闲,可以实现原来的愿望了。游历来往于长安和洛阳之间,经过很多年的积累,无论公家还是私人藏书,都尽情翻阅。至于像某一代的史书,比较正式的就分成了多家著作,还有很多关于这一期间的杂记小书,又竞相提出各种不同的说法,我无不加以钻研琢磨,穷尽它们的得失利弊。再加上自己从小时候看书,就喜欢谈论事物的名分道理,我所感悟得到的这些道理,全都是出自于内心,而不是从别人那里学来的。因此还在我童年的时候,阅读班固的《汉书》和谢沈的《后汉书》,就责怪《汉书》中不应该有《古今人表》,《后汉书》中应该为更始帝刘玄立本纪。当时听到我这些想法的人一同责备我说,小孩子知道什么,竟然敢于轻率地非议前代贤哲。于是我羞愧得满脸通红,没了主张,无言以对。后来看到张衡和范晔的文集,果然认为两部史书的那些地方是错误的。我的想法有些暗暗吻合古人意见的,大概不计其数。我这才知道一般流俗之人,是难以和他们交谈的。从此凡是有和前人不同的观点,我都积聚在自己的心里。

等到我已过而立之年,所感悟到的道理日益增多,时常遗憾当时没有与我爱好相同、可以相互交谈的人。只有东海(郡望)人徐坚,后来与他相遇,相互投缘,十分友好。即使是古代伯牙受到钟子期的赏识,管仲得到鲍叔牙的知遇,也不会超过我们这种关系。又有永城人朱敬则、沛国人刘允济、义兴人薛谦光、河南人元行冲、陈留人吴兢、寿春人裴怀古等,也对我的言谈议论多加推许,在学术观点上相互知音。在与他们进行的所有商榷讨论中,我得以尽情地发表自己的意见。我常常说:"(就像孔夫子所说的)有德之人不会孤单,必定会有志同道合者相伴为邻。四海之内,了解我的不过这几个人而已。"

从前孔子以其超凡的聪明智慧,天赋的多才多能,看到历史典籍文辞繁多,担心观览的人不能通读并得出比较统一的结论,就删减《诗经》为三百篇,简约鲁史而修定《春秋》,赞明《周易》而废除八索,撰述《职方》而废除九丘,又探讨三坟、五典之书,确定上从唐尧、虞舜开始,下到周代结束,编定《尚书》。这些经典的文字都不可更改,成为后代帝王的法度。从此以后,历史典籍愈来愈多,如果不是一代杰出的大才士,谁能来刊正它们的过失呢?唉,像我这样的无知小辈,怎么敢于担当这样的重任呢!对于历代史传,我曾经想从班固、司马迁以下,直到姚思廉、李百药、令狐德棻、颜师古、孔颖达等所编撰的各种史书,无不在其原有义例的基础上，普遍加以修改。但是因为我没有孔子的名望，却要做孔子所做过的事情，害怕将会招致末流俗士的惊怪，受到当代学人的指责，白白地这样劳苦，却没有人能够赏识。之所以时常握笔叹息，久久徘徊迟疑，并不是想做而没有能力做，而是有能力做而不敢去做呀！

　　后来朝廷里有人知道了我的心愿，于是就推荐我去编撰史书。从此我三次担任史官，两次进入史馆。常常思考本朝受天命而立国，已经经历了很多年，史官所编撰的，只是一些粗糙的史料记录。至于由纪、传和志组成的正式国史，则都没有编定成书。长安中年，适逢奉诏参与修撰《唐书》。等到当今皇帝即位，又命令修撰《则天大圣皇后实录》。凡是所参加的这些修史工作，我都曾经想推行我原来的议论。可是当时一起编写的各位同事和监修的贵臣，我时常和他们意见相反，矛盾难合。因此我所编写的部分，也都与世俗同流合污了。虽然自以为已经是模棱两可，苟且违心地顺从了他们，然而还是大为史官们所忌恨。唉！我虽然担任史官职务，但是我的修史主张无法推行；虽然被当时朝廷所任用，但是美好的志向却无法实现。郁闷苦恼，孤独忧愤，无法寄托我的情怀。假如把我的主张隐藏在内心而不说出来，默默无声而不作申述，又恐怕死了以后，谁还能够知道我的思想呢？因此我退出史馆的工作，而私自撰写《史通》，来表明我的思想。……

　　至于《史通》这部书的创作，是担忧当时编写史书的人，他们编撰史书的理念不够精纯成熟，所以想要辨明它的宗旨目的，穷尽它的体例纲要。这部书虽然以讨论史书为主，但是它所涉及的范围，往上穷尽帝王治国的道理，往下铺陈社会人事的关系，总结包括了所有千变万化的事物和现象。从《法言》以下，直到《文心雕龙》以前各种著作的精髓，当然已经容纳于胸中，融会贯通得丝毫没有隔阂。它创立了许多新义，对前人有赞同和反对，有褒扬和贬斥，有借鉴和警诫，也有委婉的讽喻和批评。它对史书内容作了贯通透彻的探讨，已经相当深入了；它对涉及材料作了一网打尽的搜求，已经十分细密了。它对前人观点的商讨，立意真是高远啊；它那独出胸臆的发明，新意确实很多啊！大概谈论经书的人讨厌听到对服虔、杜预的讥笑，论说史书的人憎恨别人说班固、司马迁的过失。然而这部书很多地方都讥议以往的贤士，喜欢述说前人的是非。得罪于当代社会，本来是应该的。不过仍然希望有了解我的贤德君子，有时看看这部书。孔夫子说过："使我获罪于人的是《春秋》，能够使人理解我的也是《春秋》。"或许就是说的这种情况吧！

从前梁代征士刘孝标写作《叙传》，他自认为可以和冯敬通相比的，有三点共同之处。而我却不自量力，也私自和扬雄相比，有四点共同之处。哪四点呢？扬雄曾经爱好辞赋，晚年却悔恨他少年的赋作，说是雕虫小技、壮夫不为。我小时候也喜好诗赋，到壮年以后全都不写了，对只能作为文士而知名感到羞耻，而希望自己成为一个编述史书的人。这是相似的第一点。扬雄起草《太玄经》，多年不成，当时听说的人，无不讥笑他徒劳无益。我撰写《史通》，也经过许多岁月，不少庸俗的人，都认为这是愚蠢之举。这是相似的第二点。扬雄撰写《法言》（当作《太玄经》），当时的人竞相责怪他胆大妄为，因此扬雄作《解嘲》一文来回答他们。我著述《史通》，看见的人也互相谈论它的短处，所以我作《释蒙》一文反驳他们的指责。这是相似的第三点。扬雄年轻时为范逡、刘歆所敬重，等到听说他撰写《太玄经》，就嘲笑说恐怕将来只能给人家拿去盖酱坛子。如此说来，刘歆、范逡看重扬雄的，大概只是重视他的文采，像《长杨赋》、《羽猎赋》之类罢了。像《太玄经》这样深奥的作品，难以探寻其中的精微，既然他们根本看不进去，因此就加以讥笑嘲讽。我最初喜欢写作诗文，在当时得到很多人的赞誉。后来谈论史传，就被知心朋友们看轻了很多。这是相似的第四点。我的才能虽然低劣，然而行事却和先贤相似。所以把它铭记在心，用来安慰自己。

或许还有点遗憾，惧怕不能和扬雄相似的，只有一件事情。哪一件呢？扬雄的《太玄经》刚写成的时候，虽然为当时人所轻视，然而桓谭却认为数百年之后，这书必定流传。这之后张衡、陆绩果然认为它超越同类著作，可以和圣贤的经典并列。如果把《史通》和《太玄经》相比，今天的桓谭，就是徐坚、朱敬则等几个人了。将来的张衡、陆绩，我就不知道了。唉！假如今后没有像张衡、陆绩这样的人出现，恐怕我的《史通》将会同粪土一样被抛弃，灰烟俱灭，使后来有见识的人，不能看到它。这就是我之所以手摸书卷泪流不止，眼泪流干了又将继续流出血的原因啊！

外 篇

史官建置第一

夫人寓形天地①,其生也若蜉蝣之在世②,如白驹之过隙③,犹且耻当年而功不立,疾没世而名不闻④。上起帝王,下穷匹庶,近则朝廷之士,远则山林之客,谅其于功也,名也,莫不汲汲焉,孜孜焉。夫如是者何哉?皆以图不朽之事也。何者而称不朽乎?盖书名竹帛而已。向使世无竹帛,时阙史官,虽尧、舜之与桀、纣,伊、周之与莽、卓,夷、惠之与跖、硚,商、冒之与曾、闵⑤,但一从物化,坟土未干,则善恶不分,妍媸永灭者矣。苟史官不绝,竹帛长存,则其人已亡,杳成空寂,而其事如在,皎同星汉。用使后之学者,坐披囊箧,而神交万古;不出户庭,而穷览千载。见贤而思齐,见不贤而内自省⑥。若乃《春秋》成而逆子惧,南史至而贼臣书,其记事载言也则如彼,其劝善惩恶也又如此。由斯而言,则史之为用,其利甚博,乃生人之急务,为国家之要道。有国有家者,其可缺之哉!故备陈其事，编之于后。

　　盖史之建官，其来尚矣。昔轩辕氏受命，仓颉、沮诵实居其职。至于三代，其数渐繁。按《周官》、《礼记》有太史、小史、内史、外史、左史、右史之名，太史掌国之六典⑦，小史掌邦国之志，内史掌书王命，外史掌书使乎四方，左史记言，右史记事⑧。……斯则史官之作，肇自黄帝，备于周室，名目既多，职务咸异。至于诸侯列国，亦各有史官，求其位号，一同王者。至如孔甲、尹逸⑨，名重夏、殷；史佚、倚相，誉高周、楚；晋则伯黶司籍⑩，鲁则丘明受经，此并历代史臣之可得言者。降及战国，史氏无废。……然则官虽无阙，而书尚有遗，故史臣等差，莫辨其序。……诸史之任，太史其最优乎？至秦有天下，太史令胡母敬作《博学章》。此则自夏迄秦，斯职无改者矣。汉兴之世，武帝又置太史公，位在丞相上，以司马谈为之。汉法，天下计书先上太史，副上丞相。叙事如《春秋》⑪。及谈卒，子迁嗣。迁卒，宣帝以其官为令，行太史公文书而已。寻自古太史之职，虽以著述为宗，而兼掌历象、日月、阴阳、管数⑫。司马迁既殁，后之续《史记》者，若褚先生、刘向、冯商、扬雄之徒，并以别职来知史务。于是太史之署，非复记言之司。故张衡、单飏、王立、高堂隆等，其当官见称，唯知占候而已。

　　当王莽代汉，改置柱下五史，秩如御史，听事，侍傍记迹言行，盖效古者动则左史书之⑬，此其义也。

　　汉氏中兴，明帝以班固为兰台令史⑭，诏撰《光武本纪》及诸列传、载记。又杨子山为郡上计吏⑮，献所作《哀牢传》，为帝所异，征诣兰台。斯则兰台之职者，盖当时著述之所也。自章、和已后，图籍盛于东观。凡撰汉记，相继在乎其中，而都谓著作，竟无它称。

当魏太和中，始置著作郎⑯，职隶中书，其官即周之左史也。晋元康初，又职隶秘书，著作郎一人，谓之大著作，专掌史任，又置佐著作郎八人。宋、齐已来，以"佐"名施于"作"下。旧事，佐郎职知博采，正郎资以草传。如正、佐有失，则秘监职司其忧。其有才堪撰述，学综文史，虽居他官，或兼领著作。亦有虽为秘书监，而仍领著作郎者。若中朝之华峤、陈寿、陆机、束皙⑰，江左之王隐、虞预、干宝、孙盛⑱，宋之徐爰、苏宝生，梁之沈约、裴子野，斯并史官之尤美，著作之妙选也。而齐、梁二代又置修史学士，陈氏因循，无所变革，若刘陟、谢昊、顾野王、许善心之类是也。……

元魏初称制，即有史臣，杂取他官，不恒厥职。故如崔浩、高闾之徒，唯知著述，而未列名号。其后始于秘书置著作局，正郎二人，佐郎四人。其佐参史者，不过一二而已。普泰以来，参史稍替，别置修史局，其职有六人。当代都之时，史臣每上奉王言，下询国俗，兼取工于翻译者，来直史曹⑲。及洛京之末，朝议又以为国史当专任代人，不宜归之汉士。于是以谷纂、山伟更主文籍。凡经二十余年，其事阙而不载。斯盖犹秉夷礼，有互乡之风者焉⑳。

高齐及周，迄于隋氏，其史官以大臣统领者，谓之监修国史。自领，则近循魏代，远效江南，参杂其间，变通而已。唯周建六官，改著作之正郎为上士、佐郎为下士㉑，名谥虽易，而班秩不殊㉒。如魏收之擅名河朔，柳虬之独步关右，王劭、魏澹展效于开皇之朝，诸葛颖、刘炫宣功于大业之世，亦各一时也。

暨皇家之建国也，乃别置史馆，通籍禁门㉓。西京则与鸾渚为邻，东都则与凤池相接㉔。而馆宇华丽，酒馔丰厚，得厕其流者，实一时之美事。至咸亨年，以职司多滥，高宗喟然而称曰：

"朕甚懵焉。"乃命所司曲加推择，如有居其职而阙其才者，皆不得预于修撰[25]。由是史臣拜职，多取外司，著作一曹，殆成虚设。凡有笔削，毕归于余馆[26]。始自武德，迄乎长寿，其间若李仁实以直辞见惮，敬播以叙事推工，许敬宗之矫妄，牛凤及之狂惑，此其善恶尤著者也。

又按《晋令》，著作郎掌起居集注，撰录诸言行勋伐旧载史籍者。元魏置起居令史，每行幸宴会，则在御左右，纪录帝言及宾客酬对。后别置修起居注二人，多以余官兼掌。至隋，以吏部散官及校书、正字闲于述注者修之，纳言监领其事。炀帝以为古有内史、外史，今既有著作，宜立起居，遂置起居舍人二员，职隶中书省。如庾自直、崔祖浚、虞世南、蔡允恭等，咸居其职，时谓得人。皇家因之，又加置起居郎二员，职与舍人同。每天子临轩，侍立于玉阶之下，郎居其左，舍人居其右。人主有命，则逼阶延首而听之，退而编录，以为起居注。龙朔中，改名左史、右史。今上即位，仍从国初之号焉。高祖、太宗时，有令狐德棻、吕才、萧钧、褚遂良、上官仪；高宗、则天时，有李安期、顾胤、高智周、张太素、凌季友。斯并当时得名，朝廷所属者也。夫起居注者，编次甲子之书，至于策命、章奏、封拜、薨免，莫不随事记录，言惟详审。凡欲撰帝纪者，皆称之以成功[27]。即今为载笔之别曹，立言之贰职。故略述其事，附于斯篇。……

夫为史之道，其流有二。何者？书事记言，出自当时之简；勒成删定，归于后来之笔。然则当时草创者，资乎博闻实录，若董狐、南史是也；后来经始者，贵乎隽识通才，若班固、陈寿是也。必论其事业，前后不同，然相须而成，其归一揆。

观夫周、秦已往，史官之取人，其详不可得而闻也。至于汉、魏已降，则可得而言。然多窃虚号，有声无实。按刘、曹二史，皆当代所撰，能成其事者，盖唯刘珍、蔡邕、王沈、鱼豢之徒耳。而旧史载其同作，非止一家，如王逸、阮籍亦预其列[28]。且叔师研寻章句，儒生之腐者也；嗣宗沉湎曲蘖，酒徒之狂者也。斯岂能错综时事，裁成国典乎？而近代趋竞之士，尤喜居于史职，至于措辞下笔者，十无一二焉。既而书成缮写，则署名同献；爵赏既行，则攘袂争受。遂使是非无准，真伪相杂，生则厚诬当时，死则致惑来代。而书之谱传，借为美谈；载之碑碣，增其壮观[29]。昔魏帝有言："舜、禹之事，吾知之矣[30]。"此其效欤！

[题解]

本篇叙述从上古至唐初史官建置的起源与嬗变情况。刘知几认为，史书无论对于个人还是国家都很重要，而只有"史官不绝"，才能"竹帛长存"，有必要了解史官建置的源流。因此他用这一长篇叙述历代史官的沿革废置，条分缕析，简要详明。然后分析史官的职责，分为书事书言和勒成删定两项。其实，自晋以来，佐郎职知博采，正郎贲以草撰，史料搜辑和史书撰著的两大职责已开始明确，刘氏在此加以总结。篇末批判汉魏以降史臣有名无实，唐代史馆更是虚列监修，可谓深中时弊。全书中其他各篇都以议论体为主，独本篇和下篇主要为叙事体。它们主要是刘知几就写作全书时搜集的资料加以排比条理而成，而没有加进多少自己的论述。这两篇正文本来就是集中介绍史职、史官、史籍的，且大都依据现存诸汉唐间正史，一般就不作注释了。唯首次出现的异名、字号等出注。

[注释]

①寓形：寄身。②蜉蝣（fú yóu）：朝生暮死的小虫。③白驹之过隙：语出《庄子·知北游》："人生天地间，若白驹过隙，忽然而已。"白驹，比喻日

光。④"犹且"二句：语出《三国志·吴志·韦曜传》："盖闻君子耻当年而功不立，疾没世而名不称。"又《论语·卫灵公》："君子疾没世而名不称焉。"当年，即丁年、壮年，指身强力壮的时期。⑤商、冒之与曾、闵：商指楚世子商臣，弑楚成王。冒指匈奴冒顿（mò dú），弑其父单于头曼。曾、闵指孔子弟子曾参、闵损，俱以孝闻。⑥"见贤"二句：语出《论语·里仁》。⑦六典：指治、教、礼、政、刑、事六种典制。⑧左史记言，右史记事：语出《汉书·艺文志》。《礼记·玉藻》则言右史记言，左史记事。⑨孔甲：《汉书·艺文志·杂家》："孔甲盘盂二十六篇。黄帝之史，或曰夏帝孔甲，似皆非。"尹逸：《逸周书·克殷解》载尹逸策词，《说苑·政理》载"成王问政于尹逸"，则为殷周之际史官，当与史佚为同一人。刘知几以孔甲、尹逸、史佚分别作为夏、商、周三代史官之代表。⑩晋则伯黡司籍：《左传》昭公十五年："伯黡司晋之典籍，以为大政，故曰籍氏。"⑪"汉兴之世"诸句：皆抄《汉书·司马迁传》如淳注所引卫宏《汉仪注》，其太史公位在丞相上之说，并不可信。⑫管数：浦注："管，窥天器。"疑当为"管弦"之"管"，管数则为律吕之数。⑬动则左史书之：句下浦云"当有'言则右史书之'六字"。按，上文云"左史记言，右史记事"，当在"动则"下补"右史书之言则"六字。⑭兰台令史：兰台本为汉代宫廷藏书机构，设御史中丞掌管，后置兰台令史，掌书奏。⑮杨子山：子山，杨终之字。⑯始置著作郎：此循《晋书·职官志》之说，据考东汉已有著作郎，而非始于魏明帝太和（227—233）年间。⑰中朝：指曹魏、西晋。⑱江左：指东晋。⑲直：值班。⑳互乡之风：《论语·述而》："互乡难与言。"互乡，乡名。原意是说互乡人固执己见，很难倾听别人的意见。这里讽刺北魏文化比较落后。㉑下士：《唐六典》卷十、《通典》卷二六俱作著作中士。㉒"名谥"二句：北周将九品改为九命，并倒置之，然官阶待遇与原来一样，故云"名谥虽易，而班秩不殊"。㉓通籍：指史馆位于皇宫之内，史官可以出入宫门。古时以二尺竹牒，记需要出入皇宫者的人名、年纪等，悬挂在宫门，验证符合，才能通行。㉔"西京"二句：鸾渚、凤池指鸾台、凤阁。晋荀勖称中书省为"凤凰池"。武则天时，改门下为鸾台，中书为凤阁。唐史馆在西京宫内的位置，初在门下省北，大明宫成，移置门下省南，开元中李林甫奏移于中书省北。据刘知几此说，则中宗以前东都史馆已在中书省附近。㉕皆不得预于修撰：原注：" 诏曰：修撰国史，义存典实，自非操履忠正，识量该通，才学有闻，难堪斯任。如闻近日以来，但居此职，即知修撰，非唯编辑讹舛，亦恐泄漏史事。自今宜遣史司，精简堪修史人，灼然为众所推者，录名进内。自余虽居史职，不得辄闻见所修史籍及未行用国史等之事。"㉖毕归于余馆：浦注："语意不甚清豁，恐有讹字。"象本脱"余"字，卢文弨《拾补》以为当作"毕归余官"。余官修史，或带弘文馆学士等衔，仍以作"余馆"为胜。㉗称：浦注："恐是'藉'字之讹，王本作'因'。""称"有因趁之义，今仍旧不改。㉘王逸、阮籍：下文"叔师"、"嗣宗"为二人之字。㉙"壮观"下：象本正文多出十句："既而自历行事，称其所长，则云'某代著某书，某年成某史，加封若干户，获赐若干段'，诸如此说，往往而有。遂使读者皆以为名实相符，功赏相副。"浦注："盖是初本如此，后来改就今本，失于涂汰，编书者混缀其间，实乃美文。"今据删。㉚舜、禹之事，吾知之矣：语出《三国志·魏志·文帝纪》。引以讥讽部分史官如舜禹禅让美谈一样，有名无实。

[译文]

　　一个人寄身在天地之间，他的生命就像蜉蝣朝生暮死般短暂，又像日光穿透缝隙只有一刹那工夫，尚且以壮年不能建功立业为耻辱，都害怕死了以后不能留名于世。上自帝王，下全匹夫百姓，近则朝廷大臣，远则隐逸山林的高士，想必他们对于功名二字，无不汲汲、孜孜地追求。为什么会这样呢？因为每个人都在谋求使自己的名字不朽这件事。怎样才能够称得上不朽呢？大概就是将自己的名字书写在史册上而已。假使世上没有史册，当时没有史官，那么即使像唐尧、虞舜这样的圣王和夏桀、商纣这样的暴君，伊尹、周公这样的贤辅和王莽、董卓这样的巨奸，伯夷、柳下惠这样的高士和盗跖、庄𫏋这样的大盗，商臣、冒顿这样杀害君父的逆子和曾参、闵损这样孝养父母的孝子，都将一样死亡，还没等坟土干了，就善人与恶人不分，美好和丑陋永远泯灭了。如果史官永不绝迹，史册长久保存，那么一个人虽然已经死亡，他的声音远去，再也听不到了，但是他的事迹宛如历历在目，就像天上的星星、银河一样明亮。因此，使得后世学者可以坐在家里翻翻书箱，就能和古人作精神上的交流；不出家门半步，就能洞察千年的历史。后人阅读史书时，见到贤德的人就想着怎样向他看齐，见到不贤的人就在心里反省自己。比如像《春秋》一旦成书，乱臣逆子无不恐惧；南史前赴后继，奸贼恶名永留史册。这些史书和史官记叙史事、载录言论的做法是那样真实公正、无私无畏，所起到的劝勉善人、惩罚恶人的效果又是如此地立竿见影、威力无穷。从这些事例来说，史官和史书发挥了巨大的社会作用，其好处是很广博的，是人类十分紧要的事情，也是治理国家极为重要的途径。治理国家的人，难道可以缺了史官和史书吗！因此这里详细地陈述历代史官建置和史书编撰方面的事情，编排在后面。

大概史官的设置，其来源很久远了。从前轩辕氏接受天命成为黄帝时，仓颉、沮诵就担任史官的职务。到了夏商周三代，史官的数量逐渐增多。查考《周礼》、《礼记》中，有太史、小史、内史、外史、左史、右史等名称。太史负责国家的治典、教典、礼典、政典、刑典、事典等六典，小史负责国家大事的记载，内史负责起草帝王的诏诰敕命等，外史负责起草外交文件，左史负责记录帝王的言论，右史负责记录帝王的行事。……由此可见，史官的设置，是从黄帝开始的，到周代已经相当完备，它的名称很多，各自负责的事务都不相同。至于各个诸侯国，也都各自设有史官，探求它们的职位名称，完全与周王朝的史官一样。至于像孔甲、尹逸，名气在夏代、商代很大；史佚、倚相，声誉在周朝、楚国很高；晋国则有伯黡掌管典籍，鲁国则有左丘明接受经书，这些都是历代史官中可以说得出来的。下面到了战国时期，史官也没有被废弃。……然而这一时期史官虽然没有缺少，但书籍记载还有遗漏，因此史官的地位高下和职能分工，已经不能分辨出一个清楚的序列了。……在各种史官职务中，太史大概是地位最为重要的吧。直到秦代统一天下，还有太史令胡母敬编写《博学章》。这说明从夏代直到秦代，太史这一职位都没有改变。汉代兴盛的时候，武帝又设置太史公，地位在丞相之上，用司马谈来担任这一职务。汉代的法令规定，天下各地郡县的户口、赋税等登记簿首先上报给太史，再录制副本上报给丞相。太史公记叙事情则如同《春秋》一样。等到司马谈死后，他的儿子司马迁继承这一职位。司马迁死后，宣帝改太史公这一官职为太史令，只是执行原来太史公负责的一些文书处理工作而已。探寻自古以来太史的职能，虽然以著述为主，但又兼掌历法、天文、占卜、乐律等事务。司马迁去世以后，后来续修《史记》的，像褚先生、刘向、冯商、扬雄这班人，都是以其他官职来主管修史事务的。于是太史这一官署，不再是编撰史书的机构。因此张衡、单飏、王立、高堂隆等人，他们在太史令的职位上所做的被人称道的事情，只知道一些占候方面的事情而已。

当王莽篡夺了汉代政权后，改变设置了柱下五史，它的官阶如同御史，职能是旁听政事，侍立在皇帝的身旁，记载他们的言行，这是仿效古代帝王行事由左史记载、言论由右史记载的制度，这正吻合了古代史官职能的本来意义。

东汉建立以后，明帝任命班固为兰台令史，下诏编撰《光武帝本纪》以及各位功臣的列传和两汉之际起事称王者的载记。另外，杨终担任郡守派往朝廷上报计簿的官吏时，献上他所作的《哀牢传》，为明帝所赏识，被征召到兰台任职。这说明兰台的职能，大概是当时负责著述的地方。自从章帝、和帝以后，东观收藏的图书典籍最为丰富。凡是编撰东汉历史，前后相继，全在这个地方，而都称之为"著作"，始终没有别的称呼。

在魏明帝太和（227—233）年间，才开始设置著作郎，职务隶属在中书省下面，这个官职就相当于周代的左史。晋惠帝元康

（291—299）初年，又将著作郎职务隶属在秘书省下面，设置著作郎一人，称之为大著作，专门负责修史任务，又配置佐著作郎八人。南朝宋、齐以来，把"佐"字放在"作"下，成了著作佐郎。按照旧时成例，著作佐郎的职务主管广博地采集资料，著作郎根据这些资料来起草史传。如果著作郎、佐郎有什么失误，则秘书监的职务负责考虑这些问题。如果有才能可以胜任编撰工作，学问上文史贯通的人，虽然处在其他官职上，有的也兼挂著作郎或佐郎的职务。也有虽然已经升任秘书监，却仍然挂着著作郎的头衔。像曹魏、西晋时的华峤、陈寿、陆机、束晳，东晋时的王隐、虞预、干宝、孙盛，南朝宋代的徐爰、苏宝生，梁代的沈约、裴子野，这些都是史官中特别优秀的，是著作郎的最佳人选。而到齐、梁二代，又设置修史学士，陈代继续沿袭，没有什么变革，像刘陟、谢昊、顾野王、许善心这些人就是。……

元氏北魏在国家建立的初期，就有了史官，但只是从其他各种官员中找些人来临时负责修史，不是常设固定的史官职位。因此像崔浩、高闾等人，只是主持编著国史，而没有列上史官的名称。这以后开始在秘书省下设置著作局，有著作郎二人，著作佐郎四人。其中著作佐郎参与编撰国史的，不过只有一二人而已。节闵帝普泰（531）以来，由著作郎参与修史的做法逐渐废弃，另外设置了修史局，这个职位有六个人。在北魏定都于代的时期，史官常常要上面听取皇帝的话语，下面询问了解鲜卑人的风土人情，所以需要同时找些精通翻译的人，来到修史机构值班。到了迁都洛阳以后的末期，朝廷上的议论又认为，编撰国史应当专门选用代地来的鲜卑人，不适宜于委托给汉族文士。于是换用谷纂、山伟主持修史工作。总共经过二十多年，北魏史事最终阙漏而没有记载下来。这大概因为北魏仍然秉持鲜卑人的礼制，有着比较落后的文化风俗。

高氏北齐以及宇文氏北周，直到隋代，这三个朝代的史官都用朝廷大臣来统一领导，称之为监修国史。由其中一位史官自己领衔主持，则是往近遵循魏代，往远仿效南朝的做法。这种做法与监修国史制度相参杂，只是对它的一种灵活变通而已。只有北周建立六官制度，改称著作郎为著作上士，著作佐郎为著作下士，名号虽然改变了，但相应的官阶待遇仍同原来一样。像魏收在北齐史官中最为著名，柳虯在北周史官中超群绝伦，王劭、魏澹隋文帝时施展其史学才华，诸葛颖、刘炫隋炀帝时完成其史学著作，也都各自在史官中领一时之风骚。

到本朝建国以后，就专门在皇宫内设置了史馆，史官的名字列在宫门的门籍中。史馆的具体位置，在西京与门下省为邻，在东都则与中书省相接。而且史馆的院舍富丽堂皇，酒食精美丰厚，能够进入馆中任职，确实是当时的一件美事。到了高宗咸亨（670—674）年间，因为馆中滥竽充数的人太多，高宗喟然长叹，说："我搞不明白史馆中养这么一批人干吗！"于是命令掌管史馆的官员详细地审查挑选，如果有处在史官的职位上却缺少史学才能的人，都不得参与史书的编撰。由此史官的任命，大多从馆外其他部门挑选，著作局这一机构，几乎成为空虚的摆设。凡是有编撰史书的工作，都安排在其他馆舍之中进行。从高祖武德（618—626）年间开始，直到武后长寿（692—694），这期间像李仁实因直笔记事而为一些人所畏惧，敬播因善于叙述史事而被人推许为良史，许敬宗弄虚作假、妄加删改，牛凤及狂妄无知、迷惑荒唐，这些是唐初史官中大善和大恶特别著名的。

又查考《晋令》的规定，著作郎负责皇帝日常起居情况的搜集注记，编撰记录过去史书中需记载的那类帝王言行和功绩。北魏时设置起居注令史，每当皇帝外出巡幸、参加宴会等，就站立在皇帝的左右，记录皇帝的言论以及宾客的应答。后来又另外设置修起居注二人，大多用其他官员兼任。到隋代，用吏部没有实职的散官以及校书、正字中熟习编述注记的人来编撰起居注，用门下省的纳言来监督领导这项工作。炀帝认为古代设有内史、外史的职务，如今既然已有负责著作的职务，应该再设立负责起居的职务，于是设置了起居舍人二员，职务隶属于中书省。如庾自直、崔祖浚、虞世南、蔡允恭等人，都曾经担任过这一职务，当时的人都认为他们很称职。本朝沿袭这种制度，又增加设置了起居郎二员，职务与舍人相同。每当皇帝上朝的时候，起居官员侍立在玉阶的下面，起居郎站立在左边，起居舍人站立在右边。皇帝有什么命令，他们就逼近台阶伸长脖子仔细倾听，退朝后把皇帝的言行都编辑记录下来，作为起居注。高宗龙朔（661—663）年间，将起居郎、起居舍人改名为左史、右史。当今皇帝即位后，仍然采用建国初期的称号。担任过这种职务的，高祖、太宗时有令狐德棻、吕才、萧钧、褚遂良、上官仪等人，高宗、则天时有李安期、顾胤、高智周、张太素、凌季友等人，这些都是当时天下闻名、朝廷器重的人物。起居注作为一种体裁，是按干支顺序逐日记录帝王言行的史书，对于皇帝所下策命文诰，臣子所上章表奏疏，无论涉及大臣的封爵、拜官，还是他们的去世、免官，无不随着事情本身一同记录下来，文字尽量追求详细确实。凡是想要编撰皇帝本纪的，都是主要根据起居注来删编成书的。现在起居注的编撰已经成为著述的一个流派，史书编撰的一个分支。因此简略陈述这一官职的事情，附在本篇之中。……

　　编撰史书的途径，大概可以分成两种情况。哪两种呢？一是书写史事，记载言论，这是出自于当时人的原始材料；二是编撰成书，删定内容，这是经由后来人加工的正式史书。如此说来，当时人起草创编的，应该提供广博的见闻和真实的记录，像董狐、南史就是；后来人开始经营的，应该看重深刻的见识和博通的才学，像班固、陈寿就是。假如比较评论这两种修史事业，它们的先后做法、功能等都不相同，然而又相互依赖，相辅相成，它们的宗旨都是一样的。

考察周代、秦代以前,如何选取合适的人来做史官,详细的情况已经不能知道了。至于汉代、魏代以后的情况,还是能够说一说的。然而大多只是窃取虚名,有史官的虚假声誉,却没有史官的真实才能。查考东汉、曹魏两代的史书,都是当代人所编撰的,真正能够写成史书的,大概只有刘珍、蔡邕、王沈、鱼豢等数人罢了。然而过去的史书记载与他们共同修史的人,绝不仅仅是一个两个人,比如王逸、阮籍也都参与到这一行列。王逸擅长寻章摘句,只是一个迂腐的儒生而已;阮籍整日沉湎于喝酒,只是酒徒中的狂人而已。这样的人难道能够交错综合当代史事,裁剪整合成为国家大典吗?而近代以来,那些争名夺利的人,尤其热衷于史官的职位,至于真正能够提炼词句、下笔写史的,十个人中没有一两个。等到史书定稿缮写时,却要将他们的名字都一同署上去,进献给皇帝。朝廷进行表彰,给修史人员升迁爵禄、奖赏财物时,他们就撩卷衣袖,争夺赏赐。于是使得这些滥竽充数的史官是非没有标准,真假相互混杂,在世时深深地欺骗当代的人,死后还要长久地迷惑后代的人。向他们担任过史官这件事,被书写到家谱史传里去,借用作为他们的美事;被记载在墓碑石碣上,增添成为他们的荣耀。从前魏文帝有句话说:"舜、禹禅让的事情,我知道是怎么回事了。"这些人大概同样是仿效了弄虚作假的做法吧!

古今正史第二

……孝武之世,太史公司马谈欲错综古今,勒成一史,其意未就而卒。子迁乃述父遗志,采《左传》、《国语》,删《世本》、《战国策》,据楚、汉列国时事,上自黄帝,下讫麟趾[①],

作十二本纪、十表、八书、三十世家、七十列传，凡百三十篇，都谓之《史记》。厥协六经异传，整齐百家杂言，藏诸名山，副在京师，以俟后圣君子。至宣帝时，迁外孙杨恽祖述其书，遂宣布焉。而十篇未成，有录而已②。元、成之间，会稽褚先生更补其缺，作《武帝纪》、《三王世家》、《龟策》、《日者》等传。其《龟策》、《日者》，辞多鄙陋，非迁本意也。晋散骑常侍巴西谯周，以迁书周、秦已上或采家人诸子，不专据正经，于是作《古史考》二十五篇，皆凭旧典，以纠其缪。今则与《史记》并行于代焉。

《史记》所书，年止汉武。太初已后，阙而不录③。其后刘向、向子歆及诸好事者，若冯商、卫衡、扬雄、史岑、梁审、肆仁、晋冯、段肃、金丹、冯衍、韦融、萧奋、刘恂等，相次撰续，迄于哀、平间，犹名《史记》。至建武中，司徒掾班彪以为其言鄙俗，不足以踵前史。又雄、歆伪褒新莽，误后惑众，不当垂之后代者也。于是采其旧事，旁贯异闻，作《后传》六十五篇。其子固以父所撰未尽一家，乃起元高皇，终乎王莽，十有二世，二百三十年，综其行事，上下通洽，为《汉书》纪、表、志、传百篇。其事未毕，会有上书云固私改作《史记》者，有诏京兆收系，悉录家书封上。固弟超诣阙自陈，明帝引见，言固续父所作，不敢改易旧书，帝意乃解。即出固，征诣校书，受诏卒业。经二十余载，至章帝建初中乃成。

固后坐窦氏事，卒于洛阳狱。书颇散乱，莫能综理。其妹曹大家博学能属文，奉诏校叙。又选高才郎马融等十人，从大家授读。其八表及《天文志》等，犹未克成，多是待诏东观马续所作④，而《古今人表》尤不类本书。始自汉末，迄乎陈世，为其注解者凡二十五家，至于专门受业，遂与五经相亚。

初，汉献帝以固书文烦难省，乃诏侍中荀悦依《左氏传》体，删为《汉纪》三十篇，命秘书给纸笔，经五六年乃就。其言简要，亦与纪传并行。

在汉中兴，明帝始诏班固与睢阳令陈宗、长陵令尹敏、司隶从事孟冀作《世祖本纪》，并撰功臣及新市、平林、公孙述事，作列传、载记二十八篇。自是以来，春秋世□⑤，亦以焕炳；而忠臣义士，莫之撰勒。于是又诏史官谒者仆射刘珍，及谏议大夫李尤，杂作纪、表、《名臣》《节士》《儒林》《外戚》诸传，起自建武，讫乎永初。事业垂竟，而珍、尤继卒。复命侍中伏无忌与谏议大夫黄景，作《诸王》《王子》《功臣》《恩泽侯表》、《南单于》《西羌传》、《地理志》。

至元嘉元年，复令太中大夫边韶、大军营司马崔寔、议郎朱穆、曹寿，杂作《孝穆》《崇》二皇及《顺烈皇后传》，又增《外戚传》入安思等后，《儒林传》入崔篆诸人。寔、寿又与议郎延笃，杂作《百官表》、顺帝功臣《孙程》《郭愿》及《郑众》《蔡伦》等传。凡百十有四篇，号曰《汉记》。

熹平中，光禄大夫马日磾、议郎蔡邕、杨彪、卢植著作东观，接续纪传之可成者，而邕别作《朝会》《车服》二志。后坐事徙朔方，上书求还，续成十志。会董卓作乱，大驾西迁，史臣废弃，旧文散佚。及在许都，杨彪颇存注记。至于名贤君子，自本初已下阙续。

魏黄初中，唯著《先贤表》，故《汉记》残缺，至晋不成。泰始中，秘书丞司马彪始讨论众说，缀其所闻，起元光武，终于孝献。录世十二，编年二百，通综上下，旁引庶事，为纪、志、传凡八十篇，号曰《续汉书》。又散骑常侍华峤，删定《东观记》为《汉后书》，帝纪十二，皇后纪二，典十，列传七十，谱三，总九十七篇。其十典竟不成而卒。自斯已往，作者相继，为编年者四族，创纪传者五家[6]。推其所长，华氏居最。而遭晋室东徙，三唯一存。

至宋宣城太守范晔，乃广集学徒，穷览旧籍，删烦补略，作《后汉书》，凡十纪、十志、八十列传，合为百篇。会晔以罪被收，其十志亦未成而死。先是，晋东阳太守袁宏抄撮《汉氏后书》，依荀悦体，著《后汉纪》三十篇。世言汉中兴史者，唯范、袁二家而已。

魏史，黄初、太和中，始命尚书卫觊、缪袭草创纪传，累载不成。又命侍中韦诞、应璩、秘书监王沈、大将军从事中郎阮籍、司徒右长史孙该、司隶校尉傅玄等，复共撰定。其后王沈独就其业，勒成《魏书》四十四卷。其书多为时讳，殊非实录。

吴大帝之季年，始命太史令丁孚、郎中项峻撰《吴书》。孚、峻俱非史才，其文不足纪录。至少帝时，更敕韦曜、周昭、薛莹、梁广、华核访求往事，相与记述。并作之中，曜、莹为首。当归命侯时，广、昭先亡，曜、莹徙黜，史官久阙，书遂无闻。核表请曜、莹，续成前史。其后曜独终其书，定为五十五卷。

至晋受命，海内大同，著作陈寿，乃集三国史，撰为《国志》，凡六十五篇。夏侯湛时亦著《魏书》，见寿所作，便坏己草而罢。及寿卒，梁州大中正范頵表言《国志》明乎得失，辞多劝诫，有益风化，愿垂采录。于是诏下河南尹，就家写其书。

先是，魏时京兆鱼豢私撰《魏略》，事止明帝。其后孙盛撰《魏氏春秋》，王隐撰《蜀记》，张勃撰《吴录》。异闻间出，其流最多。宋文帝以《国志》载事，伤于简略，乃命中书郎裴松之兼采众书，补注其阙。由是世言《三国志》者，以裴注为本焉。

晋史，洛京时，著作郎陆机始撰《三祖纪》。佐著作郎束皙又撰十志，会中朝丧乱，其书不存。先是，历阳令陈郡王铨有著述才，每私录晋事及功臣行状，未就而卒。子隐，博学多闻，受父遗业，西都事迹，多所详究。过江为著作郎，受诏撰晋史。为其同僚虞预所诉，坐事免官，家贫无资，书未遂就。乃依征西将军庾亮于武昌镇，亮给其纸笔，由是获成，凡为《晋书》八十九卷。咸康六年，始诣阙奏上。隐虽好述作，而辞拙才钝。其书编次有序者，皆铨所修；章句混漫者，必隐所作。时尚书郎领国史干宝，亦撰《晋纪》，自宣迄愍七帝，五十三年，凡二十二卷。其书简略，直而能婉，甚为当时所称。

晋江左史，自邓粲、孙盛、王韶之、檀道鸾已下，相次继作。远则偏记两帝⑦，近则唯叙八朝⑧。至宋湘东太守何法盛，始撰《晋中兴书》，勒成一家，首尾该备。齐隐士东莞臧荣绪又集东、西二史，合成一书。

皇家贞观中，有诏以前后晋史十有八家⑨，制作虽多，未能尽善，乃敕史官更加纂录。采正典与杂说数十余部，兼引伪史十六国书，为纪十、志二十、列传七十、载记三十，并叙例、目录，合为百三十二卷。自是言晋史者，皆弃其旧本，竞从新撰者焉。

宋史，元嘉中，著作郎何承天草创纪传。自此以外，悉委奉朝请山谦之补承天残缺。后又命裴松之续成国史。松之寻卒，史佐孙冲之表求别自创立，为一家之言。孝建初，又敕南台侍御史苏宝生续造诸传，元嘉名臣，皆其所撰。宝生被诛，六年，又命著作郎徐爰踵成前作。爰因何、孙、山、苏所述，勒为一书，其臧质、鲁爽、王僧达诸传，又皆孝武自造。而序事多虚，难以取信。自永光已后至禅让，十余年中，阙而不载。

至齐，著作郎沈约，更补缀所遗，制成新史。始自义熙肇号，终乎昇明三年，为纪十、志三十、列传六十，合百卷，名曰《宋书》。永明末，其书既行，河东裴子野更删为《宋略》二十卷。沈约见而叹曰："吾所不逮也。"由是世之言宋史者，以裴《略》为上，沈《书》次之。

齐史，江淹始受诏著述，以为史之所难，无出于志，故先著十志，以见其才。沈约复著《齐纪》二十篇。梁天监中，太尉录事萧子显启撰齐史。书成，表奏之，诏付秘阁。起昇明之年，尽永元之代⑩。为纪八、志十一、列传四十，合成五十九篇。

时奉朝请吴均，亦表请撰齐史，乞给起居注，并群臣行状。有诏："齐氏故事，布在流俗，闻见既多，可自搜访也。"均遂撰《齐春秋》三十篇。其书称梁帝为齐明佐命，帝恶其实，诏燔之。然其私本竟能与萧氏所撰，并传于后。

梁史，武帝时，沈约与给事中周兴嗣、步兵校尉鲍行卿、秘书监谢昊相承撰录，已有百篇。值承圣沦没⑪，并从焚荡。庐江何之元、沛国刘璠以所闻见，究其始末，各撰《梁典》三十篇⑫。而纪传之书，未有其作。陈祠部郎中姚察有志撰勒，施功未周⑬。但既当朝务，兼知国史，至于陈亡，其书不就。

陈史，初有吴郡顾野王、北地傅绰各为撰史学士，其武、文二帝纪，即顾、傅所修。太建初，中书郎陆琼续撰诸篇，事伤烦杂。姚察就加删改，粗有条贯。及江东不守，持以入关。隋文帝尝索梁、陈事迹，察具以所成每篇续奏，而依违荏苒，竟未绝笔。

皇家贞观初，其子思廉为著作郎，奉诏撰成二史。于是凭其旧稿，加以新录，弥历九载，方始毕功。定为《梁书》五十卷，

《陈书》三十六卷，今并行世焉。

十六国史……魏世黄门侍郎崔鸿，乃考核众家，辨其同异，除烦补阙，错综纲纪，易其国书曰录，主纪曰传，都谓之《十六国春秋》。鸿始以景明之初，求诸国逸史，逮正始元年，鸠集稽备，而以犹阙蜀事，不果成书。推求十有五年，始于江东购获，乃增其篇目，勒为十卷⑭。鸿殁后，永安中，其子缮写奏上，请藏诸秘阁。由是伪史宣布，大行于时。

元魏史，道武时，始令邓渊著《国记》，为十卷，而条例未成。暨乎明元，废而不述。神䴥二年，又诏集诸文士崔浩、浩弟览、高谠、邓颖、晁继、范亨、黄辅等撰《国书》，为三十卷。又特命浩总监史任，务从实录。复以中书郎高允、散骑侍郎张伟并参著作，续成前史书。叙述国事，无隐所恶，而刊石写之，以示行路。浩坐此夷三族，同作死者百二十八人。自是遂废史官。至文成帝和平元年，始复其职，而以高允典著作，修《国记》。允年已九十，手目俱衰。时有校书郎中刘模，长于缉缀，乃令执笔而口占授之。如是者五六岁，所成篇卷，模有力焉。

初，《国记》自邓、崔以下，皆相承作编年体。至孝文太和十一年，诏秘书丞李彪、著作郎崔光始分纪传异科。宣武时，命邢峦追撰《孝文起居注》。既而崔光、王遵业补续⑮，下讫孝明之世，温子升复修《孝庄纪》，济阴王晖业撰《辨宗室录》。魏史官私所撰，尽于斯矣。

齐天保二年，敕秘书监魏收博采旧闻，勒成一史。又命刁柔、辛元植、房延祐、睦仲让、裴昂之、高孝干等助其编次。收所取史官，惧相凌忽，故刁、辛诸子，并乏史才，唯以仿佛学流，凭附得进。于是大征百家谱状，斟酌以成《魏书》。上自道武，下终孝靖，纪、传与志，凡百三十卷。收诌齐氏，于魏室多不平。既党北朝，又厚诬江左。性憎胜己，喜念旧恶，甲门盛德与之有怨者，莫不被以丑言，没其善事。迁怒所至，毁及高曾。书成始奏，诏收于尚书省与诸家论讨。前后列诉者百有余人。时尚书令杨遵彦，一代贵臣，势倾朝野，收撰其家传甚美，是以深被党援。诸讼史者皆获重罚，或有毙于狱中。群怨谤声不息。孝昭世，敕收更加研审，然后宣布于外。武成尝访诸群臣，犹云不实，又令治改，其所变易甚多。由是世薄其书，号为秽史。

至隋开皇，敕著作郎魏澹与颜之推、辛德源更撰《魏书》，矫正收失。澹以西魏为真，东魏为伪，故文、恭列纪，孝靖称传。合纪、传、论例，总九十二篇。炀帝以澹书犹未能善，又敕左仆射杨素别撰，学士潘徽、褚亮、欧阳询等佐之。会素薨而止。今世称魏史者，犹以收本为主焉。

高齐史，天统初，太常少卿祖孝征述献武起居，名曰《黄初传天录》[16]。时中书侍郎陆元规常从文宣征讨，著《皇帝实录》，唯记行师，不载他事。自武平后，史官阳休之、杜台卿、祖崇儒、崔子发等相继注记。

逮于齐灭，隋秘书监王劭、内史令李德林，并少仕邺中，多识故事。王乃凭述起居注，广以异闻，造编年书，号曰《齐志》，十有六卷[17]。李在齐预修国史，创纪传书二十七卷。至开皇初，奉诏续撰，增多齐史三十八篇，以上送官，藏之秘府。皇家贞观初，敕其子中书舍人百药仍其旧录，杂采他书，演为五十卷。今之言齐史者，唯王、李二家云。

宇文周史，大统年有秘书丞柳虬兼领著作，直辞正色，事有可称。至隋开皇中，秘书监牛弘追撰《周纪》十有八篇，略述纪纲，仍皆抵牾。皇家贞观初，敕秘书丞令狐德棻、秘书郎岑文本共加修缉，定为《周书》五十卷。

隋史，当开皇、仁寿时，王劭为书八十卷，以类相从，定其篇目。至于编年、纪传，并阙其体。炀帝世，唯有王胄等所修《大业起居注》。及江都之祸，仍多散逸。皇家贞观初，敕中书侍郎颜师古、给事中孔颖达共撰成《隋书》五十五卷，与新撰《周书》并行于时。

初，太宗以梁、陈及齐、周、隋氏并未有书，乃命学士分修，事具于上。仍使秘书监魏征总知其务，凡有赞论，征多预焉。始以贞观三年创造，至十八年方就[18]。合五代纪传并目录，凡二百五十二卷。书成，下于史阁。唯有十志，断为三十卷，寻拟续奏，未有其文。又诏左仆射于志宁、太史令李淳风、著作郎韦安仁、符玺郎李延寿同撰。其先撰史人，唯令狐德棻重预其事。太宗崩后，刊勒始成。其篇第虽编入《隋书》，其实别行，俗呼为《五代史志》。

唯大唐之受命也，义宁、武德间，工部尚书温大雅首撰《创业起居注》三篇。自是司空房玄龄、给事中许敬宗、著作佐郎敬播相与白立编年体，号为"实录"。迄乎三帝，世有其书。

贞观初，姚思廉始撰纪传，粗成三十卷。至显庆元年，太尉长孙无忌与于志宁、令狐德棻、著作郎刘胤之、杨仁卿、起居郎顾胤等，因其旧作，缀以后事，复为五十卷。虽云繁杂，时有可观。龙朔中，敬宗又以太子少师总统史任，更增前作，混成百卷。如《高宗本纪》及《永徽名臣》、《四夷》等传，多是其所造。又起草十志，未半而终。敬宗所作纪传，或曲希时旨，或猥释私憾[19]，凡有毁誉，多非实录。必方诸魏伯起，亦犹张衡之蔡邕焉[20]。其后左史李仁实续撰于志宁、许敬宗、李义府等传，载言记事，见推直笔。惜其短岁，功业未终。至长寿中，春官侍郎牛凤及又断自武德，终于弘道，撰为《唐书》百有十卷。凤及以喑聋不才[21]，而辄议一代大典。凡所纂录，皆素责私家行状，而世人叙事，不能自达[22]。或言皆比兴，全类咏歌；或语多鄙朴，实同文案。而总入编次，了无厘革。其有出自胸臆，申其机杼，发言则嗤鄙怪诞，叙事则参差倒错。故阅其篇第，岂谓可观；披其章句，不识所以。既而悉收姚、许诸本，欲使其书独行。由是皇家旧事，残缺殆尽。

长安中，余与正谏大夫朱敬则、司封郎中徐坚、左拾遗吴兢，奉诏更撰《唐书》，勒成八十卷。神龙元年，又与坚、兢等重修《则天实录》，编为三十卷。夫旧史之坏，其乱如绳，错综艰难，期月方毕。虽言无可择，事多遗恨，庶将来削稿，犹有凭焉。

大抵自古史臣撰录，其梗概如此。盖属词比事，以月系年，为史氏之根本，作生人之耳目者，略尽于斯矣。自余偏记小说，则不暇具而论之。

[题解]

正史之名，始自梁阮孝绪的《正史削繁》，包括编年、纪传两体。《隋书·经籍志》分列正史、古史（编年体）为二目，正史成为纪传体的专称，但一代包括多部甚至十余部，数量众多。自唐以后，正史多出官修，禁止私家擅自修撰。清代规定仅二十四史为正史。本篇虽成于《隋志》之后，却依照《七录》以编年、纪传二体为正史，甚至包括作为霸史的十六国史书。刘知几按照时代顺序对历代正史的基本情况一一介绍，每部史书为何人所撰，又为何人修订，撰者对史实持怎样的态度，书成后纪、传、志、表又各有多少卷，时人的评价如何，存佚的情况怎样，等等，条分缕析，内容详赡，可以看作一部简明的唐初以前史书编撰史。尤其篇末所述唐代国史编撰情况,是最为详尽原始的记载,具有极高的史料价值。

[注释]

①麟趾:汉武帝获白麟,改元元狩(前122),太始二年(前95)又下诏铸金作麟足形,故云麟趾。趾,又作"止"。②十篇未成,有录而已:原注:"张晏《汉书注》云:'十篇迁殁后亡失'。此说非也。"③太初已后,阙而不录:此说出于《汉书·叙传》。上言"下讫麟趾",则出于《太史公自序》,二说略异。④马续所作:《续汉书·天文志》:"马续述《天文志》。"《后汉书·列女·班昭传》:"兄固,著《汉书》,其八表及天文志未及竟而卒。和帝诏昭就东观藏书阁,踵而成之。"⑤春秋世□:浦改作"春秋考纪",注云:"此句旧本作'春秋世'三字,王本'世'下空一字。"《广博物志》卷二七引"世"下小字注"阙"。张《笺注》云:"'世'字或原作'卅'。"今疑此处脱"德"或"业"字。⑥"为编"二句:指张璠《后汉纪》、刘艾《灵献二帝纪》、袁晔《献帝春秋》、孔衍《汉春秋》四家编年体,谢承《后汉书》、薛莹《后汉记》、谢沈《后汉书》、张莹《后汉南记》、袁山松《后汉书》五家纪传体。⑦偏记两帝:指邓粲仅撰《元帝纪》、《明帝纪》十卷。⑧唯叙八朝:王韶之续邓粲书至安帝时,共八帝。⑨晋史十有八家:《隋书·经籍志》著录晋史十九家,因唐初新修《晋书》以臧荣绪本为主要依据,统称余本为十八家晋史。⑩"梁天监中"诸句:浦注:"诸本脱简,今据本传补入。"末二句《梁书·萧子显传》亦无,当为浦氏据上下文例补入。⑪承圣沦没:承圣(552—554)是梁元帝的年号。承圣沦没指梁代侯景之乱中,金陵被侯景占领,元帝承圣元年十一月即位于江陵。⑫各:旧本作"合",据程《笺记》校改。⑬施功未周:浦注:"谓加功于前人所未完者。"⑭十卷:浦改作一百二卷,乃据《魏书·崔鸿传》所载原书卷数。然崔书《隋志》作一百卷,《旧唐志》作一百二十卷,浦改亦未必是。又张舜徽《史学三书平议》以为此指"得蜀事后所增卷数",可备一解。⑮崔光:《魏书》、《北齐书》、《北史》多处提及,皆作崔鸿,此误。⑯黄初:三国曹魏建国的第一个年号。高欢北齐建国时已死,被追谥为献武帝,与曹操死后追谥相似,所以祖孝征把高欢的起居注命名为《黄初传天录》。⑰十有六卷:原注:"其序云二十卷,今世间传者唯十六卷焉。"⑱"始以"二句:原注:"唯姚思廉贞观二年起功,多于诸史

一岁。"⑲猥释私憾：卑鄙地借机报复私人的怨恨。浦改"释"作"饰"，非。⑳张衡之蔡邕：浦注："商芸《小说》：'张衡死日，蔡邕母始孕，二人才貌相类，人云邕是张衡后身。'按，《史通》是语盖反辞以况也。后汉灵帝尝问侍中杨奇曰：'朕何如桓帝？'奇对曰：'陛下之于桓帝，亦犹虞舜比德唐尧。'语意正相似。"㉑喑（yīn）聋：聋哑。比喻人庸碌鄙陋。㉒不能自达：浦作"罕能自远"，注云："谓远于俗。一作'达'，非。"今据象本。《论衡·效力》："不肖不能自达。"本书《补注》篇："好事之子，思广异闻，而才短力微，不能自达。"

[译文]

……汉武帝时，太史公司马谈想交错综合古今历史资料，编成一部完整的史书，他的愿望没有完成就去世了。他的儿子司马迁继承他的遗志，采集《左传》、《国语》，删取《世本》、《战国策》，根据楚、汉相争时的大事，上从黄帝开始，下到汉武帝太始二年（前95）为止，编成十二篇本纪、十篇表、八篇书、三十篇世家、七十篇列传，总共一百三十篇，总称它为《史记》。它调和六经及其各种传释的不同说法，整合诸子百家的庞杂记载，书成后把正本藏在名山，副本留在京师，以等待后世的贤人君子观看。到汉宣帝时，司马迁的外孙杨恽（yùn）开始传述此书，于是才公布于世。但还有十篇没有写成，只有目录而已。汉元帝、成帝之际，会稽人褚少孙又根据缺少的篇目，补编《武帝纪》、《三王世家》、《龟策列传》、《日者列传》等篇。其中《龟策列传》、《日者列传》二篇言辞大多鄙陋，不是司马迁本来的意思。晋代散骑常侍巴西人谯周，认为司马迁描述周代、秦代以前的历史有时采用私家著述和诸子议论，不专门依据正式的经史著作，于是编著《古史考》二十五篇，都是根据过去的经典著作，来纠正其谬误。如今它与《史记》一同流行于世。

《史记》所记载的事迹，它的年代到汉武帝时为止，武帝太初

（前104—前101）年间以后，就空缺而没有记载了。后来刘向和他的儿子刘歆以及其他热心编撰汉史的人，如冯商、卫衡、扬雄、史岑、梁审、肆仁、晋冯、段肃、金丹、冯衍、韦融、萧奋、刘恂等人依次继续撰写，一直记载到汉哀帝、平帝年间，仍然称为《史记》。到东汉光武帝建武（25—57）年间，司徒掾班彪认为这些著作的言辞鄙俗，不能够继承《史记》；又认为扬雄、刘歆虚假地赞美新朝王莽，贻误后人，蛊惑民众，不应当流传于后代。于是他采集各家续记中的史事，再广泛参考其他不同见闻，编著《后传》六十五篇。他的儿子班固认为父亲所写的还不能完全成为一家史书，于是又从汉高祖起，到王莽为止，共十二代，二百三十年，综合这一时期人们的事迹，上下贯通配合，编成《汉书》纪、表、志、传共一百篇。他编撰《汉书》还没有完成，碰上有人上书控告他私自改写《史记》，朝廷下令京兆尹把班固逮捕下狱，全部登记查封他家里所有书籍。他的弟弟班超赶赴宫廷上书诉冤，汉明帝召见，班超说班固只是续写他父亲未完成的著作，不敢改写《史记》，汉明帝这才消除了误会。当即释放了班固，征召他担任校书郎，让他接受诏书完成这一事业。经过二十多年，到汉章帝建初（76—84）年间才基本完成《汉书》的编撰。

班固后来因为受到窦宪案件的牵连，死在洛阳监狱。《汉书》严重散乱，没人能够综合整理。班固的妹妹曹大家（gū）班昭学识渊博并具有撰著才能，接受皇帝的诏令，校理编排《汉书》。朝廷又挑选当时的高才，就是马融等十人，跟随班昭传受研读。《汉书》的八表和《天文志》等，班固、班昭都还没有编成，大多是待诏东观的马续编著的，而《古今人表》更与书中其他部分不相类似。从汉末开始，直到南朝陈代，为它作注解的共有二十五家，甚至于有人专门学习研究它，于是《汉书》几乎可以与五经相互匹敌。

当初，汉献帝认为班固的《汉书》文辞繁多，难以通读，于是诏令侍中荀悦依照《左传》的编年体例，删减为《汉纪》三十篇，命令秘书监供给纸笔。荀悦经过五六年才编成这部书，言辞简要，也和纪传体的《汉书》同时流行于世间。

在汉代中兴以后，汉明帝开始诏令班固与睢阳县令陈宗、长陵县令尹敏、司隶从事孟冀编撰《世祖本纪》，并陈述东汉初年的功臣以及新市义军、平林义军和公孙述等人的事迹，编撰列传、载记二十八篇。从此以后，光武帝及其主要功臣建立东汉的万世功德，已经足以彪炳史册。但是其他忠臣义士的事迹，还没有编写到史书上。于是朝廷又诏令史官谒者仆射刘珍，以及谏议大夫李尤，零星编撰纪、表和《名臣》、《节士》、《儒林》、《外戚》等各种列传。记事时间从建武年间开始，直到汉安帝永初（107—113）年间。在这次编修工作即将结束的时候，刘珍、李尤二人却相继去世。朝廷重新任命侍中伏无忌与谏议大夫黄景，编撰《诸王表》、《王子表》、《功臣表》、《恩泽侯表》、《南单于传》、《西羌传》、《地理志》等。

到了汉桓帝元嘉元年（151），朝廷又命令太中大夫边韶、大军营司马崔寔、议郎朱穆、曹寿等人，零星编撰桓帝的祖父《孝穆皇（刘开）传》、父亲《孝崇皇（刘翼）传》以及《顺烈皇后（梁妠）传》，又在《外戚传》中增入安思皇后阎姬等人的列传，《儒林传》中增入崔篆等人的列传。崔寔、曹寿又与议郎延笃，零星编撰《百官表》，顺帝功臣《孙程传》、《郭愿传》以及《郑众传》、《蔡伦传》等，总共一百一十四篇，称作《东观汉记》。

汉灵帝熹平（172—177）年间，光禄大夫马日䃅、议郎蔡邕、杨彪、卢植等人在东观修史，接着续编纪传中可以写成的部分，而蔡邕另外编撰了《朝会志》、《车服志》二志。后来蔡邕犯事被流放到朔方，上书朝廷请求让他回来，继续完成十志的编撰。碰上董卓作乱，皇帝被迫向西迁移，史官被废弃，原有的历史资料散乱丢失。等到在许都安定下来，杨彪保存了相当多的起居注之类材料。至于名臣贤士的列传，从汉质帝本初（146）年间以后就缺少续编了。

曹魏文帝黄初（220—226）年间，只编著了《先贤表》。因此《东观汉记》一直是部残缺不全的史书，直到晋代也没有完全编成。晋武帝泰始（265—274）年间，秘书丞司马彪开始讨论各种说法，编集所见所闻，从光武帝写起，到汉献帝为止，记载十二代帝王，依次编写二百年史事，上下贯通，广泛收集众多史事，编撰纪、志、列传共八十篇，称为《续汉书》。还有散骑常侍华峤删定《东观汉记》为《汉后书》，包括十二篇帝纪、二篇皇后纪、十篇典、七十篇列传、三篇谱，总共九十七篇。其中十篇典最终没有写成，华峤就去世了。从此以后，修订后汉史的人相继出现，作编年体的有四家，写纪传体的有五家。如果要推选其中比较好的，华峤的《汉后书》应该居于首位。但是遭遇到晋代朝廷被迫东迁，这些史书只有三分之一保存了下来。

到南朝宋宣城太守范晔，便大量招集志同道合的学者，遍览旧时所有的典籍，繁冗的加以删削，简略的加以补充，编成《后汉书》，共十篇纪、十篇志、八十篇列传，合为一百篇。适逢范晔因获罪拘押监狱，其中的十篇志没有编成就死去。在此之前，晋朝东阳太守袁宏摘抄《汉氏后书》，依照荀悦《前汉纪》编年体，编著《后汉纪》三十篇。现在人们谈论东汉历史的，主要就只有范晔《后汉书》和袁宏《后汉纪》二家而已。

魏国的史书，魏文帝黄初、明帝太和（227—233）年间，就开始命令尚书卫觊、缪袭起草创编纪传体史书了，经过很多年都未能编成。于是又命令侍中韦诞、应璩、秘书监王沈、大将军从事中郎阮籍、司徒右长史孙该、司隶校尉傅玄等人，重新共同编撰。后来王沈独自完成了这一任务，编成《魏书》四十四卷。这部书许多地方都避讳时事，根本不是真实的记载。

吴大帝孙权的末年，开始命令太史令丁孚、郎中项峻编撰《吴书》。丁孚、项峻都不具备史家的才能，他们的文笔不能胜任记录历史的工作。到少帝孙亮时，另外命令韦曜、周昭、薛莹、梁广、华核等人查访搜求过去的史事，共同编撰吴国史书。这几个同时修史的人当中，韦曜、薛莹二人的水平最高。当归命侯孙皓在位的时候，梁广、周昭二人首先去世了，韦曜、薛莹又被贬官流放，史官职位多年空缺，史书编撰自然也无从谈起。这时华核上表请求让韦曜、薛莹回来，继续修成以前的史书。这以后韦曜独自终结全书，编定为五十五卷。

到晋武帝司马炎即位，天下统一，著作郎陈寿于是收集三国史书，编撰为《三国志》，总共六十五篇。当时夏侯湛也在编著《魏书》，看到陈寿所作的《三国志》，便毁掉了自己的书稿，停笔不写了。等到陈寿去世，梁州大中正范頵（yūn）给朝廷上表说，《三国志》能明辨历史上的是非得失，文辞大多劝勉好人好事，警诫坏人坏事，有益于风俗教化，请求朝廷采纳、抄录此书。于是朝廷诏令下达到河南尹，派人到陈寿家里去抄写这部书。

在此之前，曹魏时京兆人鱼豢私自编撰《魏略》，记事到魏明帝为止。稍后孙盛编撰《魏氏春秋》，王隐编撰《蜀记》，张勃编撰《吴录》，各种不同的说法交互出现，流派最多。宋文帝认为《三国志》记载事情过于简略，于是命令中书郎裴松之同时采用众多史书，补充注释它的缺漏之处。从此人们谈论《三国志》的，都用裴松之注的本子作为依据。

晋代的史书，西晋定都洛阳时，著作郎陆机就开始编撰记载宣帝司马懿、景帝司马师、文帝司马昭时史事的《三祖纪》。佐著作郎束皙又编撰十志，碰上西晋灭亡动乱，束皙的书没有保存下来。在此之前，历阳县令陈郡人王铨具有编著史书的才能，常常私自记录晋代史事以及功臣们的行事传状，没有成书就去世了。他的儿子王隐，学问通博，见多识广，继承父亲遗留的事业，对西晋时的历史事迹，大多作过详尽的研究。他渡江来到江南后，在东晋朝廷任著作郎，接受诏令编撰晋史。后被他的同僚虞预控告，受一个案件的牵连而被免除官职，以至于家庭贫困，没有资财，于是史书未能编成。王隐就到武昌镇去投靠征西将军庾亮，庾亮给他提供纸张笔墨，因此获得成功，共编成《晋书》八十九卷。晋成帝咸康六年（340），才来到朝廷把书奏上。王隐虽然喜好编著史书，但文笔拙劣，史才迟滞。他的书凡是编排有序、条理清楚的部分，都是他父亲王铨所写的；凡是章节混乱、句意模糊的部分，必定是王隐所写的。当时尚书郎领国史干宝，也编撰了《晋纪》，从宣帝司马懿开始，到愍帝司马邺结束，记载了七个皇帝，五十三年，总共二十二卷。这部书内容简略，既能直笔记事，而又能委婉不太露骨，很被当时人所称赞。

东晋在江南的史书，自从邓粲、孙盛、王韶之、檀道鸾以后，就相继在写作。记事年代比较远的就单单只记载元帝、明帝两代，近的则只叙述成帝至安帝八朝。到南朝宋湘东太守何法盛，开始撰写《晋中兴书》，编定自成一家的史书，包括了从东晋开始到结束的整整一代，十分详尽完备。南齐隐士东莞人臧荣绪，又汇集东晋、西晋两代史书，整合成为一部完整的《晋书》。

本朝太宗贞观（627—649）年间，皇帝有诏书认为前代先后编撰的晋史共有十八家，著作虽然很多，都不完善，于是命令史官重新加以编写。史官们采集正史和杂说数十余部，并引用非正统的十六国史书，编撰成十卷纪、二十卷志、七十卷列传、三十卷载记，以及叙例、目录，合为一百三十二卷。从此谈论晋史的，都舍弃原来的旧本，争相依据本朝新修的《晋书》。

南朝宋代的史书，宋文帝元嘉年间，著作郎何承天起草创编纪传体国史。除此以外，何承天留下的残缺部分，全部委任奉朝请山谦之来补写。后来又命令裴松之继续完成国史的编撰。裴松之不久去世，史佐孙冲之上表请求由他另起炉灶，创立自己的一家之言。孝武帝孝建（454—456）初年，又命令南台侍御史苏宝生继续编撰各种列传，其中元嘉时的名臣传记，都是他所编撰的。苏宝生被杀后，孝武帝大明六年（462）又命令著作郎徐爰继承前人事业，完成修史工作。徐爰凭借何承天、孙冲之、山谦之、苏宝生所编述的史稿，把它们都汇编为一书，其中臧质、鲁爽、王僧达等人的传记，又是都由孝武帝刘骏亲自编写的。但这部《宋书》叙述史事多有虚假之处，难以让人相信。从宋前废帝永光（465）以后，到顺帝禅位给齐高帝萧道成，十多年间的史事，都缺漏而不记载。

到南齐时，著作郎沈约又重新补续以前的遗漏，编成新的宋史。从晋安帝采用义熙年号（405）开始，终止于顺帝昇明三年（479），编为十卷纪、三十卷志、六十卷列传，合成一百卷，命名为《宋书》。齐武帝永明（483—493）末年，《宋书》流行于世后，河东人裴子野又删改为《宋略》二十卷。沈约看到这部书后，感叹说："我所不及啊。"从此世上谈论宋史的，认为裴子野的《宋略》是最好的，沈约的《宋书》略次于它。

南朝齐代的史书，江淹接受诏令开始编撰时，认为史书中最难写的，没有超过志这一部分的，因此他首先编著十志，用来显示自己的才华。沈约又编著了《齐纪》二十篇。梁武帝天监（502—519）年间，太尉录事萧子显请求编撰《齐书》。书成以后，上表奏献朝廷，诏令交付秘阁收藏。这部书记事从宋顺帝昇明年间开始，到齐东昏侯永元（499—500）一代为止，编为八篇纪、十一篇志、四十篇列传，合成五十九篇。

当时奉朝请吴均，也上表请求编撰齐代史书，并请借给他齐代的起居注，以及群臣的行事传状。梁武帝有诏书说："齐代过去的史事，流传在社会上，能够耳闻目睹的已经很多了，你可以自行搜求询访。"吴均于是编撰了《齐春秋》三十篇。他的书中称梁武帝是齐明帝的佐命大臣，武帝厌恶它据实记载，下诏将其烧毁。然而吴均私下保存的副本，竟然能够与萧子显所编撰的《齐书》一并流传到后世。

南朝梁代的史书，梁武帝时，沈约与给事中周兴嗣、步兵校尉鲍行卿、秘书监谢昊相继编撰记录，已经有了一百篇。梁元帝承圣（552—554）年间，遭遇侯景之乱，金陵沦陷，国史也随着被焚毁散失，荡然无存。庐江人何之元、沛国人刘璠根据他们的所见所闻，探究各种史事的始末经过，各自编撰了《梁典》三十篇。然而纪传体的史书，却没有写成。陈代祠部郎中姚察有志向编撰，对前人不够周备的地方进行增补改编。但是他既要承担朝廷政务，又兼主管陈代国史的编撰，所以直到陈代灭亡，他私人想编撰的梁代史书始终没有完成。

南朝陈代的史书，最初有吴郡人顾野王、北地人傅縡各自担任撰史学士，其中陈武帝、陈文帝二篇帝纪，就是顾野王、傅縡所编写的。陈宣帝太建（569—582）初年，中书郎陆琼继续编撰了很多篇，记事过于繁多杂乱。姚察在其基础上加以删改，粗略具有一些条理。等到陈代灭亡时，姚察带着书稿进入关中。隋文帝曾经向他索要记载梁、陈二代事迹的史书，姚察把所有写成的书稿一篇篇地再加修订，陆续奏献给文帝，然而这样斟酌修订颇费时日，最终未能改定全书。

本朝太宗贞观初年，姚察的儿子姚思廉担任著作郎，遵照皇帝的诏令编撰梁、陈二代史书。于是依据他父亲的旧稿，增加一些新的篇章，经历了整整九年的时间，才全部完成。确定书名为《梁书》五十卷、《陈书》三十六卷，现今同时流行于世。

西晋末年以后相继建立的十六国的史书……北魏时黄门侍郎崔

鸿，就考察、研究原有的各国众多史书，辨别它们记载的相同和差异之处，删除繁杂的内容，补充阙漏的地方，条理综述各国历史纲要，将每一国的史书称作"录"，君主的本纪称作"传"，全书总称作《十六国春秋》。崔鸿从北魏宣武帝景明（500—503）初年开始，就广泛搜求各国散佚的史书，到了正始元年（504），搜集考核已经基本完备，但还缺少李氏蜀国的史事，不能最终成书。他寻觅访求了十五年，才在江南购买到，于是增加了篇幅标题，（把蜀国史事）编成十卷。崔鸿去世后，魏孝庄帝永安（528—530）年间，他的儿子誊抄完后奏献给朝廷，请求收藏在秘阁之中。从此伪十六国的史书公布出来，在当时社会上广泛流行。

元氏北魏的史书，魏道武帝时，开始命令邓渊编著《国记》为十卷，但没有整理成条理体例完备的著作。到了明元帝时，就废弃而不再编修了。太武帝神䴥（jiā）二年（429），又下诏征集崔浩、崔浩之弟崔览、高谠、邓颖、晁继、范亨、黄辅等文士编撰《国书》为三十卷。又特别命令崔浩总领监修史书的职任，要求严格按照真实情况来记载。又让中书郎高允、散骑侍郎张伟一并参加编撰工作，继续完成以前的史书。崔浩等人叙述北魏史事，没有隐瞒时人厌恶忌讳的事情，而且把修成的史书刊刻在石碑上，立在大路旁，让行人随意观看。崔浩因为这件事被判杀灭三族，共同修史而被杀的有一百二十八人。从此以后，朝廷就废除了史官。直到文成帝和平元年（460），才恢复这一官职，而委任高允掌管著作之事，修撰《国记》。高允年龄已经九十岁，握笔看书都很吃力。当时有个校书郎中刘模，擅长于编辑写作，就让他执笔，而高允口述传授内容。这样编撰了五六年时间，所写成的篇章卷帙，刘模有很大的功劳。

当初编撰《国记》，从邓渊、崔浩以后，都相互承袭，写成编年体。到了孝文帝太和十一年（487），下诏命令秘书丞李彪、著作郎崔光开始区分为本纪、列传等不同的类目。宣武帝时，命令邢峦追述编撰《孝文起居注》。后来，崔光（当作崔鸿）、王遵业又加以增补、续编，记事时间往下延伸到孝明帝时。温子升又编撰《孝庄纪》，济阴王元晖业编撰《辨宗室录》。北魏史官、私家所编撰的当代史书，都包括在这里了。

北齐文宣帝天保二年（551），命令秘书监魏收广泛采集旧时见闻，编成一部魏史。又命令刁柔、辛元植、房延祐、睦仲让、裴昂之、高孝干等人协助他编撰。魏收所选用的史官，害怕他们自恃才能高超而凌辱轻视自己，因此刁柔、辛元植等人都缺乏史才，只因貌似学者之流，依附权势得到进用。于是魏收大肆征求各种私家的谱表行状，斟酌取舍编成《魏书》。上起始于道武帝，下终止于孝静帝，纪、传和志总计一百三十卷。魏收谄媚北齐，对北魏宗室多有不公平的记载。而且他既偏袒北朝，又大加诬蔑南朝。他的性情憎恨胜过自己的人，喜欢记念过去的怨恨，世家大族德高望重的人和他有怨隙的，没有不被加上羞辱的言辞，埋没他们的善行功德。他还把对别人的怨恨转移到一些并不直接相关的人身上，直至诋毁别人的高祖、曾祖等很远的祖先。《魏书》编成后才上奏朝廷，诏命魏收在尚书省和相关的各家子孙共同讨论。先后上书投诉他的有一百多人。当时尚书令杨遵彦，是贵宠一代的大臣，权势影响朝廷上下。魏收撰写他的家传，加进很多溢美之辞，所以深受他的庇护支持。那些投诉史书不实的人都受到很重的责罚，有的甚至死在狱中，群情激愤，怨声载道。孝昭帝时，命令魏收再加以修改审查，然后向外宣布。武成帝曾经向群臣征求意见，大家仍然说不够真实，又命令魏收整理修改。这两次他所作的改动很多。因此社会上都鄙薄《魏书》，称它为"秽史"。

到隋文帝开皇（581—600）年间，命令著作郎魏澹与颜之推、辛德源等人重新编撰《魏书》，改正魏收的失误。魏澹以西魏作为正统王朝，东魏作为僭伪王朝，因此将西魏文帝、恭帝列作本纪，东魏孝静帝称为列传。凡纪、传、论例合在一起，总共九十二篇。隋炀帝认为魏澹的书仍然不是很完善，又命令左仆射杨素另外编撰，学士潘徽、褚亮、欧阳询等人辅助他。适逢杨素去世而停止了。当今社会上说起北魏史书，仍然以魏收的本子为主。

高氏北齐的史书，齐后主天统（565—569）初年，太常少卿祖孝征编撰献武帝高欢的起居注，命名为《黄初传天录》。当时，中书侍郎陆元规因经常随从文宣帝高洋出征讨伐，编著了《皇帝实录》，只记载用兵打仗的事，不记载其他事情。自从后主武平（570—576）以后，史官阳休之、杜台卿、祖崇儒、崔子发等人相继记录起居注。

到了北齐灭亡以后，隋代秘书监王劭、内史令李德林因为年轻时一同在北齐邺都做过官，了解很多过去的史事。王劭凭借其早年协助阳休之等人编述过起居注，又增加一些不同的见闻，撰写了编年体史书，称为《齐志》，共十六卷。李德林在北齐曾参与修撰国史，创编纪传体史书二十七卷。到隋文帝开皇初年，他遵照诏书继续编撰，增加齐史三十八篇，把它上送官府，收藏在宫中的秘府。本朝太宗贞观初年，诏令李德林的儿子中书舍人李百药依照他父亲的旧稿，杂采其他史书，演绎为五十卷。当今人们谈论齐史的，只有王劭、李百药二家。

宇文氏北周的史书，西魏文帝大统年间有秘书丞柳虬兼管著作，言辞正直，刚正不阿，记载史事颇有值得称道之处。到隋文帝开皇年间，秘书监牛弘追述编撰《周纪》十八篇，简略地描述轮廓纲要，仍然有矛盾抵触的地方。本朝太宗贞观初年，诏命秘书丞令狐德棻、秘书郎岑文本共同加以修订，编定为《周书》五十卷。

隋代的史书，在隋文帝开皇、仁寿（601—604）年间，王劭编著《隋书》八十卷，按事类区别编排，确定它的篇题次序。至于正式的编年体、纪传体史书，都还没有编撰出来。隋炀帝时，只有王冑等所修撰的《大业起居注》。到隋炀帝江都被杀时，此书大多散失。本朝太宗贞观初年，诏命中书侍郎颜师古、给事中孔颖达共同撰成《隋书》五十五卷，和新撰的《周书》一并流行于世。

当初太宗认为梁、陈及北齐、北周、隋代都没有一部完善的断代纪传体史书，就命令学士们分别编撰，事情已经在上面作了具体的叙述。又让秘书监魏征总体负责这些事务，凡是各书中有需要写赞、论的，魏征大多参与撰写。从贞观三年（629）开始编撰，到贞观十八年（644）才取得成功。合计五代纪传，连同目录，总共二百五十二卷。五部史书编成后，颁下收藏在史馆书阁中。只有十志，确定编为三十卷，不久准备陆续上奏，但其正文还没有编写出来。于是又诏命左仆射于志宁、太史令李淳风、著作郎韦安仁、符玺郎李延寿等人一同参与编撰，先前编撰诸史的人，只有令狐德棻重新参与这件事。太宗去世后，编撰工作才告完成。它的篇题次序虽然编入《隋书》，其书实际单独流行于世，人们称之为《五代史志》。

大唐王朝接受天命统一天下，隋恭帝义宁（617—618）、唐高祖武德（618—626）年间，工部尚书温大雅首先编撰《大唐创业起居注》三篇。从此以后，司空房玄龄、给事中许敬宗、著作佐郎敬播等相互各自创立编年体史书，号称为"实录"。从高祖到太宗、高宗三位皇帝，每代都编有实录。

太宗贞观初年，姚思廉开始编撰纪传体国史，粗略编成三十卷。到高宗显庆元年（656），太尉长孙无忌和于志宁、令狐德棻、著作郎刘胤之、杨仁卿、起居郎顾胤等人，沿袭姚思廉旧的纪传体史书，接续以后的事情，又撰写了五十卷。虽说烦琐杂乱，但时常有些可观之处。高宗龙朔（661—663）年间，许敬宗又以太子少师的身份总体统领编修国史的任务，比前两种著作又增补了很多新的内容，合编成一百卷。比如《高宗本纪》以及高宗永徽（650—655）年间的名臣传、四夷传等，大多都是他所撰写的。他又起草了十志，没有编到一半就去世了。许敬宗所编写的纪、传，或者迎合帝王权贵的旨意，或者卑鄙地借机报复私人的怨恨，凡是有诋毁称赞的，大都不是真实的记载。假如拿他和魏收相比，也正如张衡和蔡邕的才貌相像一样。以后左史李仁实继续撰写于志宁、许敬宗、李义府等人的列传，其记载言语，叙述事情，被推许为直笔。可惜他寿命短暂，修撰史书的功业没有完成。到武后长寿（692—694）年间，春官侍郎牛凤及又确定以高祖武德元年（618）为上限，到高宗弘道元年（683）为止，撰写为《唐书》一百一十卷。牛凤及这样庸庸碌碌、鄙陋无才的人，却随便议论国史这样的一代大典。凡是他纂录的材料，都只是徒然索取私家的行事传状，而这类传状大多出于世俗之人，他们叙述事情不能自己达到史家的高度。有的文辞都用比兴的手法，空洞得完全类似歌咏；有的言语大多鄙陋拙朴，粗糙得确实就像文书案牍。而牛凤及往往把这些统统编排到史书中去，一点不做加工改编。即使有些内容出自他的胸怀，表达他自己的构思见解，说出的话语却丑陋怪诞，叙述的事情也参差倒错。因此翻看他的篇章次序，哪里谈得上可以欣赏；细读他的章节文句，更不知道说了些什么。后来他把社会上流传的姚思廉、许敬宗所编的旧本国史统统收回，想要使得他编撰的史书独行于世。因此本朝的旧事，几乎完全残缺了。

武后长安（701—704）年间，我和正谏大夫朱敬则、司封郎中徐坚、左拾遗吴兢遵照诏书重新修撰《唐书》，编成八十卷。中宗神龙元年（705），又和徐坚、吴兢等人重新修撰《则天实录》，编为三十卷。前人编的旧史书被毁坏，紊乱像纠结的绳索，要把它们排比综合、整理清楚是十分艰难的，经过整整一个月才完成。虽然记言没有多少可取之处，叙事大多留下一些遗憾，但是或许将来修改书稿，还能有些资料依据。

　　大致说来，自古以来史官编撰史书，基本情况就是这样。大概古今正史都是连缀文辞，排列史事，年月相系，先后相次，而编撰成书的。它们是历代史官安身立命的根本，也是世人坐观历史风云的耳目。这样的正史大略都已经包括在这里，此外剩下的偏记小说，就没有闲暇一一谈论了。

疑古第三

　　盖古之史氏，区分有二焉：一曰记言，二曰记事。而古人所学，以言为首。至若虞、夏之典，商、周之诰，仲虺、周任之言①，史佚、臧文之说②，凡有游谈、专对、献策、上书者，莫不引为端绪，归其的准。其于事也则不然。至若少昊之以鸟名官③，陶唐之以御龙拜职④。夏氏之中衰也，其盗有后羿、寒浞；齐邦之始建也，其君有蒲姑、伯陵⑤。斯并开国承家，异闻奇事，而后世学者，罕传其说。唯夫博物君子，或粗知其一隅。此则记事之史不行，而记言之书见重，断可知矣。

　　及左氏之为传也，虽义释本经，而语杂它事。遂使两汉儒者，嫉之若雠⑥。故二传大行，擅名后世。又孔门之著述也，《论语》专述言辞，《家语》兼陈事业。而自古学徒相授，唯称《论语》而已。由斯而谈，并古人轻事重言之明效也。然则上起唐尧，下终秦穆，其《书》所录，唯有百篇。而《书》之所载，以言为主，至于废兴行事，万不记一。语其缺略，可胜道哉！故令后人有言，唐、虞以下帝王之事，未易明也。

　　按《论语》曰："君子成人之美，不成人之恶。"又曰："成事不说，遂事不谏，既往不咎。"又曰："民可使由之，不可使知之⑦。"夫圣人立教，其言若是。在于史籍，其义亦然。是以美者因其美以美之，虽有其恶，不之毁也；恶者因其恶而恶之，虽有其美，不之誉也。故孟子曰："尧、舜不胜其美，桀、纣不胜其恶⑧。"魏文帝曰："舜、禹之事，吾知之矣。"汉景帝曰："学者不言汤、武受命，不为愚⑨。"斯并曩贤精鉴，已有先觉。而拘于礼法，限以师训，虽口不能言，而心知其不可者，盖亦多矣。

又按鲁史之有《春秋》也，外为贤者，内为本国，事靡洪纤，动皆隐讳。斯乃周公之格言。然何必《春秋》，在于六经，亦皆如此。故观夫子之刊《书》也，夏桀让汤，武王斩纣，其事甚著，而芟夷不存⑩。观夫子之定礼也⑪，隐、闵非命⑫，恶、视不终⑬，而奋笔昌言，云鲁无篡弑⑭。观夫子之删《诗》也，凡诸《国风》，皆有怨刺，在于鲁国，独无其章⑮。观夫子之《论语》也，君娶于吴，是谓同姓，而司败发问，对以"知礼"。斯验圣人之饰智矜愚，爱憎由己者多矣。加以古文载事，其词简约，推者难详，缺漏无补。遂令后来学者，莫究其源，蒙然靡察，有如聋瞽。今故讦其疑事⑯，以著于篇。凡有十条，列之于后。

盖《虞书》之美放勋也，云"克明俊德"。而陆贾《新语》又曰："尧、舜之人，比屋可封⑰。"盖因《尧典》成文，而广造奇说也。按《春秋传》云：高阳、高辛二氏各有才子八人，谓之"元"、"凯"。此十六族也，世济其美，不陨其名，以至于尧，尧不能举。帝鸿氏、少昊氏、颛顼氏各有不才子，谓之"浑沌"、"穷奇"、"梼杌"。此三族也，世济其凶，增其恶名，以至于尧，尧不能去。缙云氏亦有不才子，天下谓之"饕餮"⑱，以比三族，俱称"四凶"，而尧亦不能去⑲。斯则当尧之世，小人君子，比肩齐列，善恶无分，贤愚共贯。且《论语》有云：舜举皋陶，不仁者远⑳。是则当皋陶未举，不仁甚多，弥验尧时群小在位者矣，又安得谓之"克明俊德"、"比屋可封"者乎？其疑一也。

《尧典》序又云："将逊于位，让于虞舜。"孔氏注曰："尧知子丹朱不肖，故有禅位之志。"按《汲冢琐语》云："舜放尧于平阳。"而书云：某地有城，以囚尧为号㉑。识者凭斯异说，颇以禅授为疑。然则观此二书，已足为证者矣，而犹有所未睹也。何者？据《山海经》，谓放勋之子为帝丹朱㉒，而列君于帝者，得非舜虽废尧，仍立尧子，俄又夺其帝者乎？观近古有奸雄奋发，自号勤王㉓，或废父而立其子，或黜兄而奉其弟，始则示相推戴，终亦成其篡夺。求诸历代，往往而有。必以古方今，千载一揆。斯则尧之授舜，其事难明，谓之让国，徒虚语耳。其疑二也。

《虞书·舜典》又云："五十载，陟方乃死㉔。"汪云："死苍梧之野，因葬焉。"按苍梧者，于楚则川号汨罗，在汉则邑称零、桂。地总百越，山连五岭。人风媻划㉕，地气歊瘴㉖。虽使百金之子，犹悻经履其途；况以万乘之君，而堪巡幸其国？且舜必以精华既竭，形神告劳，舍兹宝位，如释重负，何得以垂殁之年，更践不毛之地？兼复二妃不从㉗，怨旷生离，万里无依，孤魂溢尽，让王高蹈，岂其若是者乎？历观自古，人君废逐，若夏桀放于南巢，赵迁迁于房陵㉘，周王流彘，楚帝徙郴㉙，语其艰棘，未有如斯之甚也。斯则陟方之死，其殆文命之志乎㉚？其疑三也。

《汲冢书》云："舜放尧于平阳，益为启所诛。"又曰："太甲杀伊尹，文丁杀季历㉛。"凡此数事，语异正经。其书近出，世人多不之信也。按舜之放尧，文之杀季㉜，无事别说，足验其情，已于此篇前后言之详矣。夫唯益与伊尹见戮，并于正书犹无其证。榷而论之，如启之诛益，仍可核也。何者？舜废尧而立丹朱，禹黜舜而立商均㉝，益手握机权，势同舜、禹，而欲因循故事，坐膺天禄㉞。其事不成，自贻伊咎。观夫近古篡夺，桓独不全，马仍反正㉟。若启之诛益，亦犹晋之杀玄乎？若舜、禹相代，事业皆成，虽益覆车，伏辜夏后，亦犹桓效曹、马，而独致元兴之祸者乎？其疑四也。

《汤誓》云："汤伐桀，战于鸣条。"又云："汤放桀于南巢，唯有惭德。"而《周书·殷祝》篇称桀让汤王位云云，此则有异于《尚书》。如《周书》之所说，岂非汤既胜桀，力制夏人，使桀推让，归王于己。盖欲比迹尧、舜，袭其高名者乎？又按《墨子》云㊱：汤以天下让务光，而使人说曰：汤欲加恶名于汝。务光遂投清泠之泉而死，汤乃即位无疑。然则汤之饰让，伪迹甚多。考墨家所言，雅与《周书》相会。夫《书》之作㊲，本出《尚书》，孔父截翦浮词，裁成雅语，去其鄙事，直云"惭德"，岂非欲灭汤之过，增桀之恶者乎？其疑五也。

夫五经立言，千载犹仰，而求其前后，理甚相乖。何者？称周之盛也，则云"三分有二"，商纣为"独夫"；语殷之败也，又云纣"有臣亿万"人，其亡"流血漂杵"㊳。斯则是非无准，向背不同者焉。又按武王为《泰誓》，数纣过失，亦犹近代之有吕相为晋绝秦，陈琳为袁檄魏㊴，欲加之罪，能无辞乎？而后来诸子，承其伪说，竞列纣罪，有倍五经。故孔子曰：桀、纣之恶不至是，君子恶居下流㊵。班生亦云：安有据妇人临朝㊶？刘向又曰：世人有弑父害君，桀、纣不至是，而天下恶者，皆以桀、纣为先㊷。此其自古言辛、癸之罪,将非厚诬者乎?其疑六也。

《微子之命》篇云:"杀武庚。"按禄父即商纣之子也,属社稷倾覆,家国沦亡,父首枭悬,母躯分裂,永言怨耻,生死莫二。向使其侯服事周,而全躯保其妻子也,仰天俯地,何以为生?含齿戴发,何以为貌?既而合谋二叔,徇节三监㊸,虽君亲之怨不除,而臣子之诚可见。考诸名教,生死无惭。议者苟以其功业不成,便以顽人为目。必如是,则有君若夏少康,有臣若伍子胥㊹,向若陨仇雪怨,众败身灭,亦当隶迹丑徒,编名逆党者邪?其疑七也。

《论语》曰:"大矣,周之德也。三分天下有其二,犹服事殷。"按《尚书》云:"西伯戡黎,殷始咎周。"夫姬氏爵乃诸侯,而辄行征伐,结怨王室,殊无愧畏。此则《春秋》荆蛮之灭诸姬㊺,《论语》季氏之伐颛臾也㊻。又按某书曰朱雀云云,文王受命称王云云㊼。夫天无二日,地惟一人,有殷犹存,而王号遽立,此即《春秋》楚及吴、越僭号而陵天子也。然则戡黎灭崇,自同王者,服事之道,理不如斯。亦犹近者魏司马文王害权臣,黜少帝,坐加九锡,行驾六马。及其没也,而荀勖犹谓之人臣以终㊽。盖姬之事殷,当比马之臣魏,必称周德之大者,不亦虚为其说乎?其疑八也。

《论语》曰:"太伯可谓至德也已。三以天下让,民无得而称焉。"按《吕氏春秋》所载云云㊾,斯则太王钟爱厥孙,将立其父。太伯年居长嫡,地实妨贤。向若强颜苟视,怀疑不去,大则类卫伋之诛㊿,小则同楚建之逐㊿,虽欲勿让,君亲其立诸?且太王之殂,太伯来赴,季历承考遗命,推让厥昆。太伯以形质已残,有辞获免。原夫毁兹玉体,从彼被发者,本以外绝嫌疑,内释猜忌,譬雄鸡自断其尾㊿,用获免于人牺者焉。又按《春秋》，晋士蒍见申生之将废也，曰："为吴太伯，犹有令名[53]。"斯则太伯、申生，事如一体。直以出处有异，故成败不同。若夫子之论太伯也，必美其因病成妍，转祸为福，斯则当矣。如云可谓至德者，无乃谬为其誉乎？其疑九也。

《尚书·金縢》篇云："管、蔡流言，公将不利于孺子。"《左传》云："周公杀管叔而放蔡叔，夫岂不爱？王室故也。"按《尚书·君奭》篇序云："召公为保，周公为师，相成王，为左右。召公不说。"斯则旦行不臣之礼，挟震主之威，迹居疑似，坐招讪谤。虽奭以亚圣之德，负明允之才，目睹其事，犹怀愤懑。况彼二叔者，才处中人，地居下国。侧闻异议，能不怀猜？原其推戈反噬[54]，事由误我。而周公自以不诚[55]，遽加显戮，与夫汉代赦淮南[56]，明帝宽阜陵[57]，一何远哉！斯则周公于友于之义薄矣[58]。而《书》之所述，用为美谈者，何哉？其疑十也。

大抵自春秋以前，《尚书》之世，其作者述事如此。今取其正经雅言，理有难晓，诸子异说，义或可凭，参而会之，以相研核。如异于此，则无论焉。

夫远古之书，与近古之史，非唯繁约不类，固亦向背皆殊。何者？近古之史也，言唯详备，事罕甄择。使夫学者睹一邦之政，则善恶相参；观一主之才，而贤愚殆半。至于远古则不然。夫其所录也，略举纲维，务存褒讳，寻其终始，隐没者多。尝试言之，向使汉、魏、晋、宋之君，生于上代，尧、舜、禹、汤之主，出于中叶，俾史官易地而书，各叙时事，校其得失，固未可量。

若乃轮扁称其糟粕[59]，孔氏述其传疑[60]。孟子曰："尽信《书》不如无《书》，《武成》之篇吾取其二三简[61]。"推此而言，则远古之书，其妄甚矣。岂比夫王沈之不实，沈约之多诈，若斯而已哉。

[题解]

　　本篇序论中首先指出"古人轻事重言",史书记事缺略,且六经都有"爱憎由己"、褒贬过当的地方,所以上古历史真相不易了解。然后主要针对《尚书》提出十条疑问,除了第一条外,其余九条则特别对孔子以来儒家所美化的尧、舜、禹、汤等古代帝王的禅让嬗代事迹提出怀疑。刘知几曾称《尚书》为"七经之冠冕",又列之于史学"六家"之首,本篇尚且提出这么多疑问,充分体现了作者的怀疑和批判精神。古代卫道者把它和《惑经》篇看作是刘氏离经叛道的两大"罪证",不惜在选本中尽予删除。近现代学者则给以很高评价,有人还推测这是刘氏"假古以切今"的针砭现实之作,并以唐代史实论证此篇微旨。需要注意的是,刘知几对于儒家经典的基本态度是相当推崇的,其所谓疑古惑经,主要是从史学家的角度出发,主张探寻历史真相,因而不宜过分夸大其思想意义。

[注释]

　　①仲虺:商汤的左相,奚仲的后代,《尚书》中有《仲虺之诰》。周任:周代良史,《左传》隐公六年引其言论。②臧文:即臧文仲,春秋鲁国大夫,《左传》庄公十一年、文公十七年引其言论。③少昊之以鸟名官:少昊亦作少皞,名挚,字青阳,黄帝之子。春秋郯子自称为少皞后代,"挚之立也,凤鸟适至,故纪于鸟,为鸟师而鸟名"。详见《左传》昭公十七年。④陶唐之以御龙拜职:《左传》昭公二十九年:"有陶唐氏既衰,其后有刘累,学扰龙于豢龙氏,以事孔甲,能饮食之。夏后嘉之,赐氏曰御龙。"⑤蒲姑、伯陵:《左传》昭公二十年载晏子曰:"昔爽鸠氏始居此地,季荝因之,有逢伯陵因之,蒲姑氏因之,而后太公因之。"⑥两汉儒者,嫉之若雠:《后汉书·贾逵传》:"诸儒攻击《左氏》,遂如重仇。"⑦"按《论语》曰"诸句:此处三则引文分别出自《论语》中的《颜渊》、《八佾》、《泰伯》篇。引文下各有原注,兹仅录末条:"由,用也。可用而不可使知者,百姓日用而不能知。自此引经四

处，注皆全写，先儒所释也。"⑧"尧、舜"二句：语出《风俗通义·正失》引"孟轲曰"。⑨"学者"二句：语出《史记·儒林·辕固生传》。⑩"芟夷不存"下原注："此事出《周书》。案《周书》是孔子删《尚书》之余，以成其录也。"《逸周书·殷祝解》专述夏桀让汤，《克殷解》详述商纣王自焚后，周武王仍入斩其首，《尚书》则无此记载。芟（shān）夷，删削。⑪定礼：浦注："定礼即修《春秋》也。"按，上文明言："何必《春秋》，在于六经。"此介于《书》、《诗》之间，盖指下文"鲁无篡弑"为孔子修定礼经之原则。⑫隐、闵非命：春秋时鲁羽父使贼弑隐公，共仲使卜齮弑闵公，分别见《左传》桓公十一年、隐公十一年及闵公二年。⑬恶、视不终：春秋时鲁襄仲杀太子恶及其同母弟视，而立宣公，事见《左传》文公十八年。⑭鲁无篡弑：《礼记·明堂位》："（鲁）君臣未尝相弑也。"郑注："春秋时，鲁三君弑，云'君臣未尝相弑'，亦近诬矣。"⑮"独无其章"下原注："鲁多淫僻，岂无刺诗，盖夫子删去而不录。"⑯讦（jié）：揭发，揭示。⑰比屋可封：《新语·无为》原作："可比屋而封。"形容人才济济。比屋，房屋相接邻。封，授予土地或官职。⑱饕餮（tāo tiè）：古代传说贪婪凶残的人。⑲"高阳"诸句：见《左传》文公十八年。⑳舜举咎繇（gāo yáo），不仁者远：《论语·颜渊》："子夏曰：舜有天下，举皋陶，不仁者远矣。"咎繇，通作"皋陶"。㉑"按《汲冢琐语》云"诸句：《广弘明集》卷十一："《汲冢竹书》云：'舜囚尧于平阳，取之帝位。'今见有囚尧城。"疑刘知几即据此立说，"书"前脱"佛"字。囚尧城在山东郓城县。㉒放勋：尧名放勋。㉓勤王：起兵救援王朝的危难。㉔陟方：指巡狩。陟，升。方，道。一说方即方岳，此指南岳衡山。又一说陟方即升遐，犹今言死为升天；而下"乃死"二字乃《书》注窜为正文。㉕螺划：纹身。螺读作"裸"。㉖歊（xiāo）瘴：即瘴气。歊，云气蒸腾，炎热。㉗二妃不从：《汉书·楚元王传》："舜葬苍梧，二妃不从。"传说舜二妃为尧之二女娥皇、女英。㉘赵迁迁于房陵：《史记·赵世家》载，赵悼襄王废适子嘉而立迁，迁降秦，流于房陵。㉙楚帝徙郴：《史记·项羽本纪》载，项羽"使使徙义帝长沙郴县"，"阴令衡山、临江王击杀之江中"。㉚文命之志：文命，夏禹名文命。浦按："此条追出'文命之志'一句，志在刘宋之于零陵也。自零陵后，禅位之君罕得全者。"㉛"太甲"二句：浦注："《竹书纪年》：

太甲元年，伊尹放太甲于桐，乃自立。七年，王潜出自桐，杀伊尹。又，文丁十一年，周公季历伐翳徒之戎，来献捷，王杀季历。"㉜文之杀季：浦因篇中未详论此事，故删此句，又改后文"此篇前后"为"篇前"，非。"后"即指下文第八疑暗示"文之杀季"。㉝商均：传说舜的儿子名商均。㉞天禄：天赐的福禄。《尚书·大禹谟》："天禄永终。"㉟桓独不全，马仍反正：东晋元兴二年（403）十二月桓玄篡位，次年五月失败被杀，晋安帝司马德宗复位。㊱《墨子》：汤以天下让务光事不见于今本《墨子》，而见于《庄子·让王》、《韩非子·说林上》。㊲《书》：浦云上当有"周"字，可从。㊳"称周"六句：此四事分别见《论语·泰伯》、《尚书·泰誓下》、《尚书·泰誓上》、《尚书·武成》。㊴陈琳为袁檄魏：陈琳（？—217），字孔璋，广陵射阳（今江苏宝应）人，建安七子之一。其避难冀州时，曾写讨伐曹操的檄文，即《文选》所载《为袁绍檄豫州文》。袁氏败，归附曹操。㊵"故孔"三句：语出《论语·子张》："子贡曰：纣之不善，不如是其甚也。是以君子恶居下流，天下之恶皆归焉。"浦据改作"子贡"。汉唐间人引《论语》，或通作孔子之言，今仍旧不改。㊶安有据妇人临朝：《汉书·叙传》载班彪之伯父班伯对汉成帝问，认为商纣"乃用妇人之言，何有踞肆于朝"。㊷"刘向"诸句：《风俗通义·正失》载刘向对汉成帝说："桀、纣非杀父与君也，而世有杀君父者，人皆以为无道如桀、纣，此不胜其恶。"㊸合谋二叔，徇节三监：周武王灭商后，封武庚于商都，又封管叔于卫，蔡叔于鄘，霍叔于邶，从东、西、北三个方向监视武庚，总称三监。一说以邶封武庚，以鄘封管叔，以卫封蔡叔，监抚殷遗民。刘知几似主后一说。㊹伍子胥：名员，字子胥。楚大夫伍奢次子。楚平王杀其父，逃亡至吴，助阖闾夺取王位。后率吴军攻破楚国，掘楚平王墓，鞭尸三百。㊺荆蛮之灭诸姬：《左传》僖公二十八年："汉阳诸姬，楚实尽之。"㊻季氏之伐颛臾：《论语·季氏》载，季氏将伐颛臾，冉有、季路告于孔子，孔子曰："夫颛臾，昔者先王以为东蒙主，且在邦域之中矣，是社稷之臣也，何以伐为？"㊼"又按"二句：《毛诗·大雅序》正义："文王受命为七年之事。《中候我应》云：'季秋之月甲子，赤雀衔丹书，入丰，止于昌户，再拜稽首，受。'"《礼记·文王世子》正义："受命者，谓受赤雀丹书之命。故《中候我应》云：'赤雀入酆，止于昌户。'"刘知几不欲直斥孔氏正义，故

外篇　259

称"某书"而已。㊽荀勖犹谓之人臣以终:《晋书·石苞传》:"文帝崩,贾充、荀勖议葬礼未定。苞时奔丧,恸哭曰:'基业如此,而以人臣终乎?'"此作"荀勖",误。㊾《吕氏春秋》:浦疑为《吴越春秋》之误,然该书关于太伯奔丧仅言"归赴丧毕还荆蛮",盖臆说而已。此条所言太伯事,皆见于《论衡·四讳》篇,刘知几殆误记书名。㊿卫伋之诛:春秋卫宣公为太子伋娶齐女,而自取之,生子寿、子朔。后夫人与朔共谮太子伋,宣公让伋出使齐国,并让人在边境上杀死他。事见《左传》桓公十六年。㊿楚建之逐:楚平王为太子建娶于秦,费无极劝平王自取之,而把太子安置在城父。后费无极诬告太子将要反叛,平王命城父司马杀太子,太子建听说后,逃奔到宋国。事见《左传》昭公二十三年。㊿雄鸡自断其尾:《国语·周语下》:"宾孟适郊,见雄鸡自断其尾,问之,侍者曰:'惮其牺也。'"㊿为吴太伯,犹有令名:语出《左传》闵公元年。㊿推戈反噬:举兵背叛。㊿諴(xián):同"咸",和睦同心。《左传》僖公二十四年:"昔周公吊二叔之不咸。"㊿汉代赦淮南:汉高祖刘邦少子刘长封为淮南王,文帝时骄横不法,后谋反,罪当弃市,文帝赦其死罪,废为庶民。又恐人议其贪淮南王地,先后封刘喜、刘安为淮南王。刘安后以谋反被诛。㊿明帝宽阜陵:后汉光武帝刘秀子刘延,封淮阳,性骄奢,有告刘延作图谶祝诅事,明帝特加恩,徙为阜陵王。章帝时,又有告其逆谋者,诏曰:"王前犯大逆,有同管、蔡,先帝屈法,王曾莫悔,今贬为侯。"后复为王。㊿友于:《尚书·君陈》:"惟孝友于兄弟。"后以友于代指兄弟。㊿轮扁称其糟粕:《庄子·天道》载,齐桓公读书于堂上,有个做车轮名叫扁的匠人对他说:"君之所读者,古人之糟粕已夫。"《韩诗外传》卷五则载轮扁对楚成王说:"此真先圣王之糟粕耳,非美者也。"㊿孔氏述其传疑:《穀梁传》桓公十四年:"孔子曰:听远音者闻其疾而不闻其舒,望远者察其貌相而不察其形。立乎定、哀以指隐、桓,隐、桓之日远矣。夏五,传疑也。"注:"孔子在于定、哀之世而录隐、桓之事,故承阙文之疑,不书'月',明皆实录。"又桓公五年:"春秋之义,信以传信,疑以传疑。"㊿"尽信"二句:语出《孟子·尽心下》:"尽信《书》则不如无《书》,吾于《武成》取二三策而已矣。"

[译文]

大概古代的史官,区分为两种:第一种是记载言论的,第二种是记载事情的。然而古人所学的，把记载言论的史书放在首位。以至于像虞舜、夏代的典文，商代、周代帝王的诰辞，仲虺、周任的言语，史佚、臧文仲的论说，但凡人们在游说闲谈时，在外交应对中，或向帝王呈献计策，或向朝廷上奏表章，无不引用这类经典言论作为话端和依据，并把它们作为自己立论的宗旨和标准。然而，对于记事的史书就不是这样的了。以至于像少昊帝以鸟名作为官名，陶唐氏因有驯龙的本领而得到官职，夏朝中间衰落时出现了篡权夺位的后羿和寒浞，齐国刚刚建立时有过蒲姑和逄伯陵两代国君。这些都是有关开国传代的不同传闻和奇特史事，然而后代的学者，很少有人传闻这些说法。只有十分博学的人，或许粗略了解其中一二。这说明古代记事的史书流行不广，而记言的史书比较受到人们的重视，绝对可以知道了。

到左丘明为《春秋》作传，虽然主要解释经文大意，但也掺杂进其他方面的事情。于是使得两汉的儒学之士们，痛恨他就像仇敌。因此，汉代《公羊传》与《榖梁传》大为流行，在当时拥有很高的名声。又如孔子门徒所编的两部书，《论语》专门记录孔子及其弟子的言语，《家语》在言辞之外又陈述了一些事情。然而从古至今，学者间师生相互传授的，只是称道《论语》一书而已。由此说来，这都是古人轻视记事而重视记言的显著证验。然而，上从唐尧开始，下到秦缪公为止的历史资料，其中《尚书》所收录的，只有寥寥的一百篇。而且《尚书》所记载的，以言论为主，至于朝代的废兴、帝王的事迹，记载下来的不到万分之一。要说起它的缺漏来，哪里说得尽！因此使得后代有人说，尧舜以下帝王的事情，是很难搞得清楚的。

查考《论语·颜渊》说："君子总是奖励引导人成就其美好的一面，而不去勾引诱导人向罪恶的方向发展。"《论语·八佾》又说："已经做了的事情不用再作解释，已经发生的事情无法再去挽救，已经过去了的事情不要再去追究。"《论语·泰伯》又说："对于民众，能使他们遵循利用道，但很难使他们真正认识道。"圣人立言来教化人，说的话就是这样的啊！对于史书来说，它的道理也是这样。所以，对好人好事要根据其美好之处，从而来赞美他们，即使他们也有坏的一面（并被如实记载下来），其美好不会受到诋毁；对坏人坏事要根据其罪恶所在，从而来贬恶他们，即使他们也有好的一面（并被如实记载下来），其罪恶不会得到赞誉。因此孟子说："尧、舜已承担不了人们加在他们身上的种种赞誉，桀、纣也已无法再背动人们堆在他们身上的种种罪恶。"魏文帝说："所谓舜和禹接受禅让，我已经知道是怎么回事了。"汉景帝说："谈论学问的人不说汤、武王接受天命而建立商、周，并不是愚昧无知的表现。"这些都是前贤精妙的见解，已经有了许多领先于常人的觉悟。然而，由于受到保守礼法的拘束，或者老师教诲的限制，虽然嘴里不说，但是心里明白有些史书的说法并不可靠，这样的人，大概是很多的。

又查考鲁国的史书《春秋》，外部对于其他诸侯国的贤明之士，内部对于鲁国的君主大臣，事情不论大小，动不动都加以隐讳。这本来就是周公提出的准则。然而何止《春秋》一书，在所有六经当中，也都是这样。因此，观看孔夫子删定的《尚书》，夏桀让位给商汤，周武王亲手砍下殷纣王尸体上的人头，这两件事情（在《逸周书》中记载得）十分清楚，却都被删除得不露痕迹了。观看孔夫子编定的礼书，本来鲁国的隐公、闵公都被奸贼无辜杀害，太子恶与他的同母弟视不得善终，然而孔子却大笔一挥，公然写道："鲁国没有弑君篡位的事情。"观看孔夫子删订的《诗》，凡是所有各国的风诗当中，都有怨恨讽刺的诗歌，唯独在鲁国，却没有这样的篇章。观看孔夫子的《论语·述而》，鲁昭公从吴国娶了夫人，而鲁、吴两国都姓姬，这是违反同姓不婚的礼法的。但当陈国的司败责问

"昭公是否知礼"时，孔子居然回答说："知礼。"这些都证明圣人玩弄智巧来欺骗愚蠢的人，爱憎完全由着自己主观好恶的情况太多了。再加上古人记载事情，文词简单精练，后世推究的人难以详细了解，缺漏的地方无法补充。于是使得后代的学者无法探究事情的根源，对过去的史实糊里糊涂，无法审察，就像耳聋眼瞎一样。因此，现在揭示上古经典史书中一些值得怀疑的史事，记录在本篇之中。总共有十条，列举在后面。

《尚书·虞书·尧典》赞美唐尧，说他"能够发扬超人的美德"。陆贾的《新语·无为》又说："尧舜时代的人德行高尚，挨家挨户都可以封赏表彰。"这大概是根据《尧典》的现成文字而推衍编造出来的奇异说法。查考《春秋左传》说：高阳氏、高辛氏各自有才德杰出的子孙八人，称为"八元"、"八恺"。这十六个家族世世代代都继承发扬祖先的美德，没有丧失他们的名声，一直传衍到尧的时代，尧却不能推举选拔他们。帝鸿氏、少昊氏、颛顼氏各自有个无才无德的儿子，叫做浑沌、穷奇、梼杌。这三个家族世世代代都变本加厉地继承了祖先的凶残本性，更增加了他们丑恶的名声，一直传衍到尧的时代，尧却不能除掉他们。缙云氏也有个无才无德的儿子，天下的人都称他为"饕餮"，并把他的后人与上述三族合并称作"四凶"，尧也不能除掉。这说明在尧的时代，邪恶的小人与德行高尚的君子，都处于肩并肩、排对排的同等地位，善恶不分，贤愚混杂。况且《论语》有个说法，舜推举任用皋陶，那些不仁的人就都逃窜到远方去了。这样看来，皋陶未被举荐之前，社会上不仁的人是很多的，更加证明尧时在位执政的很多都是奸邪小人了。这又哪里谈得上尧"能够发扬超人的美德"，"挨家挨户都可以封赏表彰"呢？这是第一点疑问。

《尚书·尧典》序又说："尧打算从帝位上退下来，禅让给舜。"孔安国的注释说："尧知道自己的儿子丹朱不好，因此有了把帝位禅让给别人的想法。"查考《汲冢琐语》却说:"舜把尧流放囚禁在平阳。"而佛家之书说,某一地方有个古城,以"囚尧"作为名称。有见识的人根据这些不同的说法,对尧禅让授帝位给舜这件事非常怀疑。然而仅仅观看这两部书,虽然已经足够证明禅让之可疑了,但还有前人所没有看破的玄机。为什么这样说呢?根据《山海经·海内南经》称尧的儿子为"帝丹朱",而且把他排在帝王的行列这一点,岂不是舜虽然废掉了尧,仍然立他的儿子为帝,不久又从他儿子的手中夺取了帝位吗?观看近古的历史,常有一些奸雄奋起谋取帝位时,自称是起兵保卫当时的帝王,其实有的是废掉父亲而拥立他的儿子,有的是赶走兄长而迎奉幼弟,开始的时候还表示拥戴新皇帝,最终都要完成篡国夺权的勾当。这样一个过程,到历代开国的历史中去探求,往往都会有的。假如用古代史事来比照当今的情况,千百年来改朝换代的方式都是一样的。由此看来,尧把政权传授给舜,这件事情很难弄清楚,说是尧禅让给舜,只不过是虚假的传说而已。这是第二点疑问。

《尚书·虞书·舜典》又说:"舜在帝位五十年,最后在巡狩南方时去世。"孔安国的注释说:"舜死在苍梧的荒野,于是就埋葬在那里了。"查考苍梧这个地方,在古代的楚国只知道那里有条江叫汨罗,在汉朝的时候才设置了两个郡叫作零陵郡、桂阳郡。这个地方总括各种越族居住的区域,山脉连接五岭的北麓。民风鄙陋,断发文身;地气炎热,烟瘴弥漫。即使家有百两黄金的富商子弟,尚且害怕行走到那里的道路;何况以坐拥万辆兵车的至尊帝王,怎么能够巡游到这样的地方?况且舜假如因为精力衰弱,身体疲劳,而想放弃这个帝王的宝位,就像挑重担久了想放下歇息一样,那么他又为什么在这垂死之年,再去踏上那荒凉贫瘠的土地呢?加上他的两个妃子娥皇、女英都没有随他一起去,怨妇旷夫,生生分离,漂泊万里,无依无靠,孤魂野鬼,命丧黄泉。一代帝王,让去帝位,高风亮节，远走他乡，难道就是像这个样子的吗？遍观自古以来，国君被废除、被放逐的情况，像夏桀被流放到南巢，赵迁被放逐到房陵，周厉王被迫流亡到彘地，楚义帝被骗迁移去郴县，要说他们处境的艰难危急，都没有像舜这样严重。由此看来，所谓舜巡狩南方而死，大概正是禹的用心吧？这是第三点疑问。

《汲冢书》中说："舜把尧流放囚禁在平阳，伯益被夏启杀死。"又说："太甲杀死了伊尹，文丁杀死了季历。"凡是这几件事情，与正式经书所记载的都不相同。《汲冢书》是近代发现的，世上的人大多不相信它。查考舜流放囚禁尧、文丁杀死季历，这两件事情不需要再作别的论说，就足以验证其符合实情，已经在本篇前后文中详细阐述过了。只有伯益与伊尹被杀两件事情，在正式的经史书籍中还没有找到证据。但只要粗略讨论一番，像启杀死益的事，仍然可以得到核实。为什么这样说呢？舜是废除尧而立他的儿子丹朱的，禹是废黜舜而立他的儿子商均的。伯益掌握着国家大权的时候，他的权势等同于拥立丹朱、商均时的舜、禹，因而也想沿袭舜、禹的做法，轻松夺取帝位，享受天赐的福禄。只不过事情没有成功，才给他自己带来了灾难。考察近古历史上篡权夺位的事情，只有桓玄没能得逞，司马氏仍然夺回了政权。如果说是夏启杀掉了伯益，这是否也就像晋安帝杀掉桓玄一样呢？如果说舜、禹取代前任帝王，事业都取得了成功，只有伯益翻了车，受到夏启的惩处，这是否也像桓玄效法曹氏、司马氏篡权夺位，而唯独桓玄自己招致了兴元年间被杀的祸殃呢？这是第四点疑问。

《尚书·汤誓》序说："汤讨伐桀，与桀在鸣条的郊外开战。"又说："汤将桀流放到了南巢，心里感到很惭愧。"而《周书·殷祝》篇说是桀把王位让给汤等等。这就和《尚书》所记不同。按照《周书》所说，岂不是汤打败了桀以后，用武力制服了夏人，迫使桀将帝位禅让给自己吗？大概他是想模仿尧、舜的做法，借以获得如他们一样高尚的名声吧？又查考《墨子》中说，汤想把天下让给务光，而又派人对务光说："汤杀死了君王，他想让你顶替他弑君的恶名，所以故意将天下让给你。"于是务光投身于清泠水中自杀而死，汤就毫无顾虑地即位称帝了。如此说来，汤虚伪地推让王位，作假的痕迹还是很多的。考察《墨子》所说，与《周书》相当符合。而《周书》本来就出自于《尚书》，孔夫子删定的时候，裁剪掉空虚多余的文字，提炼成简洁典雅的语言，又删去鄙陋的史事。他只说汤有"惭德"，岂不是想轻笔带过以掩盖汤的过失，而增加桀的罪恶吗？这是第五点疑问。

五经所记载的内容，千百年来仍然受到人们的敬仰，然而探求它们的前前后后，很多事理相互矛盾极为严重。为什么这样说呢？称赞周灭商前夕的强盛，就说"周据有了天下的三分之二"，商纣王已经是"独夫民贼"；说商被周打败时，又说商纣王"拥有亿万臣民"，战死的人很多，以致"血流漂杵"。这说明经书没有一个是非标准，正反两面完全不同。又查考周武王所作的《尚书·泰誓》，历数了商纣王的过失，也就像近代吕相为晋国与秦断绝邦交提出的说辞，陈琳为袁绍讨伐曹操所写的檄文，欲加之罪，何患无辞啊？然而，后代的人承接它虚假夸大的说法，竞相列数商纣王的罪行，成倍地超过五经。因此，《论语·子张》说："夏桀、商纣的罪恶不至于如此。只是君子憎恨居于下流的人，（一旦居于下流，人们便将天下所有恶名都归到他们名下了）。"班伯也说："哪里能有拥抱着妇人而临朝听政的事啊？"刘向又说："世上确有弑父害君的大恶人，夏桀、商纣却没有坏到这个程度，然而人们说起恶人都把夏桀、商纣当作最恶的。"由此可见，自古以来谈论夏桀、商纣的罪恶，岂不是太冤枉他们了吗？这是第六点疑问。

《尚书·微子之命》篇序说："成王杀掉了武庚。"查考武庚一名禄父，是商纣王的儿子。他不幸赶上国家灭亡，家庭破散，父亲死后还被砍下头颅悬挂示众，母亲的身体也被分裂，深深的怨恨和耻辱，生生死死都不会改变。假使他甘做侯王而小心翼翼地服侍周朝，用来保全自己的躯体和妻儿，仰望苍天，俯视大地，他如何能够生存下去呢？作为一个口含牙齿、头披长发的人，他还有什么脸面活下去呢？于是后来他与管叔、蔡叔合谋推翻周朝，成为因忠于商朝而献身的"三监"之一。虽然他没有报得了家仇国恨，但是作为臣子的忠诚已经完全表现出来。用礼教的标准来衡量，他的生与死都是毫无愧疚的。议论他的人或许因为他没有获得成功，就把他看作顽固不化的恶人。假如这样来评价人的话，那么像夏朝少康这样的君主、像春秋时伍子胥这样的臣子，假设他们报仇雪恨的行动没有成功，从者败逃，自身被杀，是不是也将他们列入奸恶之徒，说他们是想造反的叛逆者呢？这是第七点疑问。

《论语·泰伯》说："周的品德是多么伟大啊！天下有三分之二的诸侯国拥护西伯姬昌，他却仍以臣子身份服从于殷商。"查考《尚书·西伯戡黎》序说："周文王平定了黎国后，殷朝廷开始对周不满意。"姬周只不过是一般的伯爵诸侯国，却动辄对其他诸侯国发动讨伐、征服的战争，与商王朝结下了怨仇，竟仍然一点也不感到惭愧和畏惧。这就如同《春秋左传》中记载的荆蛮楚国消灭周人的姬姓小国，《论语·季氏》中所说的季孙氏吞并颛臾氏。又查考某书（指孔颖达的《五经正义》）中说，朱雀如何口衔丹书给姬昌，文王如何接受天命而称王。天上不能有两个太阳，地上只能有一个君主。殷商朝廷仍然存在，西伯居然称起王来，这就是和春秋时期楚国和吴国、越国擅自称王而欺凌周天子一样的举动。如此看来，周征服黎国与崇国，是把自己等同于帝王。而作为臣子侍奉天子，没有这样的道理。也就像近代三国魏时司马昭杀害朝廷大臣，废黜少帝，堂而皇之地接受九锡的封赐，享受乘坐六马之车的帝王待遇。等到他死后，荀勖（当作石苞）还说他是作为一个大臣而终其一生的。大概姬昌对待殷商朝廷的态度，应当相当于司马昭对待魏帝的态度。假如说周的品德无比高尚，不也是一种虚假的说法吗？这是第八点疑问。

《论语·泰伯》又说："太伯可以说是品德无比高尚了，三次将天下让给弟弟季历，（而且还没有宣扬自己让位的行为），让百姓们无从歌颂他的高尚品德。"查考《吕氏春秋》（当作《论衡》）所记载的如此等等的说法，这说明太王钟爱他的孙子姬昌，便想立姬昌的父亲季历为继承人。太伯的年纪和身份属于嫡长子，他的这种资历和地位实际妨碍了贤者的升迁。假设他厚着脸皮，视而不见，带着侥幸的心理迟疑而不肯离去，那么他严重一点会像卫太子伋那样有杀身之祸，轻微一点也将如同楚太子建那样被迫流亡他国。即使他想不让天下，可是他的父亲能立他为继承人吗？而且太王死时，太伯回来奔丧，季历按照父亲的临终遗嘱，假意把王位让给长兄。太伯则以自己的身体已经残损，有个理由得以逃避弟弟的辞让。考察太伯之所以毁伤自己的宝贵身体，随从吴越断发文身的风俗，本来就是为了让外人断绝对自己想做继承人的怀疑，以使弟弟季历解除对自己的猜测和忌恨。这就像一只公鸡，主动斩断自己漂亮的尾巴，从而得以避免被人杀掉来做祭神的供品。又查考《春秋左传》中记载，晋国士蔿见太子申生将要被废为庶人，便对他说："做吴太伯那样的人物，还能留下个好名声。"这说明太伯和申生两人遭遇的事情是一样的，只不过一个主动出逃，一个被迫自杀，应对的方式有差异，成功失败的结局也不相同。如果孔夫子评论太伯，不像因西施病痛而捂胸皱眉反被人说成妩媚可爱那样做，不把太伯远走他乡以求转祸为福的行为赞美成让位的好名声，这才是确当的。如果说"太伯可以说是品德无比高尚了"，这岂不是荒谬地吹捧赞誉吗？这是第九点疑问。

《尚书·金縢》说："管叔和蔡叔散布谣言，说周公将对年幼的成王不利。"《左传》又说："周公杀死管叔，流放蔡叔，难道是不爱自己的兄弟吗？这样做是为了王室整体的利益啊。"查考《尚书·君奭》篇序中说："召公做太保，周公做太师，共同辅佐成王，为左右大臣。召公不高兴。"这说明周公旦代行政事，确实做了些不符合臣子礼节的事情，把持了足以威胁帝王宝座的威权，形迹处在容易被怀疑成试图篡位者的地步，因而招致了许多人的批评毁谤。即使召公奭有着仅次于圣人的德行，怀抱英明忠诚的才能，亲眼看到这些事情，尚且感到愤恨不满。何况管叔与蔡叔二人，才能处在中等人的水平，居住的地方又在偏僻的诸侯国，从侧面旁听到一些对周公的非议，心中能不产生一些猜疑吗？考察他们起兵反叛的原因，确实受到一些事情缘由的误导。然而周公主观认定他们不能与自己同心协力，立即加以严厉镇压、公然杀戮。这种做法与西汉文帝赦免淮南王刘长谋反的死罪，仅废为平民；东汉明帝宽恕淮阳王刘延大逆不道的行为，仍改封为阜陵王，距离是多么远啊！这说明周公对于兄弟的薄情寡义。然而《尚书》所陈述的这件事，还被拿来作为美好事物谈论，这是为什么呢？这是第十点疑问。

　　大致说来，从春秋时代往前，在《尚书》所记载的时代，当时的作者叙述史事就是这样的。这里选取一些正式经书的常规言论，事理有难以通晓的地方，而诸子百家的不同说法，义理或许可以作为依据，把它们掺和会聚在一起，来相互研究考核。如果不同于这样的情况，这里就不加以讨论了。

　　远古的史书与近古的史书，不仅仅内容简约与繁富不同，固然也在基本趋向上背道而驰。为什么这样说呢？近古的史书，记言只追求详尽完备，记事很少作甄别选择。这就使得后世的学者观察一个国家的政事，善恶相互掺杂；观察一个国君的才能，贤愚几乎各占一半。至于远古的史书就不是这样了。那些书中所记录的，简略地列举大纲概貌，主要目的在于褒扬或贬抑人事。后代学者要想探寻某一朝代从始至终的发展情况，就会发现被隐瞒埋没的事情太多了。尝试着谈谈这一点，假设让汉、魏、晋、宋的帝王生于上古时代，而让尧、舜、禹、汤等帝王生活于近古时代，再让上古与近古的史官也调换一下时间位置，各自叙述当时的事情，那么，比较他们所编史书的优劣得失，固然未必能够轻易地估量出来（意谓近古史官去编上古史书，隐瞒埋没的篡弑史实会更多）。

至于那个做车轮名叫扁的匠人说所有书籍都是古人的糟粕，孔子自述只能把那些有疑义的材料照样传授给后人。孟子则说："完全相信《尚书》的记载，那还不如没有《尚书》。我对于《尚书·武成》篇，只能信取其中二三片竹简的内容。"从这些说法推开去说，远古的史书，其虚妄程度是相当严重的了。（但这是由其简略、褒贬的基本趋向造成的）难道能够和王沈的记载不实、沈约的多相欺诈相互类比，认为它们也不过如此而已吗！

惑经第四

昔孔宣父以大圣之德，应运而生。生人已来，未之有也①。故使三千弟子、七十门人，钻仰不及，请益无倦②。然则尺有所短，寸有所长③。其间切磋酬对，颇亦互闻得失。何者？睹仲由之不悦，则矢天厌以自明④；答言偃之弦歌，则称戏言以释难⑤。斯则圣人之设教，其理含弘⑥，或援誓以表心，或称非以受屈。岂与夫庸儒末学，文过饰非，使夫问者缄辞杜口，怀疑不展，若斯而已哉？

嗟乎！古今世殊，师授路隔，恨不得亲膺洒扫⑦，陪五尺之童⑧；躬奉德音，抚四科之友⑨。而徒以研寻蠹简，穿凿遗文，菁华久谢，糟粕为偶。遂使理有未达，无由质疑。是用握卷踌躇，挥毫悱愤⑩。倘梁木斯坏⑪，魂而有灵，敢效接舆之歌⑫，辄同林放之问⑬。但孔氏之立言行事，删《诗》赞《易》，其义既广，难以具论。今惟摭其史文，评之于后。按，夫子所修之史，是曰《春秋》。窃详《春秋》之义，其所未谕者有十二。何者？

赵孟以无辞伐国，贬号为人⑭；杞伯以夷礼来朝，降爵称子⑮。虞班晋上，恶贪贿而先书⑯；楚长晋盟，讥无信而后列⑰。此则人伦臧否，在我笔端，直道而行，夫何所让！奚为齐、郑及楚，国有戮君，各以疾赴，遂皆书卒⑱？夫臣弑其君，子弑其父，凡在含识⑲，皆知耻惧。苟欺而可免，则谁不愿然？且官为正卿，返不讨贼⑳；地居冢嫡，药不亲尝㉑。遂皆被以恶名，播诸来叶。必以彼三逆，方兹二弑，躬为枭獍，则漏网遗名；迹涉瓜李㉒，乃凝脂显录㉓。嫉恶之情，岂其若是？其所未谕一也。

又案齐乞野幕之弑，事起阳生；楚比乾溪之缢，祸由观从。而《春秋》捐其首谋，舍其亲弑㉔，亦何异鲁酒薄而邯郸围㉕，城门火而池鱼及㉖。必如是，则邾之闻者私憾射姑，以其君卞急而好洁，可行欺以激怒，遂倾瓶水以沃庭，俾废炉而烂卒㉗。斯亦罪之大者，曷不书弑乎？其所未谕二也。

盖明镜之照物也，妍媸必露，不以毛嫱之面或有疵瑕㉘，而寝其鉴也；虚空之传响也，清浊必闻，不以绵驹之歌时有误曲㉙，而辍其应也。夫史官执简，宜类于斯。苟爱而知其丑，憎而知其善，善恶必书，斯为实录。观夫子修《春秋》也，多为贤者讳。狄实灭卫，因桓耻而不书㉚；河阳召王，成文美而称狩㉛。斯则情兼向背，志怀彼我。苟书法其如是也，岂不使为人君者，靡惮宪章。虽玷白圭㉜，无惭良史也乎？其所未谕三也。

哀八年及十三年，公再与吴盟，而皆不书。桓二年，公及戎盟则书之。戎实豺狼，非我族类。夫非所讳而仍讳，谓当耻而无耻，求之折衷，未见其宜。其所未谕四也。

诸国臣子，非卿不书，必以地来奔，则虽贱亦志㉝。斯岂非国之大事，不可限以常流者邪？如阳虎盗入于讙，拥阳关而外叛。《传》具其事，《经》独无闻，何哉？且弓玉云亡，犹获显记；城邑失守，反不沾书㉞。略大存小，理乖惩劝。其所未谕五也。

按诸侯世嫡，嗣业居丧㉟，既未成君，不避其讳。此《春秋》之例也。何为般、野之没，皆书以名㊱；而恶、视之殂，直云"子卒"。其所未谕六也。

凡在人伦不得其死者，邦君已上皆谓之弑，卿士已上通谓之杀。此又《春秋》之例也。按桓二年，书曰："宋督弑其君与夷及其大夫孔父。"僖十年，又曰："晋里克弑其君卓及其大夫荀息。"夫臣当为杀，而称及，与君弑同科。苟弑、杀不分，则君臣靡别者矣。其所未谕七也。

夫臣子所书，君父是党，虽事乖正直，而理合名教。如鲁之隐、桓戕弑，昭、哀放逐，姜氏淫奔㊲，子般夭酷。斯则邦之孔丑，讳之可也。如公送晋葬，公与吴盟，为齐所止，为邾所败，盟而不至，会而后期㊳，并讳而不书，岂非烦碎之甚？且按汲冢竹书《晋春秋》及《纪年》之载事也，如重耳出奔，惠公见获，书其本国，皆无所隐。唯《鲁春秋》之记其国也，则不然。何者？国家之事无大小，苟涉嫌疑，动称耻讳，厚诬来世，奚独多乎！其所未谕八也。

按昭十二年，齐纳北燕伯者何？公子阳生也。子曰："我乃知之矣。"在侧者曰："子苟知之，何以不革？"曰："如尔所不知何？"㊴夫如是，夫子之修《春秋》，皆遵彼乖僻，习其讹谬，凡所编次，不加刊改者矣。何为其间则一褒一贬，时有张弛；或沿或革，曾无定体。其所未谕九也。

又书事之法，其理宜明。使读者求一家之废兴，则前后相会；讨一人之出入，则始末可寻。如定六年，书"郑灭许，以许男斯归"。而哀元年，书"许男与楚围蔡"。夫许既灭矣，君执家亡，能重列诸侯，举兵围国者，何哉？盖其间行事，必当有说。《经》既不书，《传》又阙载，缺略如此，寻绎难知。其所未谕十也。

按晋自鲁闵公已前，未通于上国。至僖二年，灭下阳已降，渐见于《春秋》。盖始命行人，自达于鲁也。而《琐语·春秋》载鲁国闵公时事⑩，言之甚详。斯则闻事必书，无假相赴者也。盖当时鲁史，他皆仿此。至于夫子所修也，则不然。凡书异国，皆取来告。苟有所告，虽小必书；如无其告，虽大亦阙。故宋飞六鹢㊶，小事也，以有告而书之；晋灭三邦，大事也㊷，以无告而阙之。用使巨细不均，繁省失中，比夫诸国史记，奚事独为疏阔？寻兹例之作也，盖因周礼旧法，鲁策成文。夫子既撰不刊之书，为后王之则，岂可仍其过失，而不中规矩者乎？其所未谕十一也。

盖君子以博闻多识为工，良史以实录直书为贵。而《春秋》记它国之事，必凭来者之辞；而来者所言，多非其实。或兵败而不以败告㊸，君弑而不以弑称㊹，或宜以名而不以名㊺，或应以氏而不以氏㊻，或春崩而以夏闻㊼，或秋葬而以冬赴㊽。皆承其所说而书，遂使真伪莫分，是非相乱。其所未谕十二也。

凡所未谕，其类尤多，静言思之，莫究所以。岂"夫子之墙数仞，不得其门"者欤㊾？将"丘也幸，苟有过，人必知之"者欤㊿？如其与夺，请谢不敏。

又世人以夫子固天攸纵，将圣多能[51]，便谓所著《春秋》，善无不备。而审形者少，随声者多[52]，相与雷同，莫知指实。权而为论，其虚美者有五焉。

按古者国有史官，具列时事。观汲坟（坟一作冢）出记，皆与鲁史符同。至如周之东迁，其说稍备；隐、桓已上，难得而详。此之烦省，皆与《春秋》不别。又获君曰"止"，诛臣曰"刺"，其大夫曰"杀"，"执我行人"，"郑弃其师"，"陨石于宋五"[53]。诸如此句，多是古史全文。则知夫子之所修者，但因其成事，就加雕饰，仍旧而已，有何力哉？加以史策有阙文，时月有失次，皆存而不正，无所用心，斯又不可能而殚说矣[54]。而太史公云："夫子为《春秋》，笔则笔，削则削，子夏之徒，不能赞一辞[55]。"其虚美一也。

又按宋襄公执滕子而诬之以得罪[56]，楚灵王弑郑敖而赴之以疾亡。《春秋》皆承告而书，曾无变革。是则无辜者反加以罪，有罪者得隐其辜。求诸劝戒，其义安在？而左丘明论《春秋》之义云："或求名而不得，或欲盖而名彰。""善人劝焉，淫人惧焉[57]。"其虚美二也。

又按《春秋》之所书，本以褒贬为主。故《国语》晋司马侯对其君悼公曰："以其善行，以其恶戒，可谓德义矣。"公曰："孰能？"对曰："羊舌肸习于春秋[58]。"至于董狐书法而不隐，南史执简而累进，又宁殖出君，而卒自忧名在策书[59]。故知当时史臣，各怀直笔，斯则有犯必死，书法无舍者矣。自夫子之修《春秋》也，盖他邦之篡贼其君者有三[60]，本国之弑逐其君者有七[61]，莫不缺而靡录，使其有逃名者。而孟子云："孔子成《春秋》，乱臣贼子惧[62]。"无乃乌有之谈欤？其虚美三也。

又按《春秋》之文，虽有成例，或事同书异，理殊画一。

故太史公曰:"孔氏著《春秋》,隐、桓之间则彰,至定、哀之际则微,为其切当世之文,而亡褒讳之辞也㊻。"斯则危行言逊㊽,吐刚茹柔㊾,推避以求全,依违以免祸。而孟子云:"孔子曰:'知我者其惟《春秋》乎,罪我者其惟《春秋》乎。'"其虚美四也。

又按赵穿杀君,而称宣子之弑;江乙亡布,而称令尹所盗㊿。此则春秋之世,有识之士莫不微婉其辞,隐晦其说。斯盖当时之恒事,习俗所常行。而班固云:"仲尼殁而微言绝。"观微言之作,岂独宣父者邪?其虚美五也。

考兹众美,征其本源,良由达者相承,儒教传授,既欲神其事,故谈过其实。语曰:"众善焉,必察之㊼。"孟子曰:"尧、舜不胜其美,桀、纣不胜其恶。"寻世之言《春秋》者,得非睹众善而不察,同尧、舜之多美者乎?

昔王充设论,有《问孔》之篇,虽《论语》群言,多见指摘,而《春秋》杂义,曾未发明。是用广彼旧疑,增其新觉。将来学者,幸为详之。

[题解]

本篇针对《春秋》提出了十二未谕、五虚美的批评意见。古代经师以为《春秋》寓有褒贬之意,并概括这种撰史方法为"春秋笔法",其实它有许多不实不尽之处。刘知几认为《春秋》是孔子所修古史,虽已看出这么多问题,仍然曲加推崇。所以本篇先说孔圣生前就承认自己有过错误,从不文过饰非,篇末又说这些虚美之辞的本源,是由于儒者"欲神其事,谈过其实"。可见他虽在客观上起到了破灭儒经圣光的作用,主观上却既不反儒,更不批孔。只是以其严肃认真的治史态度,不容无视《尚书》、《春秋》之类正经雅言中的问题。而他的根本目的，是要借以提出史书编撰的原则主张：" 君子以博闻多识为工，良史以实录直书为贵"，即不仅要广泛地搜集史料，还要甄别史料的真假，以期忠实地反映历史事实。在撰述方法上，则要求体例严谨，一字不苟，前后相会，始末可寻。

[注释]

①生人已来，未之有也：语出《孟子·公孙丑上》："自有生民以来，未有孔子也。"②请益无倦：语出《论语·子路》："子路问政，子曰：'先之劳之。'请益，曰：'无倦。'"③尺有所短，寸有所长：语出《楚辞·卜居》。④"睹仲"二句：《论语·雍也》："子见南子，子路不说。夫子矢之曰：'予所否者，天厌之，天厌之。'"子路，姓仲，名由。矢，通"誓"。⑤"答言"二句：《论语·阳货》："子之武城，闻弦歌之声，夫子莞尔而笑，曰：'割鸡焉用牛刀。'子游对曰：'昔者偃也闻诸夫子曰：君子学道则爱人，小人学道则易使也。'子曰：'二三子，偃之言是也，前言戏之耳。'"子游，姓言，名偃。⑥含弘：像大地一样包含广博宏大。《易·坤》："含弘光大。"⑦亲膺洒扫：《论语·子张》："子游曰：子夏之门人小子，当洒扫应对进退则可矣。"⑧五尺之童：《汉书·董仲舒传》："仲尼之门，五尺之童羞称五伯。"⑨四科：指孔门四种科目：德行、言语、政事、文学，见《论语·先进》。⑩悱（fěi）愤：指思郁郁结，渴求启发。《论语·述而》："不愤不启，不悱不发。"⑪梁木斯坏：指伟人去世。《史记·孔子世家》："孔子病，因叹歌曰：'泰山坏乎！梁木摧乎！哲人萎乎！'"⑫接舆之歌：《论语·微子》："楚狂接舆歌而过孔子之门。"⑬林放之问：《论语·八佾》："林放问礼之本。"⑭"赵孟"二句：指晋卿赵武没有正当理由率诸侯联军伐卫，《春秋》襄公十六年书仅作"晋人"，以示贬意。⑮"杞伯"二句：《春秋》僖公二十七年："杞子来朝。"《左传》："杞桓公来朝，用夷礼，故曰子。"⑯虞班晋上，恶贪贿而先书：《春秋》僖公二年："虞师、晋师灭下阳。"《左传》："先书虞，贿故也。"⑰"楚长"二句：《春秋》记襄公二十七年宋之盟，晋在楚前。《左传》："盟先楚人，书先晋，晋有信也。"⑱"遂皆书卒"下：原注："昭元年，楚公子围弑其君郏敖；襄七年，郑子驷弑其君傅公；僖公十年，齐人弑其君悼公。而《春秋》但书云：'楚子麇卒'，'郑伯髡顽卒'，'齐侯阳生卒'。"⑲含识：含有心识

者。原为佛家语，指有意识、有感情的生物，即众生。⑳官为正卿，返不讨贼：见《直书》"赵盾之为法受屈"注。㉑地居冢嫡，药不亲尝：《春秋》昭公十九年："许世子止弑其君买。"《左传》："许悼公疟，五月戊辰，饮太子止之药，卒。太子奔晋。书曰：'弑其君'。"㉒瓜李：古诗《君子行》："瓜田不纳履，李下不整冠。"㉓凝脂：凝冻的油脂，密无间隙。比喻事之严密。《盐铁论·刑德》："昔秦法繁于秋荼，而网密于凝脂。"㉔"又案"六句：原注："乞谓齐陈乞，比楚公子比也。"则正文原当作"乞"、"比"，旧本或作"荼"、"灵"者，为后人所改。又"观从"旧本皆误作"常寿"，浦改甚是。齐景公死，高、国二卿拥立孺子荼。陈乞（又称陈僖子）召立公子阳生，阳生使朱毛弑荼于野幕之下。楚公子比自晋归楚，公子弃疾胁立之。时楚灵王在乾溪，观从以国有新王为号召，瓦解了灵王部众，灵王自缢而死。《春秋》分别在哀公六年记载"齐陈乞弑其君"，昭公十三年记载楚公子比"弑其君虔于乾溪"。㉕鲁酒薄而邯郸围：《庄子·胠箧》说楚因鲁国献酒味薄而发兵攻打，梁惠王乘机围攻邯郸。许慎注《淮南子·缪称训》，则说鲁、赵同时献酒给楚王，鲁酒薄而赵酒厚，楚吏索贿不得而将其互换，楚王以为赵酒薄而围邯郸。㉖城门火而池鱼及：即"城门失火，祸及池鱼"，见《意林》卷四引应劭《风俗通》。㉗"则邾"五句：事见《左传》定公三年。阍，守门的仆人。射（yì）姑，又称夷射姑，邾大夫。㉘毛嫱（qiǎng）：《管子·小称》："毛嫱、西施，天下之美人也。"一说为越王美姬。㉙绵驹：《孟子·告子下》："绵驹处于高唐而齐右善歌。"赵岐注："绵驹，善歌者也。高唐，齐西邑，绵驹处之，故曰齐右善歌。"㉚"狄实"二句：鲁闵公二年，狄人灭卫。齐桓公时为霸主，以不能攘除夷狄、保卫中原诸侯国为耻，故《春秋》只记载说"狄入卫"。㉛"河阳"二句：《春秋》僖公二十八年："天王狩于河阳。"《左传》："晋侯召王，以诸侯见，且使王狩。仲尼曰：'以臣召君，不可以训，故书曰天王狩于河阳，言非其地也。'"㉜虽玷（diàn）白圭：《诗·大雅·抑》："白圭之玷。"圭，玉。玷，玉上的斑点。㉝"必以"二句：《左传》昭公三十一年："以地叛，虽贱必书。"㉞"如阳"九句：阳虎是春秋鲁国大夫季孙氏的家臣，把持鲁国政事，想要除掉三桓即孟孙氏、叔孙氏、季孙氏。事败，窃取公宫宝玉大弓，占据讙地的阳关，叛入齐国。《春秋》定公八年仅记"盗窃宝玉大弓"而已。㉟嗣业居丧：指新的诸侯国君刚刚继位，还处在为先君服丧期间。㊱般、野之没，皆书以名：《春秋》庄公三十二年书"子般卒"，襄公三十一年书"子野卒"，二人分别继庄、襄为君，在位仅两三个月就被杀或病亡。㊲"如鲁"三句：鲁隐公被大夫羽父派人杀死，桓公访问齐国时被齐侯指使力士杀死，昭公被季平子打败而逃奔于齐国，哀公被三桓打败而逃奔到邾、越，庄公夫人姜氏淫奔齐国。但《春秋》隐公十一年、桓公十八年、昭公二十五年、《左传》哀公二十七年、《春秋》庄公元年都隐讳其事，记作"公薨"、"公薨于车"、"公孙于齐"、"公孙于邾，乃遂如越"、"夫人孙于齐"。㊳"如公"六句：鲁成公十年，公如晋，被强迫为晋景公送葬。哀公八年、十三年，两次与吴国签订盟约。僖公十六年十二月，公参加会盟后被齐国扣留，次年九月才放回。二十二年，僖公被邾人打败，邾人悬公胄于鱼门。文公十五年，齐侵鲁西部边境，晋、宋等国会盟，且谋伐齐，文公未与盟。七年，文公会诸侯，盟于扈，而文公迟到。以上诸事见于《左传》，并说《春秋》"讳之"不书。㊴"按昭"诸句：象本"公子阳生也"前后有注："燕伯子阳"；"《左传》曰：'纳北燕伯款于唐。'唐，杜注云：'阳即唐，燕之别邑。'"浦无前注，正文重"伯于阳"三字，注谓古本如此，则全同《公羊》。然细味刘知几原注之意，似欲牵合《公羊》、《左传》，以为北燕伯款因其生地又名阳生，而不取何休注"'公'误为'伯'，'子'误为'于'，'阳'在，'生'刊灭阙"之说。㊵"春秋"上：程《笺记》："当据张鼎思本补'晋'字。"㊶宋飞六鹢：《春秋》僖公十六年："六鹢退飞过宋都。"鹢，水鸟。㊷晋灭三邦，大事也：原注："谓灭耿、灭魏、灭霍也。"事见《左传》闵公元年，《春秋》不载。㊸或兵败而不以败告：《左传》隐公十一年："（郑）大败宋师，以报其入郑也。宋不告命，故不书。凡诸侯有命，告则书，不然则否。师出臧否，亦如之。虽及灭国，灭不告败，胜不告克，不书于策。"㊹君弑而不以弑称：事例见前注⑱。《左传》杜注说，阳生卒"以疾赴"，郑伯髡顽"实为子驷所弑，以疟疾赴"，"故不书弑"。㊺或宜以名而不以名：如《春秋》隐公七年，载"滕侯卒"，不书名。㊻或应以氏而不以氏：如《春秋》成公十五年，载"宋杀其大夫山"，不书姓。㊼或春崩而以夏闻：《春秋》隐公三年："三月庚戌，天王崩。"杜注："周平王也，实以壬戌崩，欲诸侯之速至,故远日以赴。"又僖公八年:"冬十二月丁未,天王崩。"杜注:"实以前年闰月崩,以今年十二月丁未告。"平王、惠王的讣告比实际死日分别早了十天、一年零一个月。㊽或秋葬而以冬赴:《春秋》庄公三年:"五月,葬桓王。"周桓王死于鲁桓公十五年,至此已历六年。㊾"夫子"二句:语出《论语·子张》载子贡曰:"夫子之墙数仞,不得其门而入者,不见宗庙之美,百官之富。得其门者,或寡矣。"㊿"丘也"三句:语出《论语·述而》。㉛"又世"二句:语出《论语·子罕》:"大宰问于子贡曰:'夫子圣者与,何其多能也?'子贡曰:'固天纵之将圣,又多能也。'"将,大。㉜审形者少,随声者多:语出《风俗通义·正失》:"世之毁誉莫能得失,审形者少,随声者多。"㉝"又获"六句:原注:"其事并出《竹书纪年》,唯郑弃师出《琐语·晋春秋》也。"《春秋》成公十六年:"刺公子偃。"文公九年:"晋人杀其大夫先都。"昭公二十三年:"晋人执我行人。"闵公二年:"郑弃其师。"僖公十六年:"陨石于宋五。"皆与刘知几所引汲冢书相合。唯"获君曰止"用例不见于《春秋》,《左传》僖公十六年则载齐人"止公"事,刘知几或偶有误记。㉞不可能而殚说:不能做到并详加解释。"能"犹《中庸》"中庸不可能也"之"能",此指补正上文所说"阙文""失次"。浦删"能而"二字,非。㉟"夫子"五句:语出《史记·孔子世家》。㊱宋襄公执滕子而诬之以得罪:事见《春秋》襄公十九年。㊲"或求"四句:语出《左传》昭公三十一年。㊳春秋:当时孔子《春秋》未成,此当为各国史书的总称。㊴"宁殖"二句:《左传》襄公二十年:"卫宁惠子(即宁殖)疾,召悼子曰:'吾得罪于君,悔而无及也。名藏在诸侯之策,曰孙林父、宁殖出其君。君入则掩之。若能掩之,则吾子也;若不能,犹有鬼神,吾有馁而已,不来食矣。'"㊵"盖他"句:原注:"谓齐、郑、楚,已解于上。"㊶"本国"句:原注:"隐、闵、般、恶、视五君被弑,昭、哀二主被逐也。"㊷"孔子"二句:语出《孟子·滕文公下》。㊸"孔氏"五句:语出《史记·匈奴列传》。㊹危行言逊:行为正直,说话谦逊。语出《论语·宪问》:"邦有道,危行危言;邦无道,危行言逊。"㊺吐刚茹柔:吐出硬的,吃下软的。比喻怕强欺弱。语出《诗·大雅·烝民》:"人亦有言,柔则茹之,刚则吐之。维仲山甫,柔亦不茹,刚亦不吐,不侮矜寡,不畏强御。"㊻"江乙"二句:《列女传》载,江乙为郢

外 篇 279

大夫，宫中失盗，令尹以失职罪之。不久，江乙母亡布，就向楚王控告"令尹盗之"，说："今令尹之治，盗贼公行，是与使人盗何异？"⑰众善焉，必察之：《论语·卫灵公》："众恶之，必察焉；众好之，必察焉。"

[译文]

从前孔夫子具有伟大的圣人品德，适应时代发展的要求，而来到了世上。有史以来，还没有出现过像孔子这样伟大的人物。因此使得他的三千个弟子、七十个高徒，对他钻研、敬仰而唯恐不及，向他请教而不觉厌倦。然而，尺有所短，寸有所长。孔子与学生切磋问题、平日谈话，经常也可以听到相互各有得失。为什么这么说呢？比如孔子看到子路因自己见南子而不高兴，便对天发誓，说什么"让老天爷抛弃我"，用这样的方式表白自己。又如孔子听到子游治理的武城一片弦歌之声，讥笑说"杀鸡哪用得了牛刀"，子游用孔子平日教导的话来反驳，孔子就说刚才是开玩笑的，用来解释学生的责难。由此可见，圣人实施教化，包含着非常宏大的道理，有时对学生发誓来表明心迹，有时承认自己的错误而忍受委屈。难道圣人会和那些庸俗的陋儒、浮浅的学者那样，用漂亮的言词掩饰自己的过失与错误，使得来请教的人不敢对他们开口说话，不敢把内心的疑惑告诉他们，也不过如此而已吗？

唉！古代与当今处于不同的时代，求师授业的途径断绝，我很遗憾不能为孔子洒扫庭院，做个陪侍在他身边的书童，亲自聆听他的教诲，与他的弟子们同门交友。而白白地埋头在故纸堆中研求探寻，根据他遗留的文字来穿凿附会，不能直接学到他的思想精髓，只能与古人称为糟粕的书籍为伍。于是致使有些道理想不明白的时候，也无法向他请教疑问。所以经常手握书卷，被一些疑惑弄得左右为难；临笔研墨，还在渴求有人来启发思绪。倘若孔子虽已去世，但果真在天有灵，我斗胆仿效接舆的过门狂歌，就如同林放的当面发问。但是孔子创立的学说，施行的事业，删订《诗》篇，赞明《易》道，所蕴含的哲理深厚宽广，难以详加讨论。这里只能选取他修订的史书中的一些文字，在下面作些评论。查考孔子修订的史书，名叫《春秋》。我私下认真地审察它的文义，觉得有十二条内容难以想明白。哪十二条呢？

晋国执政正卿赵武讨伐卫国，却说不出正当的理由；《春秋》记载此事时不称他的名字，只贬称他为"晋人"。杞桓公用夷族的礼节来朝见天子，《春秋》认为这是对天子的大不敬，故意将他的伯爵封号降低称之为子爵。《春秋》记载晋国讨伐虢国，把虞国放在前面，这是厌恶虞国贪图贿赂、借道给晋，因而首先写它。《春秋》记载会盟，明明是楚国居首为长，晋国在后为从，却偏偏为了讥讽楚国不讲信用而把它列在后面。这些都是按照人间伦理所作的赞扬和批评，孔子运用史家的笔墨，推行正直的道义，有什么可以当仁而让的！但是为什么齐国、郑国和楚国分别发生悼公、僖公、郏敖被杀害的恶性事件，三国都向其他诸侯国发布病死的虚假讣告，于是《春秋》都只跟着记载他们死了，而没有写明他们是被害的呢？对于臣子杀害国君，儿子杀死父亲这样的事情，凡是含有心识的普通人，都会觉得可耻与恐惧。如果因为乱臣贼子的欺骗，就免去了他们的罪名，那么世上的人还有谁不愿意这样做呢？况且晋国的赵盾官居执政正卿，仅仅因为返回国都时没有讨伐乱臣贼子；许国太子止身为嫡长子，仅仅因为给国君喂药没有先尝一尝，于是二人都被《春秋》写上杀害国君这一万恶的罪名，永远传播于后世。假如用前三件杀害国君的事件来与后两件事情相比较，前者亲自杀害国君，就像吃父食母的枭獍，却让他们成了漏网之鱼，逃脱乱臣贼子的恶名；后者只不过有瓜田李下的嫌疑，竟然被严密的道德罗网披上了杀害国君之名加以明确记载。痛恨乱臣贼子的心情，难道是像这样来表达的吗？这是我想不明白的第一条。

又查考所谓齐国陈乞在野幕杀戮国君荼，这件事情的发起是由公子阳生下的命令；楚国公子比在乾溪逼得灵王上吊自杀，这件事情的祸根是因观从鼓动瓦解了军队。然而《春秋》放掉了主持谋划的反贼，舍弃了亲手杀害的凶手，却把罪过搁在次要的陈乞、楚公子比的身上。这和鲁国献酒味薄，却导致赵都邯郸被围困，又和城门失火，殃及池鱼，有什么两样呢？假如像这样去怪罪他人，那么郋国宫廷的守门人因自己怨恨射姑，认为国君性格急躁而爱干净，可以用欺骗的手段激怒他去惩罚射姑，于是用瓶子装水冲洗地面，谎称射姑在庭院中小便，国君果然大怒，暴跳如雷时，碰倒了炉子，被烧焦而死，这也是罪大恶极了，《春秋》又为什么不写他杀害国君呢？这是我想不明白的第二条。

明亮的镜子照耀东西，不论是美丽的，还是丑陋的，它都能照出来，不会因为毛嫱的面貌美丽，她脸上有个小斑点，就停止它的照物功能了；虚旷的天空传播声音，无论清亮悦耳的，还是浑浊难听的，它都能传出来，不会因为绵驹的歌声动听，他偶尔走调唱错，就中止它回音的反应了。史官编撰史书，也应该像这样。如果能做到喜爱美好的事物，但也知道它有丑陋的一面，憎恨丑恶的事物，却也了解它有较好的一面，无论美好，还是丑恶，都客观地记载下来，这才叫实录。观看孔子修撰《春秋》时，许多地方为他喜欢的贤者隐瞒事实。如狄人其实灭掉了卫国，因为齐桓公把它当作自己的耻辱，就不明写灭卫，而是写成狄人进入卫国。晋国将周天子召到属于晋国的河阳，为了粉饰晋文公霸主的美名，就不写明是文公召来的，而写成周天子到河阳去巡狩。这就是作者在情感上有好恶不同的倾向，思想上有区分彼我的意图。如果史书撰写的原则是这样的话，岂不让做国君的人，再也不用畏惧历史的谴责，而史书即使像斑痕累累的白圭一样充满虚假的记载，也可以大言不惭地号称为良史吗？这是我想不明白的第三条。

鲁哀公八年和十三年，两次被迫与吴国签订盟约，然而《春秋》都没有记载。桓公二年，鲁国与戎人结盟，却又记载了。戎人凶狠残暴，如同豺狼，与我们华夏不是同一族类。不应该隐讳的却隐讳了，应该感到可耻的却不以为耻。用不偏不倚的原则来要求，这样做很不合适。这是我想不明白的第四条。

对于各诸侯国的臣子，《春秋》不是卿相的事情就不加记载。但假如有人带着邻国边境的土地来投奔的话，那么即使他地位卑贱，也要加以记载。这难道不是国家的大事，不能用一般的原则来限制吗？然而阳虎非法进入讙地，占领阳关而反叛。这件事《左传》详细记载了，《春秋》却独独不记，这是为什么呢？况且宝玉大弓丢失，尚且被经文明确记载；土地城邑失去，反而没有附带写上。忽略大事，捡取小事，与惩罚叛臣、劝诫后人的《春秋》大义相违背。这是我想不明白的第五条。

查考诸侯的嫡系子孙，刚刚继承大业，处在为去世的国君服丧期间，既然还未即位成为君主，那么就不避讳他们的名字。这是《春秋》的编撰体例。为什么子般和子野死的时候，都写上他们的名字；而恶与视死的时候，只说是君主的儿子死了而不写名字呢？这是我想不明白的第六条。

凡是从人间伦理来说属于不正常的被杀者，小国君主以上都称为"弑"，卿士以上统统叫"杀"。这又是《春秋》的一个编撰体例。查考鲁桓公二年记载说："宋国的督弑宋国国君与夷及其大夫孔父。"僖公十年又记载说："晋国的里克弑晋国君主卓及大夫荀息。"大臣被害，应当称作"杀"，却被称为"及"，那就和国君同样成为被"弑"的人了。如果"弑"、"杀"不分，那么君臣完全没有区别了。这是我想不明白的第七条。

作为臣子在撰写历史时，偏袒国君和父亲，虽然与秉笔直书的原则相违背，但是符合名分教化的伦理原则。如鲁隐公、桓公被弑而写成"薨"，昭公、哀公逃亡却说是逊让去位，桓公夫人姜氏淫奔而写成逊让出国，子般被弑却只说早夭。这些都是国家的特大丑闻，隐讳不讲尚可理解。但是，像成公被晋人逼迫为晋景公送葬、哀公与吴国签订城下之盟、僖公被齐国扣押、僖公被小小的邾国战败、文公没有如约出席盟会、文公在另一次诸侯会盟时迟到，这类事情也隐讳不写，难道不太烦碎了吗？况且汲冢竹书中的《晋春秋》与《纪年》记载史事，像重耳被迫逃亡他国，晋惠公被秦国俘虏，这两部晋人编撰的本国史书，都没有隐瞒。唯独鲁国的《春秋》在记载鲁国史事时，却不是这样。这是为什么呢？国家的事情不论大小，一旦涉及君主名誉，动不动就觉得可耻而隐讳改写，严重欺骗后代的人，这样的事例为什么如此多啊？这是我想不明白的第八条。

查考鲁昭公十二年，齐国派军队护送回国的北燕伯是谁呢？就是公子阳生。孔子说："我早已经知道了。"他身旁的人便问道："先生如果早就知道了，为什么不改正呢？"孔子回答说："你知道的可以改正，那些不知道的怎么办呢？"由这样的情况来看，孔子修订《春秋》，都保持了原书背离事实的地方，因袭了它们的错误，凡是被编辑的史料，都没有加以删改。那么为什么《春秋》对人对事的态度又有褒有贬，有时宽松，有时严紧；它对于先前的史料，有的因袭，有的改动，而没有固定的体例呢？这是我想不明白的第九条。

又，史书的记事原则，应该是条理贯通，使得读者探求一个国家的兴衰过程，则前后相互符合；研讨一个人物的生平事迹，则开始结束可以寻找出来。如鲁定公六年记载说："郑国消灭了许国，并将许国的国君斯俘虏，押回郑国。"然而到鲁哀公元年却又记载："许国的国君与楚国一起围攻蔡国。"许既然已被消灭，国君被俘虏，国家已灭亡，还能重新列入诸侯国中，率领军队围攻别的国家吗？大概这中间的历史事件，一定还有其他说法。然而，《春秋》

经文既没有记载,《左传》又缺少解释。像这样的遗漏疏略,后代人是很难考索出事情真相的。这是我想不明白的第十条。

查考晋国在鲁闵公之前,没有与中原诸侯国发生过关系。直到鲁僖公二年,晋国灭掉虢国的下阳之后,它才逐渐出现在《春秋》中。大概从那时起,晋国才派遣外交使者访问鲁国,并将晋国的事情告知鲁国。然而,《汲冢琐语·晋春秋》记载此前鲁国闵公时代的事情,却非常详细。这一定是晋国听到别国的事情,就记载下来,不一定要依靠别国使者来正式通告。大概当时的诸侯国史,其他国家也都是仿照这样的方法编撰的。至于孔夫子所修的《春秋》,却不是这样。凡记载外国的情况,所取的材料都是来自于他国来人告知鲁国的。如果他国派人来告知,即使是很小的事情,也一定记载。如果他国不来告知,即使是很大的事情,却也空缺不记。因此,像六只水鸟退着飞过宋国都城,这是很小的事情了,因为宋国派人来告知就被记载。而晋国发兵消灭了耿、魏、霍三个国家,这是很大的事情,因为没人来告知就空缺不记。因而使得记事大小混杂,不够均衡;有时繁杂,有时简省,有失恰当。比起各国的史书,为什么鲁国的《春秋》偏偏如此粗疏过阔呢?探寻这种编撰体例的创作,大概沿袭了周代礼制的陈旧法则,直接采用了鲁国史书的一些现成文字。但是孔子既然要修订一部永不磨灭的史书,作为后代君王遵循的法则,怎么能够保留旧史书中的错误,而不符合自己所订的法则呢?这是我想不明白的第十一条。

大概君子应该以知识广博、见解深刻作为自己擅长的才能,良史应该以实事求是、正直公正作为自己高贵的品质。然而,《春秋》记载别国的事情,一定要凭借着对方使者来告知,而使者前来通告的说法,大多不符合事实。有的国家明明打了败仗,却不说被打败了;有的君主明明是被臣子杀害的,却说成病死或其他的原因;有的人应该通告名字的,却不说名字;有的应该通告姓氏的,却也不说姓氏；有的君主春天就已死去，却到夏天才发布讣告；有的君主秋天已经举行了葬礼，却直到冬天才通告天下。《春秋》都根据使者的通告而加以记载，于是使得真假不分，是非混淆。这是我想不明白的第十二条。

凡是我想不明白的，这一类的疑问还有很多。我平心静气地思考了很久，始终想不出个所以然来。难道我就是如孔子弟子所讲的"孔子就像一座墙高数仞的大房子，找不到门进去"的人吗？还是我就是如孔子所说"我很幸运，如果有什么过失，别人都一定能够发现"的那种发现孔子过失的人呢？我只是提出这十二条疑问，至于如何评论其是非曲直，请原谅我不够聪敏。

又，世上的人都认为孔夫子本来就是上天赋予了无尽的潜能，既是个大圣人，又具有多方面的才能。于是就说他所著的《春秋》，所有优点没有不具备的。然而，世上的人考察实际情况的少，随声附和的多，这种夸奖之辞相互雷同，却没有人能够提出多少事实根据。粗略地加以评论，前人言过其实的赞美有五点。

查考古代各诸侯国都有史官，详细记录当时所发生的事情。观看汲冢所出竹书的记载，都与鲁国史书符合甚至相同。至于像周室东迁以后，记载得比较详细；鲁隐公、桓公以前，记载得就粗略一些。这样的详略情形，也都与《春秋》没有什么区别。又如，《春秋》抓获国君称为"止"，诛杀大臣称为"刺"，大夫就称为"杀"，以及"执我行人"、"郑弃其师"、"陨石于宋五"等，像这样的文句，大多是《竹书纪年》、《晋春秋》中完全相同的原文。由此可知，孔子修订《春秋》，只是根据现成的鲁国史书，在上面略加修改，基本上仍是原来的内容，他花了什么力气呀？再加上原来鲁国史书有残缺的文字，时间上有次序颠倒的地方，都保存原样而不加补正，简直没有花费多少心思，这些又是他没有能力做到并作详细解释的了。然而，司马迁在《史记·孔子世家》中却赞美说:"孔夫子修订《春秋》一书,该添写的就添写,该删削的就删削,像子夏这样的高徒,都不能作出一个字的评论。"这是第一点言过其实的赞美。

又查考宋襄公拘捕滕国国君,然后向全天下诬告他是得罪民众的无道昏君;楚灵王杀害了国君郏敖,然后向各国发布讣告说是病死的。《春秋》都顺从宋、楚两国的通告而加以记载,没有做一点改动。这是没有罪的人反而将罪名强加给他,有罪的人却得以隐瞒了他的罪恶。从史书的劝善惩恶功能来要求,它的意义体现在哪里呢?然而,左丘明在论述《春秋》宗旨时却说:"有人想求取千古美名,却得不到记载;有人想掩盖自己的罪名,结果恶名却更加显著。""善良的人感觉受到了鼓励,罪恶的人感到无比的恐惧。"这是第二点言过其实的赞美。

又查考《春秋》一书所记载的,本来以褒贬为主。《国语·晋语七》记载,晋国司马侯对国君悼公说:"从前君主做的好事,就照着去做;从前君主做的坏事,就拿来作为警戒,这样就可以称得上有德义的国君了。"悼公问道:"谁能知道从前君主做的好事、坏事呢?"司马侯回答说:"羊舌肸熟悉各国的史书。"至于董狐秉笔直书,丝毫不隐讳君主的过失;南史准备冒死书写臣子杀害国君的事情;宁殖赶走国君,临死前对于自己的名字被记入国史十分忧愁。因此可以得知,当时的史官,都各自怀着照实书写的态度,即使有冒犯君主而被杀头的危险,也不放弃这种书写原则。但是,自从孔夫子修订了《春秋》以后,大概它所记载的这一时期内,其他诸侯国篡位弑君的事情发生过三次,鲁国内部杀害、赶跑国君的事情发生过七次,《春秋》竟然无不缺漏而没有记录,使得许多乱臣贼子逃脱了罪名。然而孟子却说:"孔子修订成《春秋》后,乱臣贼子都感到恐惧。"这岂不是没有根据的空谈吗?这是第三点言过其实的赞美。

又查考《春秋》的文字写法，虽然有比较固定的体例，但是有时同一性质的事情写法却有不同，不符合前后划一的原则。因此，司马迁在《史记·匈奴传》中说："孔子修《春秋》，隐公、桓公时期的事情写得比较明白，到定公、哀公之际的人和事就写得十分隐微。因为这是贴近当代的文字，就没有褒贬的词语了。"由此可见，孔子按他自己说的"国家昏乱无道时，行为可以正直，说话一定要谦逊小心"的做人风格，（时代远的才敢大胆褒贬，时代近的就不敢说真话了），颇有点欺软怕硬的味道，推开躲避真相来求得自身的安全，说话模棱两可来免除潜在的祸害。然而孟子却说："孔子说：人们能够了解并赞扬我，大概只因为《春秋》；人们责骂我，大概也是因为《春秋》（褒贬人物而得罪了许多人）。"这是第四点言过其实的赞美。

又查考晋国的赵穿杀害了国君晋灵公，却说是赵盾杀害的；楚国江乙的母亲丢失布匹，却说是令尹偷盗的。由此可见，春秋时代有学识的人，无不把话说得精微委婉，把意思表达得隐讳深沉。这大概是当时习以为常的事，社会上的人都这样做。然而班固却在《汉书·艺文志》中说："孔子死后，他那精微言辞中包含的深远意义再也没有人能够理解了。"用精微的话语表达深远的意思，难道仅仅是孔子一个人会的吗？这是第五点言过其实的赞美。

考察这些溢美之辞，探究它们的根源，确实是由于《春秋》历来被那些通达古今的人相互继承，儒家教派的学者代代传授，既然大家想把它说得很神圣，因此就会言过其实。古语说："众人都说好，一定还要认真地考察验证。"孟子说："尧、舜已经承受不了人们给予他的赞誉，桀、纣也已经承受不了人们加在他们身上的罪恶。"探寻世人对于《春秋》的评论，难道不是看到众人都说好就不加考察地随声附和，如同尧、舜得到数不尽的赞美的情况一样吗？

从前王充著《论衡》，其中有《问孔》一篇，虽然《论语》中的大量言论，很多都受到了它的指摘，但是《春秋》中的纷杂义理，竟没有作任何阐发辨明。所以，这里扩充那些前人的旧怀疑，增加了一些自己察觉到的新见解。希望将来的学者，对于我所提出的疑问再作详细的审察。

申左第五

……大抵自古重两传而轻《左氏》者固非一家，美《左氏》而议两传者亦非一族。互相攻击，各自朋党，嗤眙纷竞①，是非莫分。然则儒者之学，苟以专精为主，至于治章句，通训释，斯则可也。至于论大体，举宏纲，则言罕兼统，理无要害。故使今古疑滞，莫得而申者焉。

必扬榷而论之，言传者固当以《左氏》为首。……盖《左氏》之义有三长，而二传之义有五短。……

丘明之《传》，所有笔削及发凡例，皆得周典，传孔子教，故能成不刊之书，著将来之法。其长一也。

……丘明既躬为太史，博总群书，至如《梼杌》、《纪年》之流，《郑书》、《晋志》之类，凡此诸籍，莫不毕睹。其传广包它国，每事皆详。其长二也。

《论语》："子曰：左丘明耻之，丘亦耻之。"夫以同圣之才，而膺授经之托，加以达者七十，弟子三千，远自四方，同在一国，于是上询夫子，下访其徒，凡所采摭，实广闻见。其长三也。

如《穀梁》、《公羊》者，生于异国，长自后来，语地则与鲁史相违，论时则与宣尼不接。安得以传闻之说，与亲见者争先乎？譬犹近世，汉之太史，晋之著作，撰成国典，时号正言。既而《先贤》、《耆旧》②、《语林》、《世说》，竞造异端，强书他事。夫以传自委巷，而将班、马抗衡；访诸古老，而与干、孙并列③，斯则难矣。彼二传之方《左氏》，亦奚异于此哉？其短一也。

《左氏》述臧哀伯谏桓纳鼎，周内史美其谠言④；王子朝告于诸侯，闵马父嘉其辨说⑤。凡如此类，其数实多。斯盖当时发言，形于翰墨；立言不朽，播于他邦。而丘明仍其本语，就加编次。亦犹近代《史记》载乐毅、李斯之文，《汉书》录晁错、贾生之笔。寻其实也，岂是子长稿削，孟坚雌黄所构者哉？观二传所载，有异于此。其录人言也，语乃龌龊，文皆琐碎。夫如是者，何哉？盖彼得史官之简书，此传流俗之口说。故使隆促各异，丰俭不同。其短二也。

寻《左氏》载诸大夫词令、行人应答，其文典而美，其语博而奥⑥，述远古则委曲如存⑦，征近代则循环可覆⑧，必料其功用厚薄，指意深浅，谅非经营草创，出自一时，琢磨润色，独成一手。斯盖当时国史已有成文，丘明但编而次之，配经称传而已也。如二传者，记言载事，失彼菁华；寻源讨本，取诸胸臆。夫自我作故，无所准绳，故理甚迂僻，言多鄙野，比诸《左氏》，不可同年。其短三也。……

若以彼三长，校兹五短，胜负之理，断然可知。……向使孔经独用，《左传》不作，则当代行事，安得而详者哉？……设使世人习《春秋》而唯取两传也，则当其时二百四十年行事，茫然阙如，俾后来学者，代成聋瞽者矣。……

[题解]

本篇继批评性的《疑古》、《惑经》二篇之后，却极力推崇《左传》。在《春秋》三传中，汉人重《公》、《穀》而轻《左传》。因为《左传》是一部历史书，一般经师既不注意史学，也不了解史学，当然不会重视。刘知几曾把它作为编年史的代表，并说"所可祖述者，惟左氏与《汉书》二家"。本篇更从史学角度，比较三传优劣，提出《左传》具有三长：一是笔削发凡，皆得周典；二是博总群书，广包他国；三是上讯夫子，下访其徒。与此相比，《公》、《穀》则有五短：一是地隔时违，传自委巷；二是语言局促，文辞琐碎；三是理甚迂僻，无所准绳；四是重述经文，无所发明；五是奖进恶徒，贻误后学。他认为《公》、《穀》五短的原因在于二传主要在阐发经义，而《左传》补充了大量史实，使得二百四十二年的历史善恶毕彰。这就充分肯定了《左传》的史学地位和史料价值。

[注释]

①哤聒（máng guō）：说话杂乱，声音嘈杂。②《先贤》、《耆旧》：原注："谓《楚国先贤传》、《汝南先贤行状》、《益部耆旧传》、《襄阳耆旧传》等书。"③"夫以"四句：旧本"干"误作"子"。浦改"班马"、"子孙"为"册府"、"同时"。今从《新校注》所引李慈铭说。④"《左氏》"二句：事见《左传》桓公二年。⑤"王子"二句：事见《左传》昭公二十年。⑥"博而奥"下：原注："如僖伯谏君观鱼，富辰谏王纳狄，王孙劳楚而论九鼎，季札观乐而谈国风，其所援引，皆据礼经之类是也。"⑦述远古则委曲如存：原注："如郑子聘鲁，言少昊以鸟名官；季孙行父，称舜举八元、八恺；魏绛答晋悼公，引《虞人之箴》；子革讽楚灵王，诵《祈招之诗》，其事明白，非是厚诬之类是也。"⑧征近代则循环可覆：原注："如吕相绝秦，述两国世隙；声子班荆，称楚材晋用；晋士渥浊谏杀荀林父，说文公大败楚于城濮，有忧色；子服景伯谓吴云，楚围宋，易子而食，析骸而爨，犹无城下之盟；祝佗称践土盟晋重耳、鲁申、蔡甲午之类是也。"

[译文]

……大抵说来，自古以来看重《公羊》、《穀梁》二传而轻视《左传》的，本来就不止一家；赞美《左传》而非议《公羊》、《穀梁》二传的，也绝不仅一派。他们互相攻击，各自结成帮派，吵吵闹闹，纷纭竞争，是非对错，难以分辨。然而儒家的那套学问，如果以专门精深为主，用来研治分章断句，疏通解释文意，这是可以的。至于从宏观上来讨论思想大体，列举纲领精要，那么言论上很少具有综合统括，义理上往往抓不住关键要害。因此使得古今学者对于一些疑惑难解的问题，不能得到进一步的解释。

假如粗略加以讨论，说起《春秋》三传，当然应该以《左传》为第一。……大概《左传》在义理方面有三个长处，而二传在义理上有五点短处。……

左丘明的《左传》，所有的添补和删削，以及发明的凡例，都深得周代礼制的精神，传承了孔子的教诲，因此能够成为不可磨灭的历史著作，为后世史书确立了良好的法则。这是它的第一个长处。

……左丘明既然亲自担任鲁国的太史，广泛汇集了各种书籍，至于像《梼杌》、《纪年》之流，《郑书》、《晋志》之类，凡是这些史籍，无不一一阅读。他的《左传》广泛包括其他各国历史，所记每一事件都很详细。这是它的第二点长处。

《论语·公冶长》说："孔子说：左丘明认为可耻，我孔丘也认为可耻。"左丘明以同样圣明的才能，而且接受孔子传授《春秋》经的嘱托，再加上当时孔门知识通达的高徒就有七十位，普通弟子多达三千人，远远从四方各国，共同集聚在鲁国，于是左丘明得以上面请教孔夫子，下面询问他的弟子，凡是他所采集选取的材料，确实能够扩充知识见闻。这是它的第三个长处。

像穀梁赤、公羊高这样的人，出生在别的国家，又生活在后来的时代。谈论地域,则与身为鲁国史官的左丘明离得很远;说起时代,则与孔夫子相距很久了,根本没有接触。怎么能用他们得自口传耳闻的说法,来与亲身见过孔子的左丘明争强斗胜呢?这就好像近代,汉代的太史公,晋代的著作郎,编撰成本朝的国史,当时号称为正统的史书。这以后又出现《楚国先贤传》、《汝南先贤行状》、《益部耆旧传》、《襄阳耆旧传》、《语林》、《世说新语》之类杂书,竞相编造不同的说法,勉强记载其他的事物。用从街谈巷议中采集而来的传说,却想和班固、司马迁等汉代史官的著作分庭抗礼;从前朝老人那里搜访到的故事,却想和干宝、孙盛等晋代史官的国史等列齐观,这是难以做到的。用那二传来和《左传》相比,与这又有什么区别呢?这是二传的第一点短处。

《左传》叙述臧哀伯劝谏鲁桓公不要把宋国贿赂的大鼎收藏在太庙,周朝内史赞美他的正直言论;王子朝作乱时通告天下诸侯,伪称自己忠诚于王室,闵马父斥其无礼,但仍然肯定他的能言善辩。凡是像这类记载人物语言的,它的数量实在很多。这大概是当时人们发表的言论,被史官用文字记录下来,于是不会轻易被埋没,并流传到了其他国家。而左丘明仍然采用原来的话语,只是在其基础上略加编排而已。这也就像近代的《史记》记载乐毅、李斯的文章,《汉书》抄录晁错、贾谊的作品一样。推寻它们的真实情况,难道是司马迁操刀弄笔、班固妄下雌黄所亲自构思写作的吗?观看二传所记载的,就与《左传》有所不同。它们记录人物的言论,语句局促丑陋,文字烦琐杂碎。出现这样的情况,是为什么呢?大概《左传》得到许多古代史官的竹简古书,二传只是传承民间流传的口头说法。因此使得它们的气度高大、狭小各有差异,内容丰富、简陋有所不同。这是二传的第二点短处。

推寻《左传》记载各国大夫的辞令、外交使者的应答,其文字典雅而又华美,其语义广博而又深奥。叙述远古人物的谈话,则委婉含蓄，栩栩如生；征引近代人物的论述，则循环往复，说理透辟。假如从社会作用的大小不等，理论意旨的深浅不同来作揣测，它们想必不可能是构思起草，出自于同一个时期的创造，琢磨润色，单独由同一个作者来完成。这大概是当时各国的国史已经有了现成的文字，左丘明只不过把它们编集起来，按时间先后确定次序，并一一分配到相应的《春秋》经文之下，称之为传而已。至于二传，无论是记载人物言论还是记载历史事件，都丢失了那些原有的精华内容；探寻事情的根源，讨论经文的本意，则完全根据作者的主观想象。这种自我创作的做法，没有什么标准法则，因此它们的道理十分迂腐怪僻，语言文字大多俚鄙粗野。和《左传》比起来，根本不能同日而语。这是二传的第三点短处。……

如果用《左传》的三个长处，对照《公羊》、《穀梁》二传的五点短处，相互之间的优劣胜负，一目了然。……假设孔子的《春秋》经独自行用于世，《左传》压根没有出现，那么当时的历史事迹，后人怎么能够详细了解呢？……假设世上的人研习《春秋》，却只依据二传的解释，那么当时二百四十年的历史事迹，迷茫不清，一片空白，只能让后世学者，一代代地都成为聋子和瞎子了。……

点烦第六

……昔陶隐居《本草》，药有冷热味者，朱墨点其名；阮孝绪《七录》，书有文德殿者①，丹笔写其字。由是区分有别，品类可知。今辄拟其事，抄自古史传文有烦者，皆以笔点其上②。凡字经点者，尽宜去之。如其间有文句亏缺者，细书侧注于其右③。或回易数字，或加足片言，俾分布得所，弥缝无阙。庶观者易悟，其失自彰，如我摭实而谈，是非苟诬前哲。……

近则天朝诸撰史者，凡有制诰，一字不遗，唯去诰首称"门下"，诏尾云"主者施行"而已。时武承嗣监修国史，见之大怒，谓史官曰："公辈是何人，而敢辄减诏书！"自是史官写诏书，虽门下赞诏亦录。后予闻此说，每喔噱而已④。必以《三王世家》相比⑤，其烦碎则又甚于斯。是知史官之愚，其来尚矣。今之作者，何独笑武承嗣而已哉！……

[题解]

所谓点烦，就是将史书中可以删除的烦琐语句，用红黄笔点出。本篇通过举例示范，来具体说明如何做到作者一再提倡的简要。可惜由于原本不存，篇中的细书侧注也多有舛误，刘知几点烦的内容今天已不得而知。近人吕思勉先生和洪业先生曾猜测刘知几的意图代为点烦，对了解本篇有所帮助。

[注释]

①文德殿：南朝梁藏书之所。刘孝标编有《文德殿四部目录》四卷，其所藏术数之书，别由祖暅编成目录。②笔点其上：原注："其点用朱粉、雌黄并得。"③细书侧注于其右：原注："其侧书亦用朱粉、雌黄等，如正行用粉，则侧注者用朱黄，以此为别。"④喔噱（wà jué）：乐不自胜，大笑不止。⑤《三王世家》：《史记·三王世家》载霍去病前后两次上疏，后疏重述前疏内容过详，且连"制曰：下御史"都重复了两次。刘知几前文已举此例，除去184字，且言："已上有言语相重者，今略点废如此。但此一篇所记全宜削除。今辄具列于斯，藉为鉴戒者尔。"

[译文]

……从前陶弘景著《本草》，对于冷热性味不同的草药，分别用朱红、墨黑两种不同颜色写出药名；阮孝绪编《七录》，对于文德殿收藏的图书，都用红笔写出书名。由此对事物作出区分，它们的不同种类一望可知。现在我就模拟他们的做法，抄出自古以来史传文字有烦芜的，都用笔在这些文字上加点。凡是经过加点的文字，全都应该删去。如果因为删简造成句子缺少而接不上，就在右侧用小字加注来联缀文意。或者改换几个字，或者补足一两句话，使得文字安排适当，天衣无缝。希望读者容易觉悟，原文过失自然暴露，像我这样选取原文实例来作评论，这决不是随便诬蔑前代的贤哲。……

近年在武则天的朝廷中各位编撰史书的人，凡是有皇帝的制诰，一字不漏地抄入史书中，仅去掉诏书开头所称的"门下"，诏书末尾所说的"主者施行"等字样而已。当时武承嗣监修国史，见到这点改动，仍然大为发怒，对史官们说："你们是什么人，竟然敢于随便删减诏书！"从此以后，史官们书写诏书，即使门下省附赞诏书的文字，也一一照录。后来我听到这种说法，常常大笑不止而已。假如拿《史记·三王世家》来作比较，它的烦琐杂碎却又比这更为严重。由此可知，史官的愚昧，来源已经很久了。当今作者，又为什么要单独讥笑武承嗣而已呢！……

杂说上第七

……《左氏》之叙事也，述行师则簿领盈视[①]，唬聒沸腾；论备火则区分在目，修饰峻整[②]；言胜捷则收获都尽，记奔败则披靡横前；申盟誓则慷慨有余，称谲诈则欺诬可见；谈恩惠则煦如春日，纪严切则凛若秋霜；叙兴邦则滋味无量，陈亡国则凄凉可悯。或腴辞润简牍，或美句入咏歌，跌宕而不群，纵横而自得。若斯才者，殆将工侔造化，思涉鬼神，著述罕闻，古今卓绝。如二传之叙事也，榛芜溢句，疣赘满行，华多而少实，言拙而寡味。若必方于《左氏》也，非唯不可为鲁、卫之政③，差肩雁行；亦有云泥路阻④，君臣礼隔者矣。……

语曰："传闻不如所见⑤。"斯则史之所述，其谬已甚。况乃传写旧记，而违其本录者乎？至如虞、夏、商、周之《书》，《春秋》所记之说，可谓备矣。而《竹书纪年》出于晋代，学者始知后启杀益，太甲杀伊尹，文丁杀季历，共伯名和，郑桓公厉王之子⑥，则与经典所载，乖剌甚多⑦。又《孟子》曰，晋谓春秋为乘。寻《汲冢琐语》，即乘之流邪？其《晋春秋》篇云："平公疾，梦朱罴窥屏。"《左氏》亦载斯事，而云梦黄熊入门⑧。必欲舍传闻而取所见，则《左传》非而晋史实矣。呜呼！向若二书不出，学者为古所惑，则代成聋瞽，无由觉悟也。

夫编年叙事，混杂难辨；纪传成体，区别易观。昔读《太史公书》，每怪其所采多是《周书》、《国语》、《世本》、《战国策》之流。近见皇家所撰《晋史》，其所采亦多是短部小书，省功易阅者，若《语林》、《世说》、《搜神记》、《幽明录》之类是也。如曹、干两氏《纪》⑨，孙、檀二《阳秋》，则皆不之取。故其中所载美事，遗略甚多⑩。若以古方今，则知史公亦同其失矣。斯则迁之所录，甚为肤浅，而班氏称其勤者，何哉？……

《魏世家》太史公曰："说者皆曰魏以不用信陵君，故国削弱，至于亡。余以为不然。天方令秦平海内，其业未成，魏虽得阿衡之徒⑪，曷益乎？"夫论成败者，固当以人事为主，必推命而言，则其理悖矣。盖晋之获也，由夷吾之愎谏⑫；秦之灭也，由胡亥之无道；周之季也，由幽王之惑褒姒；鲁之逐也，由稠父之违子家⑬。然则败晋于韩，狐突已志其兆⑭；亡秦者胡，始皇久铭其说⑮；檿弧箕服，彰于宣、厉之年⑯；征褰与襦，显自文、成之世⑰。恶名早著，天孽难逃。假使彼四君才若桓、文，德同汤、武，其若之何？苟推此理而言，则亡国之君，他皆仿此，安得于魏无讥者哉？……

夫推命而论兴灭，委运而忘褒贬，以之垂诫，不其惑乎？自兹以后，作者著述，往往而然。如鱼豢《魏略》、虞世南《帝王论》⑱，或叙辽东公孙之败⑲，或述江左陈氏之亡⑳，其理并以命而言，可谓与子长同病者也。……

[题解]

《杂说》分为上、中、下三篇，以札记形式评论各种历史著作中存在的错误或瑕疵。吕思勉先生以为其"议论皆已见他篇中，此盖其初以札记之稿，正论成后，仍未删除"。大致按史书先后编排，每书各举一二条至十条不等，多有创见，可与《内篇》诸论相参。其中体现了刘氏撰史的原则：一是前后体例要一致；二是不能采用文学创作的写法创作；三是人物语言要真实，不能故意引经据典来修饰；四是撰史者需要具备广博的知识和深邃的历史眼光。本篇为其上篇，包括评论《春秋》至"诸汉史"的札记二十五条，今节选其中五条。

[注释]

①簿领：官府记事的簿册或文书。②备火：防备火灾。《左传》襄公九年："宋灾。乐喜为司城，以为政，使伯氏司里。火所未至，彻小屋，涂大屋，陈畚挶，具绠缶，备水器，量轻重，蓄水潦，积土涂，巡丈城，缮守备，表火道。使华臣具正徒，令隧正纳郊保奔火所。"一说"备火"泛指兵器与士兵。③鲁、卫之政：《论语·子路》："鲁卫之政，兄弟也。"④云泥路阻：云在天，泥在地。常指人地位悬隔，无路相通。⑤传闻不如所见：《风俗通义·正失》："传闻不如亲见。"⑥厉王：《史记·郑世家》："郑桓公友者，周厉王少子，宣王庶弟也。"此处既然说《竹书纪年》与传统说法不同，则不当亦作厉王，故浦"疑本作'宣王'"。⑦刺（lá）：违逆。⑧梦黄熊入门：《左传》昭公十七

年:"梦黄熊入于寝门。"⑨曹:指西晋曹嘉之,撰《晋纪》十卷。⑩遗略甚多:原注:"刘遗民、曹缵皆于檀氏《春秋》有传,至于今《晋书》,则了无其名。"⑪阿衡:《史记·殷本纪》:"伊尹,名阿衡。"⑫"盖晋"二句:晋惠公,名夷吾。因不听庆郑之谏,败于韩原,被秦人俘获。庆郑说他:"愎谏违卜,固败是求。"事见《左传》僖公十五年。⑬"鲁之"二句:鲁昭公,名稠,又称稠父。昭公伐三桓,反为所败,逃奔齐国。事见《左传》昭公二十五年。⑭狐突已志其兆:在韩原之战前数年,晋狐突路遇太子申生的鬼魂,说已请于上帝,让晋惠公败于韩。事见《左传》僖公十年。⑮"亡秦"二句:燕人卢生为秦始皇入海求仙人不死之药,回来后上奏一部图谶,说:"亡秦者,胡也。"事见《史记·秦始皇本纪》。⑯"檿弧"二句:《国语·郑语》载周宣王时有童谣曰:"檿弧箕服,实亡周国。"檿弧箕服,用山桑木做的弓弧,用箕木做的箭袋。传说周宣王听说有对夫妇卖这种器物,下令把他们抓起来杀掉,他们在逃跑的路上捡到一个女婴,将其带入褒国,就是后来的褒姒。⑰"征褰"二句:《左传》又载鲁昭公时师己说文公、成公时就有童谣,借鸜鹆之口说:"公在乾侯,征褰与襦。"意为昭公在干侯,鸜鹆为他送裤子和内衣。⑱虞世南:字伯施,余姚(今属浙江)人。隋末授秘书郎,撰《北堂书抄》。唐太宗时任秘书监,常与之谈论历代帝王得失,著《帝王略论》五卷,有辑本。⑲叙辽东公孙之败:原注:"鱼豢《魏略》议曰:当青龙、景初之际,有彗星出于箕而上彻,是为扫除辽东而更置也。苟其如此,人不能违,则德教不设而淫滥首施,以取族灭,殆天意也。"⑳或述江左陈氏之亡:原注:"虞世南《帝王略论》曰:永定元年,有会稽人史溥为扬州从事,梦人著朱衣武冠,自天而下,手执金版,有文字。溥看之,有文曰:'陈氏五主,三十四年。'谅知冥数,不独人事。"

[译文]

……《左传》的叙事,叙述行军打仗的过程,则让人似乎看到了将领运筹于帷幄之中,文书频繁传递,战场上杀声震天,群情沸腾。谈论防备火灾的部署,则各个部门职责分明,让人看得一目了然,有条有理,严整不乱。说起战争胜利的情况,则缴获的战利品陈列整齐,尽收眼底;描述战败逃跑的景象,则人仰马翻,尸横遍野,仿佛就在面前。申述诸侯结盟的誓词,则听起来慷慨激昂,余音缭绕;描写尔虞我诈的阴谋,则欺骗手段可以看得很清楚。谈到君主的恩惠,则让人感受到像春天阳光下的温暖;记录政令的严酷,则令人感觉到如秋天严霜中的寒冷。叙述国家兴起时的气象,则有滋有味,让人兴致盎然;陈述国家灭亡时的情景,则凄凄凉凉,令人顿生怜悯。它有的文辞丰腴,写在简牍上就像给它滋润了光泽;有的文句优美,添入歌曲里就可以直接传唱。它的文章风格是跌宕起伏,不同流俗;纵横恣肆,自具特性。像这样的天才创作,大概文笔精巧,可以和自然造化相媲美,构思奇妙,进入到鬼使神差的境界,其他著述中很少听说,古今历史上无比卓越。至于《公羊》《穀梁》二传的叙事,就像榛木丛生芜杂,到处有多余的字句,又像皮肤长出赘疮,满行是空洞的废话,犹如满树繁花却很少结成果实,真是文辞拙劣而令人索然寡味。如果要把它们和《左传》相比,非但不能比作鲁国和卫国的政治状况那样,因为鲁、卫政治状况就像人体高矮只有一肩之差,雁队飞行处在一群之中,相差无几;而是有如天上的云彩和地下的污泥,距离遥远且无路可通,又如君主和臣下,被礼教名分隔断,身份完全不同。……

  古语说:"耳闻不如目见。"这说明史书所记述的,(因其大多不是史官亲眼所见),谬误已经很多。况且那些传抄先前的史书,而违背本来的记录的呢?比如《尚书》中有虞、夏、商、周各代的专门文献,《春秋左传》中也记载了一些相关的说法,可以说是上古历史最完备的材料了。但《竹书纪年》在晋代重新出现以后,学者们才开始知道夏王启杀死了益,太甲杀死了伊尹,文丁杀死了季历,共伯的名字叫和,郑桓公是周厉王的儿子,这些说法与古代经典所记载的,互相违背的地方很多。另外,《孟子》说,晋国称史书为乘。推寻《汲冢琐语》,大概就是"乘"之类的晋国史书吧?其中《晋春秋》篇说:"平公生病,梦见红色的熊在窥视着屏风。"

《左传》也记载了这件事情，却说是梦见黄色的熊进入门内了。假如一定要舍弃传闻的说法而信取亲眼所见的记载，那么鲁人的《左传》只能是后来的传闻因而是不真实的，而《晋春秋》有可能出于晋国史官亲眼所见因而更加真实一些。唉！假如《竹书纪年》、《汲冢琐语》二书没有重新出现，学者们被古书所欺骗，那么一代代地都将成为聋子和瞎子，永远无法察觉和感悟到这些错误。

编年体的叙事方式，各种事情都混杂编在一起，很难分辨它采用了哪些不同的材料；纪传史书由不同的部分组成一个完整的体例，各个部分所依据的材料往往不同，分别加以考察很容易看出来。从前我阅读太史公司马迁的《史记》，常常奇怪他所采录的，很多是《逸周书》、《国语》、《世本》、《战国策》之类不太经典的书籍。最近见到本朝所编撰《晋书》，它所采录的也大多是些篇幅短小、省事好看的笔记小说等，像《语林》、《世说新语》、《搜神记》、《幽明录》之类就是。至于像曹嘉之、干宝两家的《晋纪》，孙盛、檀道鸾二人的正续《晋阳秋》，则都没有采录。因此，这几种史书中所记载的美好事情，新修《晋书》中遗漏了很多。如果用古代史书来和现代史书相比，那么就可以知道司马迁也犯了同样的过失。这说明司马迁所作编录，其实相当肤浅，然而班固却称赞他用力很勤奋，这是为什么呢？……

司马迁在《史记·魏世家》篇末用"太史公曰"的方式评论道："论述历史的人都说，魏国因为不重用信陵君，所以才国力削弱，直到灭亡。我认为这种说法是不正确的。上天正在使秦国平定海内，这个统一大业没有完成（是不会停下的），魏国即使得到伊尹这样的贤相，又有什么用处呢？"评论一个国家的成败兴亡，本来应当主要从人事上去考察，假如通过推算天命来谈论，那么说出来的道理肯定会违背事实。大概晋惠公夷吾在韩地被秦人打败、俘虏，是由于他刚愎自用，不听劝谏；秦朝灭亡，是由于秦二世胡亥暴虐无道；周代衰败，是由于周幽王被褒姒迷惑；鲁昭公稠父被放逐，是由于他违背了子家的劝告。然而，晋将要在韩地打败仗，狐突曾经记录过这一预兆；使秦朝灭亡的人与"胡"有关，秦始皇时久已有了这一说法；周宣王、厉王时的童谣明说，拿着山桑木做的弓弧和箕木做的箭袋的人将要使周朝灭亡；鲁文公、成公时的童谣预言，逃亡在外的鲁昭公请求给他送去裤子和内衣。这四位君主早已恶名昭著，上天才会降祸惩罚，且难以逃脱。假如这四位君主才能好像齐桓公、晋文公，品德如同商汤、周武王，上天又怎能奈何得了他们呢？如果从这个道理推广来说，那么亡国的君主，其他人也都和这四位君主相似，怎么能对魏末亡国之君没有讥讽呢？……

推算天命来谈论国家的成败兴亡，把一切都归之于命运的安排，而忘记了人事得失的褒扬和贬抑，并以此来垂诫后世，岂不是很荒唐吗？从这以后，史学家们的著述，往往都是这样做的。比如鱼豢的《魏略》、虞世南的《帝王略论》，或者叙述辽东公孙氏的失败，或者记载江南陈朝的灭亡，都是用天命观来谈论道理，可以说与司马迁犯了同样的毛病。……

杂说中第八

……夫学未该博，鉴非详正，凡所修撰，多聚异闻。其为踳驳，难以觉悟。按应劭《风俗通》，载楚有叶君祠，即叶公诸梁庙也。而俗云孝明帝时，有河东王乔为叶令，尝飞凫入朝。及干宝《搜神记》，乃隐应氏所通，而收其流俗怪说[1]。又刘敬叔《异苑》称晋武库失火，汉高祖斩蛇剑穿屋而飞[2]。其言不经，故梁武帝令殷芸编诸《小说》[3]。及萧方等撰《三十国史》[4]，乃刊为正言。既而宋求汉事，旁取令升之书；唐征晋语，近凭方等之录。编简一定,胶漆不移。故令俗之学者,说凫履登朝,则云《汉书》旧记[5];谈蛇剑穿屋,必曰晋典明文[6]。摭彼虚词,成兹实录。语曰三人成市虎[7],斯言其得之者乎!……

近者宋临川王义庆,著《世说新语》,上叙两汉、三国,及晋中朝、江左事。刘峻注释,摘其瑕疵,伪迹昭然,理难文饰。而皇家撰《晋史》,多取此书。遂采康王之妄言,违孝标之正说。以此书事,奚其厚颜!……

或问曰:王劭《齐志》多记当时鄙言,为是乎?为非乎?对曰:古往今来,名目各异。区分壤隔,称谓不同。所以晋、楚方言,齐、鲁俗语,六经诸子,载之多矣。自汉已降,风俗屡迁,求诸史籍,备睹其事。或君臣之目,施诸朋友;或尊官之称,属诸君父。曲相崇敬,标以处士、王孙[8];轻加侮辱,号以仆夫、舍长[9]。亦有荆楚训多为夥[10],庐江目桥为圯[11];南呼北人曰伧[12],西谓东胡曰虏。渠、们、底、个,江左彼此之辞[13];乃、若、君、卿,中朝汝我之义。斯并因地而变,随时而革,布在方册,无假推寻。足以知氓俗之有殊,验土风之不类。然自二京失守,四夷称制,夷夏相杂,音句尤媸。而彦鸾、伯起,务存隐讳[14];重规、德棻,志在文饰。遂使中国数百年内,其俗无得而言。盖语曰:"知古而不知今,谓之陆沉[15]。"又曰:"一物不知,君子所耻[16]。"是则时无远近,事无巨细,必籍多闻,以成博识。如今之所谓者,若中州名汉,关右称羌,易臣以奴,呼母云姊。主上有大家之号,师人致儿郎之说[17]。凡如此例,其流甚多。必寻其本源,莫详所出。阅诸《齐志》,则了然可知。由斯而言,劭之所录,其为弘益多矣。足以开后进之蒙蔽,广来者之耳目。微君懋,吾几面墙于近事矣[18],而子奈何妄加讥诮者哉!

皇家修五代史,馆中坠稿仍存,皆因彼旧事,定为新史。观其朱墨所图[19]，铅黄所拂，犹有可识者。或以实为虚，以是为非。其北齐国史，皆称诸帝庙号。及李氏撰《齐书》，其庙号有犯时讳者，即称谥焉。至如变"世祖"为"文襄"，改"世宗"为"武成"，苟除兹"世"字，而不悟襄、成有别[20]。诸如此谬，不可胜纪。故其列传之叙事也，或以武定臣佐降在成朝，或以河清事迹擢居襄代。故时日不接，而隔越相偶，使读者瞀乱而不测，惊骇而多疑。嗟乎！因斯而言，则自古著书，未能精覈，书成绝笔，而遽捐旧章，遂令玉石同烬，真伪难寻者，不其痛哉！

今俗所行周史，是令狐德棻等所撰。其书文而不实，雅而无检，真迹甚寡，客气尤烦[21]。寻宇文初习华风，事由苏绰[22]。至于军国词令，皆准《尚书》。太祖敕朝廷，他文悉准于此。盖史臣所记，皆禀其规。柳虬之徒[23]，从风而靡。按绰文虽去彼淫丽，存兹典实。而陷于矫枉过正之失，乖夫适俗随时之义。苟记言若是，则其谬逾多。爰及牛弘，弥尚儒雅。即其旧事，因而勒成。务累清言，罕逢佳句。而令狐不能别求他述，用广异闻，唯凭本书，重加润色[24]。遂使周氏一代之史，多非实录者焉。……

[题解]

本篇为《杂说》的中篇，包括评论"诸晋史"至《隋书》的札记十六条，今节选其中五条。

[注释]

①"按应"诸句：应劭《风俗通义》"叶令祠"条引俗说，汉明帝时王乔为叶令，有神术，上朝时不见人影，只见双凫飞来，明帝令人伏伺，见凫举罗，只得一双鞋子，正是赐给王乔的官履。又引《左传》考证叶令当为春秋时的叶公子高，姓沈名诸梁，认为俗说是"世之矫诬"。而干宝《搜神记》仅载俗说，没有提应劭的考证。②"又刘"二句：刘敬叔，南朝宋彭城（今江苏徐州）人。与刘裕共举义旗，封南平郡公。其《异苑》卷二"武库火"条

云:"晋惠帝元康五年,武库火,烧汉高祖斩白蛇剑、孔子履、王莽头等三物,中书监张茂先惧难作,列兵陈卫,咸见此剑穿屋飞去,莫知所向。"③殷芸(471—529):字灌蔬,南朝陈郡长平(今河南西华东北)人。梁武帝时直东宫学士省。著有《小说》十卷,为古代最著名的笔记小说之一。④萧方等(528—549):字实相,梁元帝萧绎长子。所著《三十国春秋》,以晋为主,附列刘渊以下二十九国。⑤《汉书》:《后汉书》的省称,其《王乔传》录飞凫事。⑥晋典明文:指《晋书·张华传》载蛇剑穿屋事。⑦三人成市虎:即"三人成虎"的典故,出《韩非子·内储说上》。⑧处士:未仕或不仕的士人。始见于《孟子·滕文公下》:"处士横议,杨朱、墨翟之言盈天下。"至《史记》,则将伊尹、吕尚未遇前都称为处士。王孙:周代只称周王之孙,汉人则常用作人名、字号。⑨仆夫、舍长:马夫、管客舍的人。汉唐时用作轻侮他人的代称,并不常见。唯《晋书·元帝纪》载司马睿早年避祸过河阳,"为津吏所止,从者宋典后来,以策鞭帝马而笑曰:'舍长!官禁贵人,汝亦被拘邪!'"⑩荆楚训多为夥:《史记·陈涉世家》:"夥颐!涉之为王沉沉者!"索隐:"服虔云:楚人谓多为夥。"《方言》:"凡物盛多谓之寇,齐宋之郊、楚魏之际曰夥。"⑪庐江目桥为圯(yí):《史记·留侯世家》:"(张)良尝闲从容步游下邳圯上。"徐广注:"圯,桥也,东楚谓之圯。"庐江即今安徽合肥一带,古属东楚。⑫南呼北人曰伧:《晋书·周玘传》:"将卒,谓其子曰:'杀我者,诸伧子,能复之,乃吾子也。'吴人谓中州人曰'伧',故云耳。"又《陆玩传》:"仆虽吴人,几为伧鬼。"⑬"渠、们"二句:《三国志·吴书·赵达传》:"女婿昨来,必是渠所窃。""们、底、个"作"彼此之辞",在唐初所存各家汉魏六朝史书中当有用例。⑭务存隐讳:原注:"谓'长'为'藏',盖为姚苌讳。"⑮"知古"二句:语出《论衡·谢短》。陆沉,原意为陆地无水而沉没,比喻隐居、埋没、沦陷等,此指愚昧迂执、不合时宜。⑯一物不知,君子所耻:崔瑗《张平子碑》称张衡:"一物不知,实以为耻。"《南史·隐逸传》称陶弘景:"一事不知,以为深耻。"⑰"若中"六句:下文说这六种称呼都见于《齐志》,今存文献可考者,北齐名"汉",下篇原注引《齐志》"宇文公呼高祖曰'汉儿'";称北周为"西羌",见《北齐书·段韶传》;北方政权臣下自称为"奴",见《宋书·鲁爽传》;称母亲为"姊姊",

见《北齐书·文宣后李氏传》；称士兵为儿郎，见《旧唐书·封常清传》；称皇帝为"大家"者既早且多，蔡邕《独断》云："天子无外，以天下为家，故称大家。"⑱面墙：《书·周官》："不学墙面，莅事惟烦。"孔传："人而不学，其犹正墙面而立，临政事必烦。"后因以"面墙"比喻不学而见识浅薄。⑲图：通"涂"，涂改。⑳"至如"四句：高澄（521—549）在东魏孝静帝武定（543—550）年间把持朝政。北齐建立后，追尊庙号世宗，谥号文襄。高湛（537—569）庙号世祖，谥号武成，河清（562—565）为其年号。《北齐书》因避李世民讳去庙号而称谥号，而有时误将"世祖"改为"文襄"，"世宗"改为"武成"。浦不明文意，将"世祖"、"世宗"互换。今从余嘉锡之说，见《四库提要辩证》卷三。㉑客气：指文章虚夸浮泛。㉒苏绰（498—546）：字令绰，北周京兆武功（今陕西武功西）人。《周书》本传载太祖命其依《尚书》体为《大诰》，"自是之后，文笔皆依此体"。㉓柳虬（501—554）：北周河东解（今山西永济）人。《周书》本传称："虬雅好属文。时人论文体者，有古今之异。虬以为时有古今，非文有今古，作《文质论》。"㉔"重加润色"下：原注："案宇文氏事多见于王劭《齐志》、《隋书》及蔡允恭《后梁春秋》。其王褒、庾信等事，又多见于萧韶《太清记》、萧大圜《淮海乱离志》、裴政《太清实录》、杜台卿《齐纪》。而令狐德棻了不兼采，以广其书。盖以其中有鄙言，故致遗略。"

[译文]

……如果一个人学问不够完备广博，鉴识不能全面正确，凡是他所修撰的史书，大多汇聚民间奇异的传闻而成。这样的史书内容驳杂，作者自己却难以认识到这一点。查考应劭的《风俗通义》，记载楚地有叶君祠，就是春秋时叶诸梁的庙。又提到一种民间传说，说是汉明帝时有个河东人王乔担任叶县令，曾经化作野鸭飞翔入朝。到干宝写《搜神记》，就隐略了应劭所主张的正确说法，而只把他驳斥的这种民间传说收入书中。另外刘敬叔的《异苑》说，晋惠帝时收藏兵器的仓库发生火灾，库中所藏汉高祖刘邦的斩蛇剑穿透屋壁，飞得无影无踪。这种说法荒诞不经，因此梁武帝让殷芸编入《小说》中。到萧方等编撰《三十国春秋》时，竟把它当作正规的记载编进了史书。后来南朝宋范晔编撰《后汉书》，搜求汉代史事，广泛采用了干宝书中的材料；唐代新修《晋书》，征求晋代史事，就近依据了萧方等书中的记录。正式史书一旦编定，就让人深信不疑，很难改变了。因此使得社会上的普通学者，说起王乔把鞋子化作野鸭飞翔上朝，就说是《后汉书》的原有记载；谈到刘邦的斩蛇剑穿透屋壁飞走，必定说是《晋书》的显著文字。采录那些小说中的虚诞材料，把它们变成了这种史书中的貌似真实的记录。《韩非子·内储说上》说，三个人都说街市上有老虎，原来不信的人也会相信了。这种说法大概是有点道理的吧！……

近代南朝宋临川王刘义庆著《世说新语》，叙述两汉、三国以及西晋、东晋的事情。刘孝标在注释时，指出了书中存在的缺点，虚假的痕迹清晰可见，按理说已经难以掩饰。然而本朝编撰《晋书》，很多内容都是取自这部书。于是采用了刘义庆的胡言乱语，违背了刘孝标的正确说法。用这样的态度来记载历史，是多么厚颜无耻啊！……

或许有人会问道：王劭的《齐志》记载了很多当时粗鄙的方言俚语，这种做法是对的，还是错的？我的回答是：从古到今，事物的名称各有差异。由于地域的分隔，各地人们对事物的称呼也不相同。所以，秦朝以前晋国、楚国的方言，齐国、鲁国的俗语，在六经、诸子中，已经记载得很多了。自从汉代以后，风俗不断地变化，从史书中寻求，也可以粗略看到这方面的事情。有人把君臣相互的称呼，用到朋友之间；有人把下级官员对上级官员的称呼，用到君主和父亲身上。表示对人特别推崇尊敬，就把没有官职、普通出身的人都标榜为"处士"、"王孙"；对人轻易加以侮辱，就把不是马夫、馆舍管理人员也骂作"仆夫"、"舍长"。另外还有荆楚一带人说众多为"夥"，庐江地区把桥梁叫做"圯"，江南称北方人叫"伧"，西部的人称东胡为"虏"。渠、们、底、个，这是江南人彼此称呼的人称代词；乃、若、君、卿，在中原一带人你呼我叫时表示"你"的意思。这都是因为地域的不同而有变化，随着时间的推移而有改换的，散布在汉魏六朝史书中，不需要借助其他材料来作考察，就足以知道历代民间习俗有所差别，验证各地地方风俗不太一样。然而，自从汉魏西晋相继灭亡，长安、洛阳两座古都先后失守，中原地区被北方各种少数民族统治，少数民族与华夏民族相互混杂，语音和词句特别粗陋难听。但是，魏收、崔鸿编撰北魏、十六国史书，力求替这些少数民族政权隐瞒事实、避讳君主的名字；李百药、令狐德棻编撰北齐、北周两代史书，专心于使用文雅的词句来粉饰其落后的文化。于是使得中原地区数百年之内，它的风俗及其变化状况无法谈论。古语说："只知道古代而不了解当今，这叫做陆沉。"又说："哪怕只有一种事物不知道，君子都会感到耻辱。"这说明时间没有远近，事情不管大小，必须借助于多见多闻，来成就广博的见识。然而，像当今社会上所通行的称谓，如称中原为"汉"，称关西为"羌"，臣下对君主自称改叫"奴"，儿子称呼母亲改叫"姊"，君主又有"大家"的别称，士兵得到"儿郎"的叫法。凡是像这一类的事例，很多很多。假如要探寻它们的起源，都不能详细知道出现在什么时代。但如果阅读一番《齐志》，就能够知道得清清楚楚。由此来说，王劭对方言俚语的记录，好处是很多的，足以开启后辈被蒙蔽的视野，增广将来人们的见闻。假如没有王劭，我对许多近代史事几乎像面墙而立，一无所知了。而你为什么要轻率地加以讥讽嘲笑呢！

本朝编撰梁、陈、北齐、北周、隋五代的史书，史馆中至今还保存着誊抄正本后废弃留下来的原稿，都是根据那些原来的五代国史，改编定型为新史书的。观看原稿上用红、黑色的笔墨所作的涂改，用铅黄抹掉原来字句的痕迹，仍然可以清晰辨认出来。有的把真实的改成了虚假的,有的把正确的改成了错误的。其中北齐原来的国史,都称各个帝王的庙号。到了李百药编撰《北齐书》,那些庙号中有犯唐太宗李世民讳的,就都改称谥号了。至于像把"世祖"改为"文襄",把"世宗"改为"武成",随便去掉了这些带"世"字的庙号,却没有察觉到自己把文襄帝高澄和武成帝高湛的庙号区别搞错了。像这样的错误,多得数也数不清。因此,在列传的叙事中,有的把与文襄同时的东魏武定(543—550)年间的臣子下移到武成时期,有的把武成河清(562—565)年间的事迹提前到文襄时代。所以时间相近的事情衔接不上,而相隔一代的人反而碰在了一起,使得读者眼花缭乱而想不明白,惊讶奇怪而颇多疑惑。唉!由此来说,自古以来编撰史书,没有能够做到精审正确,新书写成以后,却立即将原来的史书废弃掉,于是使得玉石俱焚,真假难以探寻,岂不是令人十分痛心吗!

当今社会上所通行的《周书》,是令狐德棻等人所编撰的。这部书华美而不切实际,典雅而没有法度,真实的内容很少,虚假的成分特多。探寻宇文氏最初学习华夏的文风,事情是从苏绰开始的。他甚至于起草有关军国大事的公文政令,词句笔法都模仿《尚书》。周太祖命令朝廷上下,其他文章全部以此为标准。大概史官所记载的,也都遵照这一规定。柳虬这样的人,无不随从这股风气,而为之倾倒。查考苏绰的文章,虽然去掉了南北朝后期以来那种过分华丽的风格,能够保存许多典雅实在的内容,然而又陷入到矫枉过正的过失,违背了文章要适应社会、追随时代而变化的原则。如果像这样模仿古书来记录后世言论,那么出现的谬误会更多。等到了牛弘,更加崇尚儒雅的文风,就根据这些原有的材料,编成了北周史书。他力求堆积出清爽古雅的文字,很少看他描写出富有时代气息的佳句。然而,令狐德棻不能另外搜求其他记载,用来增广异闻,而是仅仅依凭牛弘的史书,重新加以润色。于是使得北周一代的史书，内容大多不是实录。……

杂说下第九

……昔刘勰有云："自卿、渊已前，多役才而不课学；向、雄已后，颇引书以助文①。"然近史所载，亦多如是。故虽有王平所识，仅通十字②；霍光无学，不知一经③。而述其言语，必称典诰。良由才乏天然，故事资虚饰者矣。

按《宋书》称武帝入关，以镇恶不伐，远方冯异④；于渭滨游览，追思太公⑤。夫以宋祖无学，愚智所委⑥，安能援引古事，以酬答群臣者乎？斯不然矣。更有甚于此者，睹周、齐二国，俱出阴山，必言类互乡，则宇文尤甚⑦。而牛弘、王劭，并掌策书，其载齐言也，则浅俗如彼；其载周言也，则文雅若此。夫如是，何哉？非两邦有夷夏之殊，由二史有虚实之异故也。夫以记宇文之言，而动遵经典，多依《史》、《汉》⑧，此何异庄子述鲋鱼之对⑨，而辩类苏、张，贾生叙鵩鸟之辞，而文同屈、宋。施于寓言则可，求诸实录则否矣。世称近史编语，唯周多美辞。夫以博采古文，而聚成今说，是则俗之所传有《鸡九锡》、《酒孝经》、《房中志》、《醉乡记》⑩，或师范五经，或规模三史，虽文皆雅正，而事悉虚无，岂可便谓南、董之才，宜居班、马之职也？……

夫十室之邑，必有忠信，欲求不朽，弘之在人。何者？交阯远居南裔，越裳之俗也⑪；敦煌僻处西域，昆戎之乡也。求诸人物，自古阙载。盖由地居下国，路绝上京，史官注记，所不能及也。既而士燮著录⑫，刘昞裁书，则磊落英才，粲然盈瞩者矣。

向使两贤不出，二郡无记，彼边隅之君子，何以取闻于后世乎？是知著述之功，其力大矣。岂与夫诗赋小技，校其优劣者哉？……

又观世之学者，或耽玩一经，或专精一史。谈《春秋》者，则不知宗周既陨，而人有六雄；论《史》、《汉》者，则不悟刘氏云亡，而地分三国。亦犹武陵隐士，灭迹桃源，当此晋年，犹谓暴秦之地也[13]。假有学穷千载，书总五车[14]，见良直而不觉其善，逢牴牾而不知其失。葛洪所谓藏书之箱箧，五经之主人。而夫子有云："虽多亦安用为？"其斯之谓也。……

史者固当以好善为主，嫉恶为次。若司马迁、班叔皮，史之好善者也；晋董狐、齐南史，史之嫉恶者也。必兼此二者，而重之以文饰，其唯左丘明乎！自兹已降，吾未之见也。

夫所谓直笔者，不掩恶，不虚美，书之有益于褒贬，不书无损于劝诫。但举其宏纲，存其大体而已。非谓丝毫必录，琐细无遗者也。如宋孝王、王劭之徒，其所记也，喜论人帷簿不修[15]，言貌鄙事，讦以为直，吾无取焉。……

[题解]

本篇为《杂说》的下篇，包括评论"诸史"至"杂说"的札记二十五条，今节选其中六条。

[注释]

①"自卿"四句：引文出《文心雕龙·才略》，"役"原作"俊"。卿指司马相如，字长卿；渊指王褒，字子渊。②王平所识，仅通十字：《三国志·蜀志·王平传》："平字子均。生长戎旅，手不能书，其所识不过十字。而口受作书，皆有意理。"③霍光无学，不知一经：《汉书·霍光传》赞曰："光不学无术，闇于大理。"④镇恶不伐，远方冯异：南朝宋将王镇恶为人谦虚，不居功自傲，宋武帝刘裕将其比作东汉名将冯异。见《宋书》本传。⑤渭滨游

览,追思太公:宋武帝北伐,至渭滨,叹曰:"此地宁复有吕望耶?"事见《南史·郑鲜之传》。⑥宋祖无学,愚智所委:《宋书·郑鲜之传》:"高祖少事戎旅,不经涉学","谓人曰:我本无术学,言义尤浅。"委,知道。⑦宇文尤甚:原注:"案王劭《齐志》,宇文公呼高祖曰'汉儿'。夫以献武音词未变胡俗,王、宋所载,其鄙甚多矣。周帝仍称之以华夏,则知其言不逮于齐远矣。"⑧动遵经典,多依《史》、《汉》:原注:"《周史》述太祖论梁元帝曰:'萧绎可谓天之所废,谁能兴之者乎?'又宇文测为汾州,或谮之,太祖怒曰:'何为间我骨肉,生此贝锦?'此并《六经》之言也。又曰:'荣权,吉士也,寡人与之言无二。'此则《三国志》之辞也,其余言皆如此,岂是宇文之语耶?又案裴政《梁太清实录》称元帝使王琛聘魏,长孙俭谓宇文曰:'王琛眼睛全不转。'公曰:'瞎奴使痴人来,岂得怨我?'此言与王、宋所载相类,可谓真宇文之言,无愧于实录矣。"⑨鲋鱼之对:《庄子·外物》的一则寓言,鲋鱼求斗升之水,庄周让它等着,说要"激西江之水而迎子",鲋鱼说:"此不如早索我于枯鱼之肆。"⑩"是则"句:《鸡九锡》、《酒孝经》、《醉乡记》分别为袁淑、刘炫、王绩所著。《房中志》或谓皇甫松撰,松晚唐人,非。⑪"交阯"二句:《后汉书·南蛮传》:"交阯之南,有越裳国。"一般认为在今老挝、缅甸一带。⑫士燮:字彦威,苍梧广信(今广西梧州一带)人。三国吴交阯太守。《隋书·经籍志》旧事类:"《交州杂事》九卷,记士燮及陶璜事。"此书非士燮所著。但《士燮集》五卷,唐代尚存,其中或载交阯人物事迹。⑬"亦犹"四句:用陶渊明《桃花源记》典故。⑭书总五车:《庄子·天下》:"惠施多方,其书五车。"⑮帷薄不修:贾谊《新书·阶级》:"坐秽污姑、妇、姊、姨、母,男女无别者,不谓污秽,曰帷薄不修。"

[译文]

……从前刘勰说过:"在司马相如、王褒以前,作者大多是凭着才气写文章,而不督促自己钻研学问;刘向、扬雄以后,经常喜欢引经据典,用来给自己的文章增添光彩。"然而近代史书中的记载,大多也是这样的情形。因此,即使王平所认识的字,仅有寥寥的十个,霍光不学无术,不熟悉任何一部经书,但史书中叙述他们的言谈,必定要引经据典。这确实由于编撰者缺乏天生自然的才气,因此只能凭借这种虚假文饰的方式来记载史事。

　　查考《宋书》记载,宋武帝刘裕入关攻占长安时,认为将军王镇恶不夸耀战功,把他比作久远以前的东汉名将冯异;在北伐经过渭水边上时,想起曾在那里垂钓的姜太公。以宋武帝那样一个没有学问的人,这一点是无论愚人智者众所周知的,怎么能够这样随时恰当地引用古代史事,来和群臣应酬对答呢?这肯定不是真实的情形。还有比这个事例更加过分的是,看看北周、北齐二国的君主,都是来自于阴山一带的,假如要说他们的语言就像孔子所谓互乡人那样粗鄙,那么北周的宇文氏的程度更为严重。然而,牛弘、王劭二人,在隋代同时分别负责二国史书的编撰,王劭《齐志》记载齐人的语言,是那样浅薄粗俗;牛弘《周史》记载周人的语言,却是如此地文雅。出现像这样的情形,这是为什么呢?显然并不是两个国家之间有少数民族和华夏民族语言文化上的差别,而是由于两部史书有虚假和真实的差异这一缘故。作为记载宇文氏语言的《周史》,却动不动就模仿先秦经典,很多地方都依照《史记》、《汉书》。这和庄子叙述鲋鱼的应对,却能言善辩得像苏秦、张仪,贾谊《鹏鸟赋》叙述鹏鸟的言辞,却如同屈原、宋玉的文赋,有什么区别呢?这样的做法用在寓言上是可以的,用在以实录为原则的史书上就不行了。世上的人都称赞,近代史书编录进去的人物口语,只有北周史书中有很多美妙的言辞。通过广泛采录古书中的文辞,而编集成为今人口头的语言,这样的做法也值得称赞的话,那么社会上所流传的《鸡九锡》、《酒孝经》、《房中志》、《醉乡记》之类杂书,有的学习五经,有的模仿三史,即使文辞都很典雅正规,但是事情全是虚构出来的,难道就可以称它们的作者具有南史、董狐那样的史学才能,适合担任班固、司马迁等史官的职务了吗?……

　　有十户人家的村落,必定会有忠诚的人,而要想让这些人的美名永远流传下去,主要在于地方上有人来宣传弘扬。为什么这样说呢？交趾地处在遥远的南部边疆，通行的是古代越裳国的风俗；敦煌地处于偏僻的西域地区，原来是周代昆戎的家乡。探求两地的人物，自古以来缺少记载。大概由于它们是地处边远、依附中原的小国，距离中原王朝的首都路途遥远，史官日常记录朝廷大事时，不能顾及这么偏远的地区。后来，士燮的文集中记载了很多交趾人物的事迹，刘昞更编撰了《敦煌实录》这部专门记载当地历史和人物的书籍，这样一来，两地各色各样的众多英雄才士，才鲜明地呈现在世人面前。假使这两位贤人没有出现，两个州郡没有产生这两种地方记录，那些边远地区的贤明君子，怎么能够被后代的人知道呢？可见这类著述的作用，它的力量是非常大的。难道与那些诗赋写作等雕虫小技，去比较一时的优劣胜负吗？……

又观看社会上的学者们，有人沉浸于研习某一部经书，有人专心地精治某一家史书。谈论《春秋》学的，就不知道周朝衰亡以后，与秦国争霸的还有六雄；谈论《史记》、《汉书》的，就不晓得汉代灭亡以后，瓜分中国土地的共有三国。这也就像武陵郡的隐士，藏身在桃源里，已逢晋朝的年代，却以为还是残暴的秦朝的国土。假如有人学问博通千年历史，读书装满五辆大车，但看见良史直书却觉察不到它的优点，碰到与事实不符的记载却不知道它的错误。这种人正如葛洪所说的那样，只不过就像一个藏书的箱子，是拥有五经等书籍的主人而已。而孔夫子有句话说，虽然（诵读的诗篇）很多，但又有什么实际用处呢？大概就是指这种人吧！……

史家和史书本来应该以提倡善人善事作为主要目的，批评恶人恶事为次要目的。像司马迁、班彪，是史家中提倡善人善事的；晋国的董狐、齐国的南史，是史家中批评恶人恶事的。假如要同时具备提倡、批评两个方面的作用，而且注重文采修饰，大概只有左丘明吧！从他以后，我再也没有见到这样的史家了。

所谓编撰史书中的直笔，就是不掩盖恶人恶事，不虚夸好人好事，写入史书的内容一定要对褒善贬恶有好处，有些内容不写入史书必须对劝善惩恶没有什么损失。只是列举历史发展的纲要，保存其基本面貌而已，而不是说只要真实，连丝毫不重要的内容都一定要加以记录，各种鸡零狗碎的细节都不能有一点遗漏。比如宋孝王、王劭之流，他们在记载历史时，喜欢谈论个人男女关系等不检点的事情，说话和相貌等方面粗陋鄙俗的事情，从这些小事上来揭发攻击别人的隐私，还自以为是正直的行为，我对这种做法是不赞成的。……

汉书五行志错误第十

班氏著志，牴牾者多。在于《五行》，芜累尤甚。今辄条其错缪，定为四科：一曰引书失宜，二曰叙事乖理，三曰释灾多滥，四曰古学不精。又于四科之中，疏为杂目，类聚区分，编之如后。……

其志叙言之不从也，先称"史记"周单襄公告鲁成公曰，晋将有乱①。又称宣公六年，郑公子曼满与王子伯廖语，欲为卿。按宣公六年，自《左传》所载也。夫上论单襄，则持"史记"以标首；下列曼满，则遗《左氏》而无言。遂令读者疑此宣公，亦出"史记"；而不云鲁后，莫定何邦。是非难悟，进退无准。此所谓"史记"、《左氏》交错相并也。……

夫人君改元，肇自刘氏。史官所录，须存凡例。按斯志之记异也，首列元封年号，不详汉代何君；次言地节、河平，具述宣、成二帝。武称元鼎，每岁皆书；哀曰建平，同年必录。此所谓标举年号，详略无准者也。……

志云，昭公十六年九月，大雩②。先是，昭母夫人归氏薨，昭不戚，而大蒐于比蒲。又曰，定公十二年九月，大雩。先是，公自侵郑归而城中城，二大夫围郓。按夫大蒐于比蒲，昭之十一年；城中城、围郓，定之六年也。其二役去雩，皆非一载。夫以国家常事，而坐延灾眚③，岁月既遥，而方闻感应。斯岂非乌有成说，扣寂为辞者哉④！此所谓影响不接，牵引相会也。……

当春秋之时，诸国贤俊多矣。如沙鹿其坏⑤，梁山云崩⑥，鹢退蜚于宋都⑦，龙交斗于郑水⑧。或伯宗、子产，具述其非妖；或卜偃、史过，盛言其必应。盖于时有识君子，以为美谈。故左氏书之不刊，贻厥来裔。既而古今路阻，闻见壤隔，至汉代儒者董仲舒、刘向之徒，始别构异闻，辅申他说。以兹后学，凌彼先贤，盖今谚所谓"季与厥昆，争知嫂讳"者也⑨。而班志尚舍长用短，捐旧习新，苟出异同，自矜魁博，多见其无识者矣。此所谓不循经典，自任胸怀也。……

[题解]

本篇论述《汉书·五行志》在体例与编纂方法方面的错误，将其归纳为四科，每科又分立若干细目。从而提出了一些编撰史书应该注意的规则：一是引用他书时，要准确交代引文的出处；二要条理清楚，不能杂乱无章；三要详略得当；四是史料的去取和史事的分析需要撰史者具备通识。本篇可与下篇及《内篇·书志》篇相参。

[注释]

① "先称"二句：《国语·周语下》载，柯陵之会，单襄公见晋厉公视远步高，预言："晋将有乱，其君与三郤其当之乎？"张舜徽《史学三书平议》："太史公之书，不名'史记'……《汉书·艺文志》但著录《太史公》百三十篇。知班氏本不以'史记'二字名史公之书也。《五行志》中所称'史记'，

犹云古史记载耳。知几不达斯旨，遽据后起之标题以驳古人之别有取以，是岂作者所及知乎？"标点作"史记"，以示刘知几误解为书名。②雩（yú）：古代为求雨而举行的祭祀。③眚（shěng）：灾异。④乌有成说，扣寂为辞：陆机《文赋》："课虚无以责有，扣寂寞而求音。"⑤沙鹿其坏：《左传》僖公十四年："秋八月辛卯，沙鹿崩。晋卜偃曰：'期年将有大咎，几亡国。'"《汉书·五行志》作"沙麓"，且云："刘向以为臣下背叛散落不事上之象也。"⑥梁山云崩：《左传》成公五年，梁山崩，晋侯以传召伯宗，伯宗路遇绛人，对他说："山有朽壤而崩，可若何？国主山川，故山崩川竭，君为之不举，降服，乘缦，彻乐，出次，祝币，史辞，以礼焉。"《五行志》："向以为山阳，君也。君道崩坏，将失其所矣。"⑦鹢退蜚于宋都：《左传》僖公十六年："六鹢退飞过宋都，风也。周内史叔兴聘于宋，宋襄公问焉，曰：'是何祥也？吉凶焉在？'对曰：'今兹鲁多大丧，君将得诸侯而不终。'退而告人曰：'君失问。是阴阳之事，非吉凶所生也。吉凶由人，吾不敢逆君故也。'"《五行志》引刘歆说，以为象宋襄公"与强楚争盟，后六年为楚所执"。⑧龙交斗于郑水：《左传》昭公十九年："郑大水，龙斗于时门之外洧渊，国人请为禜焉，子产弗许，曰：'我斗，龙不我觌也。龙斗，我独何觌焉？禳之，则彼其室也。吾无求于龙，龙亦无求于我。'乃止也。"刘向说见下篇所引。⑨季与厥昆，争知嫂讳：原注："今谚曰：'弟与兄，争嫂字。'以其名鄙，故稍文饰之。"

[译文]

班固编著的《汉书》各志，违背事理甚至自相矛盾的地方很多。尤其是在《五行志》中，芜杂累赘更加严重。现在就逐条地指出它的错误，归纳为四种类别：一是引用书籍不够恰当，二是叙述事情违背常理，三是解释灾异大多虚妄，四是对古代学术不精通。又在四大类别之中，再分别归纳出一些细杂的条目，按类汇聚区分，编排在后面。……

《五行志》叙述君主不听从善言的事例，先称引"史记"所载周单襄公告诉鲁成公说晋国将发生大乱。接着又称：宣公六年，郑国公子曼满与周王子伯廖交谈，想做卿相。查考宣公六年这件事，是从《左传》转载的。上面谈论单襄公，则拿"史记"来标明在前面；下面列举曼满，则遗漏《左传》而没有说明。于是使得读者怀疑这个宣公，也是出自"史记"的；而且不说是鲁国的君主，让读者搞不清楚是哪个国家的宣公。是非对错，很难一下子看明白，令人进退两难，无所适从。这就是我所说的引用"史记"、《左传》交叉混淆，将本是两书的内容并作一书了。……

帝王改用新年号纪年，这种做法是从刘氏汉代开始的。史官记录年号，必须有固定的体例。查考《五行志》记载灾异，首先列举元封（武帝，前110—前105）年号，没有标明这是汉代哪位君主的年号；紧接着说到地节（前69—前66）、河平（前28—前25），却在年号前标明了宣帝、成帝二位君主。叙述武帝元鼎（前116—前111）年间的事情，每年都书写年号；说到"哀帝建平三年"（前4）的两件事情，同属一年，却必定详细记录帝王及其年号。这就是我所说的列举帝王年号时，是否标明及标得详细还是简略，都没有一定的标准。……

《五行志》说，鲁昭公十六年九月，因大旱祭天求雨。在此之前，昭公的母亲襄公夫人归氏去世，昭公没有悲伤，反而率众在比蒲大肆围猎。又说，鲁定公十二年九月，因大旱祭天求雨。在此之前，定公从侵略郑国的战场上回来，而在都城内加筑小城，季孙斯、仲孙忌二大夫包围鲁齐边境上的郓城。查考昭公在比蒲大肆围猎，是昭公十一年的事；定公在都城内加筑小城，二大夫包围郓城，是定公六年的事。这两年发生的事情离两次大旱祭天求雨，相距都不止一年。以这类当时诸侯国经常会发生的事情，却说它们就将导致大旱等自然灾害发生；以这些时间距离已经很遥远的事情，却说上天在五六年后才发生感应而降下灾害。这难道不是无中生有、凭空捏造的说辞吗？这就是我所说的把原本没有关联的事情，牵强附会地联系在一起了。……

在春秋时代，各个诸侯国内贤明美好的人才很多。比如晋国境内的沙鹿山倒毁，梁山崩塌，水鸟退着飞过宋国都城，有巨龙在郑国时门外的洧渊中相斗。或者是伯宗、子产，各自详细论述梁山崩塌、巨龙相斗只是普通的自然现象，不是什么会引起灾害的妖异；或者是卜偃、史过（当作周内史叔兴），极力预言沙鹿山倒毁、水鸟退飞必定会有应验的事情发生。大概在当时富有见识的君子，都把他们的说法当作美好的言谈。因此，《左传》照实记载下来，没有加以删削，将这些史实遗留给后世的人们。后来古今的时代距离遥远，人们的见闻又受空间限制，到了汉代儒家学者董仲舒、刘向等人，开始另外编造奇异的传闻，用来帮助解释他们提出的其他新说法。作为他们这些后代学者，却想凌驾于那些春秋先贤之上，这大概就像当今谚语所说的"小弟和他的大哥，争论他才知道大嫂的名字"。然而，班固《五行志》却舍弃正确的观点而采用错误的说法，抛弃前人的旧说而沿袭后人的新解，随随便便标新立异，自我夸耀知识渊博，正好更多地表现出他没有卓越的见识。这就是我所说的不遵循经典著作的说法，而由着自己的主观认识任意发挥。……

五行志杂驳第十一

……《春秋》桓公三年，日有食之，既①。京房《易传》以为后楚严始称王②，兼地千里。按楚自武王僭号，邓盟是惧③，荆尸久传④。历文、成、缪三王，方至于严。是则楚之为王，已四世矣，何得言严始称之者哉？又鲁桓公薨后，历严、闵、釐、文、宣⑤，凡五公而楚严始作霸，安有桓三年日食而已应之者邪？非唯叙事有违，亦自占候失中者矣。……

《春秋》文公元年，日有食之。刘向以为后晋灭江。按本经书文四年，楚人灭江。今云晋灭，其说无取。且江居南裔，与楚为邻；晋处北方，去江殊远。称晋所灭，其理难通。

　《左氏传》昭公十九年，龙斗于郑时门之外洧渊。刘向以为近龙孽也。郑，小国，摄乎晋、楚之间，重以强吴，郑当其冲，不能修德，将斗三国，以自危亡。是时，子产任政，内惠于民，外善辞令。以交三国，郑卒亡患，此能以德销灾之道也。按昭之十九年，晋、楚连盟，干戈不作。吴虽强暴，未扰诸华。郑无外虞，非子产之力也。又吴为远国，僻在江干，必略中原，当以楚、宋为始。郑居河、颍，地匪夷庚⑥，谓当要冲，殊为乖角⑦。求诸地理，不其爽欤？

　《春秋》昭公十五年六月，日有食之。董仲舒以为时宿在毕，晋国象也云云。日比再食，其事在《春秋》后，故不载于经⑧。按自昭十五年，迄于获麟之岁，其间日食复有九焉。事列本经，披文立验，安得云再食而已，又在《春秋》之后也？且观班志编此九食，其八皆载董生所占，复不得言董以事后《春秋》，故不存编录⑨。再思其语，三覆所由，斯盖孟坚之误，非仲舒之罪也。……

[题解]

　本篇与上篇同为纠驳《汉书·五行志》之误，但体例有别，采用了一事一议的札记形式。刘知几认为《五行志》中刘向、董仲舒对灾异所做的占验都是牵强附会的，并从政治形势、时间先后、地理环境等方面提出论证。其中有些批评难以服人，甚至明显有误。本篇题下原注："春秋时事，违误最多，总十五条。"今仅节选四条。

[注释]

①既：尽。此指日全食。②楚严：即楚庄王，东汉人讳"庄"作"严"。③邓盟是惧：《左传》桓公二年："秋七月，蔡侯、郑伯会于邓，始惧楚也。"杜预注："楚武王始僭号称王，欲害中国。蔡、郑姬姓，近楚，故惧而会谋。"④荆尸：春秋时楚军阵法名。《左传》庄公四年："楚武王荆尸，授师孑焉，以伐随。"杜预注："尸，陈也。荆亦楚也，更为楚陈兵之法。"⑤鳌：原注："'鳌'即'僖'，皆依本书，不改其字也。下同。"⑥夷庚：平坦大道。《左传》成公十八年："以塞夷庚。"杜预注："夷庚，吴晋往来之要道。"⑦乖角：违背常理或实际情况。按，郑居天下之中，谓当要冲，殊为合理，"乖角"之讥过当。⑧"《春秋》"七句：《五行志》原作："（昭公）十五年六月丁巳朔，日有食之……十七年六月甲戌朔，日有食之。董仲舒以为时宿在毕，晋国象也。晋厉公诛四大夫，失众心，以弑死，后莫敢复责大夫，六卿遂相与比周，专晋国，君还事之，日比再食。其事在《春秋》后，故不载于经。"本篇前文第九条已引"昭十七年"至"晋君还事之"，且辩其误。故此条仅节引中间二句，而用"云云"二字表示有所删节。浦改作"又云"，非。毕，星宿名。二十八宿之一，西方白虎七宿的第五宿，以其形状像毕网而得名。⑨"按自"诸句：二"九"旧本误作"七"，"八"误作"六"，据浦改。从昭公十五年至哀公十四年获麟，《左传》之《春秋》经文载有十次日食，《公羊》、《穀梁》之经文未记末条。董氏为《公羊》经师，刘知几亦据《公羊》以驳董，故云"有九"；此九条中《五行志》除首条外皆明引董说，是为"其八"。然"日比再食"诸句实际兼言昭公十五、十七年两次日食，故可谓九条"皆载董生所占"。《五行志》所谓"其事在《春秋》后，故不载于经"者，非指"再食"本身，而指"董生所占"晋国六卿专权，君还事之，以迄三家分晋。刘知几未通文意，妄加讥驳。以下引文部分的翻译，补足文意后译出；刘氏按语，则仍照其理解翻译，其错误更加明显。

[译文]

……《春秋》经文记载，桓公三年，发生了日全食现象。《五行志》引京房《易传》的说法，认为预兆了后来楚庄王开始自称为王，扩张兼并了千里土地。查考楚国自从熊通僭号自称为武王，蔡侯、郑伯因为害怕楚国，于是在邓地结成抗楚联盟，而楚国那套名为"荆尸"的阵法长久流传，声威大振。经历了文王、成王、缪王三代，才到了楚庄王。由此可见，这时楚国称为王，已经过了四代了，怎么能说楚庄王才开始自称为王呢？另外，鲁桓公去世后，经历了庄公、闵公、釐公、文公、宣公共五代君主，然后才是楚庄王开始称霸天下的时代，哪有鲁桓公三年发生日食却早已预兆楚庄王称霸的道理呢？这不但是叙述史事时有违背事实之处，也自然属于对吉凶预兆的解释本身完全不合适。……

《春秋》记载，文公元年，发生了日食现象。《五行志》引刘向的说法，认为预兆了后来晋国灭掉江国。查考《春秋》本经记载，文公四年，楚国人灭掉了江国。如今说成晋国灭掉江国，这种说法没有根据。况且江国地处南方，和楚国相邻近；晋国处在北方，离江国十分遥远。说是晋国灭掉的，道理上很难说得通。

《左传》记载，昭公十九年，有巨龙在郑国时门外的洧渊中相斗。《五行志》引刘向的说法，认为是靠近巨龙并受其祸害的预兆。郑是一个小国家，夹处在晋、楚两个大国之间，再加上强大的吴国，郑国又处在它向东扩张的交通要道上，如果不能修治德政，郑国必将与这三个国家争斗，结果只能是自取灭亡。而在这个时候，正好是子产主持郑国政事，在国内施惠给民众，对国外则善于外交辞令，用来和三国交好，郑国最终没有遇到什么灾难，这是由于子产能够使用以德政消除灾难的治国之道。查考昭公十九年，晋与楚两个大国结成联盟，各国之间的战争就打不起来了。吴国虽然强盛暴虐，但才刚刚兴起，没有来侵扰中原的华夏国家。所以郑国没有外国侵略的威胁，并不是子产的功劳。另外，吴国是很边远的国家，僻处在长江沿岸，假如要侵略中原，应当从攻打楚、宋两国开始。郑国处在黄河与颍水之间，地理位置上并非属于吴、晋往来的交通要道，说它正当兵家必争的交通要道上，完全违背实际情况。

从地理上探求这种说法，难道不是一大错误吗？

《春秋》记载，昭公十五年六月，发生了日食现象。《五行志》引董仲舒的说法，认为（这次日食和昭公十七年日食都是）当时太阳行经毕宿，而毕宿是晋国的象征。接连两次日食，（都是预兆了晋国六卿专权，国君反而听命于六卿，直到最后三家瓜分晋国）。这些事情发生在《春秋》以后，因此不见于经文记载。查考自从昭公十五年，直到哀公十四年获麟，这一期间发生的日食共有九次。事情一一记录在经文中，翻开《春秋》经，立即就能验证，怎么能说只有两次日食而已，又怎么能说这两次日食在《春秋》以后呢？况且再看班固《五行志》编录的这九次日食，其中八次都记载了董仲舒对兆象的分析，更不能说董仲舒认为这些日食发生在《春秋》以后，因此没有编录在经文中。反复思考《五行志》的这段话，再三审查其致误的缘由，这大概是班固的错误，不是董仲舒的罪过。……

暗惑第十二

夫人识有不烛，神有不明，则真伪莫分，邪正靡别。昔人有以发绕炙①，误其国君者；有置毒于胙②，诬其太子者。夫发经炎炭，必致焚灼，毒味经时，无复杀害。而行之者伪成其事，受之者信以为然，故使见咎一时，取怨千载。夫史传叙事，亦多如此。其有道理难凭，欺诬可见，如古来学者，莫觉是非，盖往往有焉。

……《史记·仲尼弟子列传》曰：孔子既没，有若状似孔子，弟子相与共立为师，事之如夫子。他日，弟子进问曰："昔夫子尝行，使弟子持雨具，已而果雨。商瞿年长无子，母为取室。孔子曰：'瞿年四十后，当有五丈夫子。'已而果然。敢问夫子何以知之。"有若默然无应。弟子起曰："有若避，此非子之坐也。"

难曰：孔门弟子七十二人，柴愚参鲁，宰言游学，师、商可方，回、赐非类③。此并圣人品藻，优劣已详；门徒商榷，臧否又定。如有若者，名不隶于四科，誉无偕于十哲④。逮尼父既殁，方取为师；以不答所问，始令避坐。同称达者，何见事之晚乎？且退老西河，取疑夫子，犹使丧明致罚，投杖谢愆⑤。何肯公然自欺，诈相策奉？此乃童儿相戏，非复长老所为。观孟轲著书，首陈此说；马迁裁史，仍习其言。得自委巷，曾无先觉，悲夫！……

又《魏志》注⑥：《语林》曰："匈奴遣使人来朝，太祖令崔琰在座⑦，而己握刀侍立。既而使人问匈奴使者曰：'曹公何如？'对曰：'曹公美则美矣，而侍立者非人臣之相。'太祖乃追杀使者"云云。

难曰：昔孟阳卧床，诈称齐后⑧；纪信乘辇，矫号汉王。或主遘屯蒙⑨，或朝罹兵革。故权以取济，事非获已。如崔琰本无此意，何得以臣代君者哉？且凡称人君，皆慎其举措，况魏武经纶霸业，南面受朝，而使臣居君座，君处臣位，将何以使万国具瞻，百寮金瞩也！又汉代之于匈奴，其为绥抚勤矣。虽复赂以金帛，给以亲姻，犹恐虺毒不悛，狼心易扰。如辄杀其使者，不显罪名，复何以怀四夷于外蕃，建五利于中国⑩？且曹公必以所为过失，惧招物议，故诛彼行人，将以杜兹谤口，而言同纶綍⑪，声遍寰区，欲盖而彰，止益其辱。虽愚暗之主，犹所不为，况英略之君，岂其若是？夫刍荛鄙说，闾巷谰言，诸如此书，通无击难。而裴引《语林》斯事，编入魏史注中，持彼虚词，乱兹实录。盖曹公多诈，好立诡谋，流俗相欺，遂为此说。故特申掎摭，辨其疑误者焉。……

凡所驳难，具列如右。盖精五经者，讨群儒之别义；练三史者，征诸子之异闻。加以探赜索隐，然后辨其纰缪。如向之诸史所载则不然，何者？其叙事也，唯记一途，直论一理，而矛盾自显，表里相乖。非复牴牾，直成狂惑者尔！寻兹失所起，良由作者情多忽略，识唯愚滞。或采彼流言，不加铨择；或传诸缪说，即从编次。用使真伪混淆，是非参错。盖语曰："君子可欺不可罔⑫。"至如邪说害正，虚词损实，小人以为信尔，君子知其不然。又语曰："信《书》不如无《书》。"盖为此也。夫书彼竹帛，事非容易，凡为国史，可不慎诸！

[题解]

本篇主要讨论文与史的关系问题，始终贯穿着"文之与史，皎然异辙"的观点。刘知几认为史书写作和文学写作不同，文可以虚构、夸张，史书则需客观描述，否则真伪难分。他列举史书中记载的十二件事，或过于夸张，或神化其说，认为这些都不符合常理，因而是不真实的。但后人认为其中有些属于人物描写的技巧，无可厚非，刘氏的批评过于偏激。

[注释]

①以发绕炙：《韩非子·内储说下》载，晋文公吃烤肉，见有头发缠绕在上面，责问"奚为以发绕炙"，厨师委婉辩解，说他用利刀切肉，尖锥穿串，炉火烧烤，如有头发应该早就切断、发现、烧掉，恐怕是有人陷害他。经查，果真如此。一说为晋平公招待客人时的事。②置毒于胙：指《左传》僖公四年晋骊姬陷害太子申生事，注见《叙事》篇。③"柴愚"四句：柴，高柴，字子羔；参，曾参，字子舆；宰，宰我，又作宰予，字我；游，言偃，字子游；师，颛孙师，字子张；商，卜商，字子夏；回，颜回，字子渊；赐，端木

赐，字子贡。孔子评论这八位弟子，说"柴也愚，参也鲁"；宰我擅长言语，子游精于文学；"师也过，商也不及"，"过犹不及也"，并见《论语·先进》；子贡说"回也，闻一以知十；赐也，闻一以知二"，孔子首肯，并说"吾与汝，弗如也"，见《论语·公冶长》。④四科、十哲：《论语·先进》："德行：颜渊、闵子骞、冉伯牛、仲弓；言语：宰我、子贡；政事：冉有、季路；文学：子游、子夏。"⑤"且退"四句：《礼记·檀弓上》载，"子夏丧其子而丧其明，曾子吊之"，子夏哭诉无罪而遭此难，曾子列其三罪，其一为："吾与女事夫子于洙泗之间，退而老于西河之上，使西河之民疑女于夫子。"子夏投杖谢过。疑，通"拟"。⑥《魏志》注：今《三国志·魏志》裴注未引此条，不知何故？⑦崔琰（？—216）：字季珪，清河东武城（今山东东武城东北）人。曹操部下，任中尉。⑧孟阳卧床，诈称齐后：《左传》庄公八年载，齐叛贼弑襄公时，先杀死了冒充襄公躺在床上的小臣孟阳。⑨屯蒙：《易》屯、蒙二卦的并称。原指万物初生、稚弱貌。引申为寒滞、困顿。⑩五利：春秋时魏绛向晋悼公提出"和戎有五利"，详见《左传》襄公四年。⑪言同纶綍（fú）：《礼记·缁衣》："王言如纶，其出如綍。"纶、綍原意都是丝绳，后世代指帝王诏书。綍，同"绋"。又，曹操至死未称帝，此条极言其帝王之尊，不甚妥当。⑫君子可欺不可罔：《孟子·万章上》："君子可欺以方，难罔以非其道。"

[译文]

人们的见识有时不能洞察，神智有时不够清醒，那么就会分辨不出真假，区别不出对错。从前有人用头发缠绕在烤肉上，想让晋国君主误以为是厨师所为；骊姬把毒药放进太子申生祭祀后进献的酒肉中，诬陷太子想要谋害晋献公。头发经过炙热的炭火烧烤，必定会被烧毁；毒酒经过长时间散发，就不能毒死人。然而栽赃陷害的人假造了这些事情，想让接受酒肉的君主信以为真，故意要使得受诬陷的人当时受到惩罚，千百年后受人责难。史书传记叙述事情，大多也有像这样的情况。其中有些事情从道理上一看，就知道难以凭信，弄虚作假的痕迹，清晰可见。但像自古以来的学者，都没有察觉出它们是错误的，这种情况在史书中大概是常常会有的。……

　　……《史记·仲尼弟子列传》说：孔子去世以后，因为有若长得很像孔子，孔门众弟子共同推立他为老师，就像服侍孔子那样对待他。有一天，弟子们上前问道："从前孔夫子曾经出行，让弟子带着雨具，不久果然下了雨。商瞿老大不小了，还没有生出儿子，母亲想为他另外娶个妻子。孔子说：'商瞿四十岁以后，应该有五个儿子。'后来果然是这样。请问夫子是怎么知道的呢？"有若哑口无言。弟子们起身说："有若让开，这不是你该坐的位置。"

　　驳难：孔子的高徒有七十二个人，高柴愚笨，曾参鲁莽，宰我擅长言谈，子游精于文学，子张、子夏的德行可以比较，颜回、子贡不是同一类型的人。这些都是孔子给他们作出的评价，长短优劣已经十分详细；也有弟子们先作相互比较讨论，再由孔子确定褒扬或批评的结论的。至于有若这个人，名字没有列在孔门四科的代表者名单中，声誉不能和那最优劣的十哲并列。到孔子去世以后，才选取他当作老师；因为不能回答弟子们的问题，又开始使他让开座位。孔门这么多同时号称贤达的弟子，为什么对人事的认识如此迟钝呢？况且子夏年老时退居西河，（授徒讲学，深受当地人的爱戴）被比拟作孔子，尚且（被曾子指责说，正是因为他妄拟孔子）使得自己招致了晚年丧子、瞎眼的惩罚，赶紧扔掉手杖，向曾子跪地谢罪。由此类推，孔子的弟子们怎么肯公开地自欺欺人，虚伪地推出一个弟子当作孔子来恭奉呢？这完全是儿童过家家似的游戏，根本不是老成持重的长者做得出来的事情。观看《孟子·滕文公上》，首先陈述了这一说法；司马迁剪裁成史书，仍然沿袭了他的说法。这应该是来自于街头巷尾的传说，从孟子、司马迁以来竟然一直没有人率先觉察它的错误，真是可悲啊！……

　　又《三国志·魏志》裴注：《语林》说："匈奴派遣使者前来朝见，曹操让相貌堂堂的崔琰坐在自己的座位上，而自己手握大刀扮作侍卫站在一旁。事后，曹操让人问匈奴使者说：'曹公给你的印象如何？'使者回答说：'曹公的长相确实俊美，但站在一旁的那个侍卫不是人臣的相貌。'曹操就派人追上去杀死了使者。"

驳难：从前孟阳躺在齐国行宫的床上，装作是齐襄公；纪信乘坐插着汉王大旗的兵车突围，假称是汉王。他们这样做，或者是君主碰上危难，或者是朝廷遭遇战争，因此权且假扮君王，来达到让真正的君王脱身的意图，事情属于万不得已。像崔琰这种情况，并不是处在危急之下，本来就没有这样的意图，怎么能够以臣子的身份取代君主的位置呢？而且凡是称作君王的人，都会言行举止十分慎重，况且此时的魏武王曹操正在经营谋划统一天下的大业，想要面南而坐接受朝见，而像这样让臣下坐在君王的座位，君王反而站在臣下的位置，将来怎样让各国使者前来瞻仰，百官都来晋见呢！再说，汉代对于匈奴，采取安抚的政策，十分尽力。即使不断地送给他们金银绢帛，下嫁公主结成姻亲，仍然担忧他们蛇毒之性难以悔改，虎狼之心易被扰乱（而来侵掠边境）。如果这样轻率地杀死他们的使者，而说不出个公开的罪名，又如何来怀柔边境附近的各种少数民族，在周边构建和谐的民族关系，并为中国带来像春秋时魏绛所谓和戎五利那样的好处呢？况且曹操假如认为自己这件事做错了，害怕招来人们的非议，因此杀掉那个匈奴使者，想要以此杜塞讥谤之口，然而君王所说的话如同法令，很快就会传遍天下，想要掩盖而结果会更加彰显，只能增加耻辱。即使愚蠢昏庸的君主，尚且不会这样做，何况像曹操这样英明有谋略的君主，难道会这样做吗？民间百姓的粗俗说法，街头巷尾的诬蔑言论，就像《语林》这类小说家言，我本来是通通不作抨击驳难的。然而，裴松之引用《语林》所记的这件事情，把它编入《三国志·魏志》的注文当中，拿那虚无不实的传说之词，搅乱这部正史的真实记录。大概因为曹操确实多行欺诈，好出诡计，后世民间传说就把这类事情都编排到他的身上，于是伪造出这一说法。因此，我在这里特地申述指明，辨别其中怀疑有错的地方。……

　　凡是我所作的驳难，都已具体列举在上面。大概想要精通五经的人，都必须探讨各位儒家学者的不同解释；想要熟悉三史的人，都必须征求诸子百家的不同记载。综合各种材料，探究幽渺，考索隐微，然后才能辨别出其中的错误。像以前的各种史书记载却不是这样，为什么这样说呢？它们叙述一件史事，只通过一种途径来作记录，只从一家观点出发来作论述，而（没有对相关史事及其材料、观点进行全面考察），前后矛盾自然就显露出来了，内容实质与表面现象相互背离。这不仅仅是有些自相抵触的问题，而简直成为精神错乱、迷惑难解的糊涂蛋了！探寻这种过失的起因，确实是由于作者思想上多有忽略，见识愚笨迟滞。有的采录那些社会上的流言蜚语，而不加以辨别选择；有的传承各种错误说法，就直接把它们编入史书。因而使得真的假的混淆不清，对的错的掺杂错出。古语说："君子可以被欺骗一时，但不会永远被迷惑。"至于像那些歪理邪说损害正直公道，虚假文词掩盖事实真相，无知小人可能会信以为真，有道君子却知道不是这样的。古语又说："完全迷信《尚书》的记载，那还不如没有《尚书》。"大概就是针对这种情况讲的。把文字书写到竹帛纸张上去，不是一件很随便的事情，凡是编撰国史的人，能够不对它特别慎重吗！

忤时第十三

　　孝和皇帝时，韦、武弄权[①]，母媪预政[②]。士有附丽之者，起家而绾朱紫[③]。予以无所傅会，取摈当时[④]。会天子还京师，朝廷愿从者众。予求番次在大驾后发日[⑤]，因逗留不去，守司东都。杜门却扫⑥,凡经三载。或有谮予躬为史臣,不书国事,而取乐丘园⑦,私自著述者。由是驿召至京,令专执史笔。于时小人道长⑧,纲纪日坏,仕于其间,忽忽不乐,遂与监修国史萧至忠等诸官书求退⑨,曰:

仆幼闻《诗》、《礼》,长涉艺文,至于史传之言,尤所耽悦。寻夫左史、右史,是曰《春秋》、《尚书》;素王、素臣⑩,斯称微婉志晦。两京、三国,班、谢、陈、习阐其谟;中朝、江左,王、陆、干、孙纪其历。刘、石僭号,方策委于和、张⑪;宋、齐应箓,惇史归于萧、沈⑫。亦有汲冢古篆,禹穴残编⑬。孟坚所亡,葛洪刊其《杂记》⑭;休文所缺,谢绰裁其《拾遗》⑮。凡此诸家,其流盖广。莫不赜彼泉薮⑯,寻其枝叶,原始要终⑰,备知之矣。

若乃刘峻作传,自述长于论才⑱;范晔为书,盛言矜其赞体⑲。斯又当仁不让⑳,庶几前哲者焉。然自策名仕伍,待罪朝列,三为史臣,再入东观,竟不能勒成国典,贻彼后来者,何哉?静言思之,其不可有五故也。

何者?古之国史,皆出自一家。如鲁、汉之丘明、子长,晋、齐之董狐、南史,咸能立言不朽,藏诸名山。未闻藉以众功,方云绝笔。唯后汉东观,大集群儒,著述无主,条章靡立。由是伯度讥其不实㉑,公理以为可焚㉒,张、蔡二子,纠之于当代;傅、范两家,嗤之于后叶。今者史司取士,有倍东京。人自以为荀、袁,家自称为政、骏。每欲记一事,载一言,皆阁笔相视㉓,含毫不断。故头白可期,而汗青无日。其不可一也。

前汉郡国计书,先上太史,副上丞相。后汉公卿所撰,始集公府,乃上兰台。由是史官所修,载事为博。爰自近古,此道不行。史官编录,唯自询采,而左、右二史,阙注起居,衣冠百家，罕通行状。求风俗于州郡，视听不该；讨沿革于台阁，簿籍难见。虽使尼父再出，犹且成于管窥；况仆限以中才，安能遂其博物。其不可二也。

昔董狐之书法也，以示于朝；南史之书弑也，执简以往。而近代史局，皆通籍禁门，深居九重，欲人不见。寻其义者，盖由杜彼颜面，防诸请谒故也。然今馆中作者，多士如林，皆愿长喙，无闻咋舌。倘有五始初成㉔，一字加贬，言未绝口而朝野具知，笔未栖毫而缙绅咸诵。夫孙盛实录，取嫉权门；王劭直书，见仇贵族。人之情也，能无畏乎？其不可三也。

古者刊定一史，纂成一家，体统各殊，指归咸别。夫《尚书》之教也，以疏通知远为主；《春秋》之义也，以惩恶劝善为先。《史记》则退处士而进奸雄，《汉书》则抑忠臣而饰主阙。斯并曩时得失之例，良史是非之准，作者言之详矣。顷史官注记，多取禀监修，杨令公则云"必须直词"㉕，宗尚书则云"宜多隐恶"㉖。十羊九牧㉗，其令难行；一国三公㉘，适从何在？其不可四也。

窃以史置监修，虽古无式，寻其名号，可得而言。夫言监者，盖总领之义耳。如创纪编年，则年有断限；草传叙事，则事有丰约。或可略而不略，或应书而不书，此刊削之务也。属词比事，劳逸宜均；挥铅奋墨，勤惰须等。某袠某篇㉙，付之此职；某传某志，归之彼官。此铨配之理也。斯并宜明立科条，审定区域。倘人思自勉，则书可立成。今监之者既不指授，修之者又无遵奉，用使争学苟且，务相推避，坐变炎凉，徒延岁月。其不可五也。

凡此不可，其流实多，一言以蔽，三隅自反。而时谈物议，安得笑仆编次无闻者哉！比者伏见明公，每汲汲于劝诱，勤勤于课责。或云："坟籍事重，努力用心。"或云："岁序已淹，何时辍手？"窃以纲维不举，而督课徒勤，虽威以刺骨之刑，勖以悬金之赏，终不可得也。语曰："陈力就列，不能者止。"所以比者布怀知己，历抵群公，屡辞载笔之官，愿罢记言之职者，正为此尔。……

至忠得书大惭，无以酬答。又惜其才，不许解史任。而宗楚客、崔湜、郑愔等㉚，皆恶闻其短，共仇嫉之。俄而萧、宗等相次伏诛，然后获免于难。

[题解]

本篇作者自述其给萧至忠写信的缘由并附录信的全文，编在《外篇》之末。信中叙述自己修史的宏愿，感叹"美志不遂"，请求辞退。其核心是深入分析了史馆修史的五种弊端：集体修史，相互推诿；不看郡国计书，不能询采风俗；惧怕灾祸，难以秉笔直书；监修各执己见，意见难以统一；监修干预过多。本篇为刘知几的述志之作，可与《内篇·自叙》相参。

[注释]

①"孝和"二句：唐中宗李显谥号孝和。当时专权的是韦皇后和武三思。②媪（ǎo）：老妇人的通称。此指韦皇后。③起家而绾（wǎn）朱紫：起家，从家中征召出来，授以官职。绾，系，穿。朱紫，古代穿朱红色和紫色官服者品级较高，故用作高官的代称。④取摈（bìn）当时：原注："一为中允，四载不迁。"摈，排斥，摒弃。⑤"予求"句：番次，分批轮流的次序。颜师古《匡谬正俗》卷八："陈思王表云：'宿卫之人，番休递上。'此言以番次而归休，以番次而递上。字本为'幡'，文案从省，故'番'耳。"大驾后发日，指皇帝下一次回西京时。这句话是委婉地请求这一次不随中宗回西京。或疑有脱误者，非是。⑥却扫：不再扫径迎客，即闭门谢客的意思。王粲《寡妇赋》："闱门兮却扫，幽处兮高堂。"《魏书·逸士·李谧传》："绝迹下帷，杜

门却扫。"⑦丘园：丘墟和园圃，多指隐居的地方。《易·贲》："贲于丘园。"《晋书·李重传》："或栖身岩穴，或隐迹丘园。"⑧小人道长：《易·否》象辞："小人道长，君子道消也。"⑨萧至忠（？—713）：沂州（今山东枣庄）人。时以中书令监修国史。后坐附太平公主伏诛。⑩素王、素臣：《孔子家语·本姓解》："天将欲与素王之乎！"杜预《左传注》序云："说者以仲尼自卫反鲁，修《春秋》，立素王，丘明为素臣……非通论也。"素，指有其德而无其位。⑪和、张：和，指和苞，著有《汉赵记》。张，不知为何人。⑫惇史：敦厚的史官或史书。《礼记·内则》："有善则记之为惇史。"⑬禹穴：指夏禹藏书的地方。《史记·太史公自序》："上会稽，探禹穴。"⑭《杂记》：即《西京杂记》。书后葛洪跋称，其家有刘歆《汉书》一百卷，与班固之书相校，知班全取刘氏，所不取者仅二万字左右，故抄出编为二卷，名曰《西京杂记》，以补《汉书》之阙。或疑其书与跋，皆南朝时人仿作。⑮谢绰："谢"旧作"荀"，据浦改。谢绰著有《宋拾遗》。⑯泉薮：即渊薮，唐人避高祖李渊讳而改。多比喻事物聚集。这里与"枝叶"相对，意为根源。⑰原始要终：语出《周易·系辞下》。原、要，推求。探求事物发展的起源和结果。⑱"若乃"二句：《梁书·刘峻传》载其著《辨命论》后，与刘沼相互辩难，又说"其论文多不载"，当皆为其序传"自述长于论才"的内容。⑲"范晔"二句：《宋书·范晔传》载其自称："赞自是吾文之杰思，殆无一字空设，奇变无穷，同含异体，乃自不知所以称之。"⑳当仁不让：遇到应该做的事，就理直气壮地去做，不要退让。语出《论语·卫灵公》："当仁，不让于师。"㉑伯度讥其不实：李法，字伯度。东汉南郑（今属陕西）人。桓帝时侍中，曾上表说："史官记事，无实录之才，虚相褒述，必为后世笑。"见《华阳国志》卷十。㉒公理以为可焚：仲长统（179—220），字公理，东汉山阳高平（今山东金乡西北）人。敢直言，时号狂生。著有《昌言》。曾作诗："叛散五经，灭弃风雅，百家杂碎，请用从火。"见《后汉书》本传。㉓阁笔：停笔。阁，通"搁"。㉔五始：古人认为《春秋》经文首句"元年春王正月"包含五始之义，详见《探赜》篇注。这里代指国史的开头部分。㉕杨令公：杨再思，武则天时佞臣，任同平章事。中宗立，拜中书令，监修国史。㉖宗尚书：宗楚客，字叔敖，武后从姊子，同平章事。中宗时，武三思引为兵部尚书，同中书门下三品,监修国史。韦后败,楚客伏诛。㉗十羊九牧:《隋书·杨尚希传》:"民少官多,十羊九牧。"这里指监修者多,令史官无所适从。㉘一国三公:语出《左传》僖公五年:"一国三公,吾谁适从?"一个国家有三个君主。比喻政出多门。㉙袠(zhì):同"袟"、"帙",包书的布套。代指书的卷、册等。㉚崔湜:字澄澜,定州(今属河北)人。先后依附武三思等,中宗时同平章事。明皇立,赐死。郑愔(yīn):字文靖,沧州(今属河北)人。依附武三思,中宗时同平章事,次年以谋叛诛。

[译文]

　　唐中宗复位时,韦皇后、武三思操弄权势,妇人干预朝政。士人有依附他们的,一起步就可以做身穿朱红色或紫色官服的高官,我因为不愿做这种投靠钻营的勾当,当时遭到他们的排斥。正好第二年中宗从东都洛阳迁回西京长安,朝廷里愿意随从的人很多。我就请求把自己排在分批轮流的下一批次,即等下次皇帝来东都又回去的时候,再随从到西京去,因此逗留而没有离开,仍然在东都的分司机构中供职。我闭门谢客,总共经过了三年。有人谗毁我身为史官,不参加国史的编撰,却过着逍遥快乐的隐居生活,私下编撰个人的著作。由于这个原因,朝廷派出驿使,征召我来到西京,让我专门从事编修国史的工作。在那个时候,小人得志,朝纲法纪,日渐败坏,我混迹官场,无比失意,闷闷不乐。于是给监修国史的萧至忠等各位长官写信,请求辞去史官职务。信中说:

　　我年幼时听讲《诗》、《礼》,长大后涉猎各种书籍,对于史传著作,特别爱好。探寻历代史书,上古时代左史记言、右史记事,这就有了称为《尚书》、《春秋》的两部史书;"素王"孔子修《春秋》,"素臣"左丘明著《左传》,它们称得上精微委婉、隐晦含蓄。两汉、三国,班固、谢承、陈寿、习凿齿阐述了这一时期的君臣治国谋略;西晋、东晋,王隐、陆机、干宝、孙盛记录了这一时期的历史进程。刘渊、石勒僭越称帝,二国史书委任给和苞、张某分别编撰；宋、齐顺应符命，敦厚之史最后由沈约、萧子显各自编成。还有汲冢出土了用古文篆体书写的古代史书，司马迁探访过会稽山上禹穴中的残留文字。班固《汉书》所遗漏的内容，葛洪汇编成《西京杂记》；沈约《宋书》所缺少的记载，谢绰续编为《宋拾遗》。凡是像这样的各家史书，它们的源流派别都是十分深远广博的。我无不一一探索它们的产生根源，寻找它们的发展脉络，史书的源流派别都作了探求，已经知道得很完备了。

至于刘峻写作自序体传记，自我陈述其擅长作论辩性文章的才能；范晔编撰《后汉书》以后，极力夸耀其史赞体的杰出构思。这样看来，我上面自我介绍史学才能，正所谓当仁不让，又是近似于刘峻、范晔等前代贤哲的做法。然而，我自从名字书写在官员簿册中，身体待罪于朝臣行列里，已经三次担任史官，两次进入国史馆，竟然不能编成国史，遗留给后世，这是为什么呢？冷静地思考，我之所以不能编成国史，大概有五个原因。

哪五个原因呢？古代的国史，都出自一个史家之手。比如鲁国、汉朝的左丘明、司马迁，晋国、齐国的董狐、南史，都能够写出不朽的历史著述，珍藏在名山，流传到后世。从来没有听说他们是依靠众人的力量，才能完成史书的编撰工作。只有后汉在东观著书，集中了大批的儒士，但著述工作没有人主持，条例章程也不能确立。由于这样，李法讥讽他们写出的史书虚浮不实，仲长统认为应该一把火将它们烧掉，当时就有张衡、蔡邕二人纠正《东观汉记》的缺失，后世傅玄《傅子》、范晔《后汉书》二书更大加讥评。现在史馆选用人才，比东汉时多了一倍。人人自以为是荀悦、袁宏，各家都自称是刘向、刘歆。但是，每当要记载一件事情，记录一句话语，大家都停下笔来相互观望，口含笔头犹豫不决。因此，史官的头发变白可以预料，而史书的杀青之日却遥遥无期。这是国史不能编成的第一个原因。

西汉时，各个郡国年终上报朝廷的会计簿册，先送给太史，再将副本上奏丞相。东汉时，各个部门公卿所写章奏文书等，先集中在三公的官府，然后送交兰台。由于这样，史官所修撰的史书，记载的事情都很广博。自从近古以来，这种制度不再实行。史官编撰记录，只有靠自己去询访采集。而且本该左、右二史记录的皇帝起居注，经常失职缺编；出自官绅百家的私人行状，很少交流通行。到州郡了解风俗变迁，所见所闻不够完备；去台阁探讨制度沿革，文书簿册很难看到。即使让孔子再生，尚且只能像以管窥天一样，凭借有限的材料勉强编成一部不能令人满意的史书；何况我这仅仅局限于中等的才能，怎么能够如愿编成一部记事广博的史书呢？这是国史不能编成的第二个原因。

从前董狐的直书笔法，敢于在朝廷上公开示人；南史氏记载弑君，准备手拿简册去当着逆臣的面书写。而近代史馆设在皇宫，史官们名列门籍之中，身处深宫之内，想要别人见不到面。推究这样做的道理，大概是要杜绝彼此的情面，防止请托求见的缘故。然而现在史馆中的作者，文士众多，都愿意多嘴多舌，没听说谁能闭口不说的。史馆里刚开始讨论动笔，倘若加上一个贬斥的字眼，话还没有说完，朝野上下就都已知道了；笔还没有停下，官员中间就都在传诵了。从前孙盛《晋阳秋》如实记载，招致权门的嫉恨；王劭《齐志》秉笔直书，遭到贵族的仇视。从人之常情来说，当今史官能不畏惧同样的事情发生吗？这是国史不能编成的第三个原因。

古时删定一部史书，编成一家著述，体裁各不相同，宗旨都有差别。《尚书》的教化，以沟通古今、了解往事为主，《春秋》的宗旨，以惩罚罪恶、劝勉美善为先。《史记》贬低处士的作用而抬高奸雄的功业，《汉书》贬抑忠臣的作为而掩饰君主的过失。这都是以往史书得失的例证，良史是非的标准，历来著述的人已经谈得很详尽了。近来史官编纂史书，大多领受监修的意见，杨再思说

"必须要秉笔直书"，宗楚客又说"应该多替前人掩饰其错误"。这就像十只羊倒有九个牧人，各自发令，让人难以执行；又像一个国家却有三个君主，政令不一，让人顺从谁好呢？这是国史不能编成的第四个原因。

我私下认为，编撰国史设置监修一职，虽然古代未设这个官职，因而也没有准则和榜样，但是探寻它的名称，其职责还是可以说一说的。所谓"监"字，大概是总体领导的意思罢了。比如创作本纪，用来编排帝王年代，那就需要确定年代起止的范围；草拟列传，用来叙述人物事迹，那就应该有个事迹详略的标准。史官们编写的初稿，有的可以简略却不够简略，有的应该记载却没有记载，这就是需要监修来做删改的任务。史官们则是具体"修"史的人，连属文辞、排比史事，劳逸程度应该平均；挥笔弄墨，勤惰标准必须相等。某卷某篇，交给这个职位的人；某传某志，归于那个史官之手。这就是需要监修来衡量调配的道理。这些都应该明确地制定工作条例，周密地确定工作范围。倘若每个史官都自觉努力，那么史书就可以很快编成。现在"监"的人既不能妥善指点、合理授命，"修"的人又没有遵守指点、听众命令，因而使得人人争相学习马虎应付的办法，遇事力求推诿回避，坐等时节变换，空自蹉跎岁月。这是国史不能编成的第五个原因。

凡是这样的国史不能编成的原因，还有很多。但是正如孔子所说，《诗》三百篇的宗旨可以用一句话来概括，而举一个方面的道理自然可以类推出三个方面的道理。（那么，由上述五个原因当然可以推想到其他的原因了）。时下人们谈论国史和非议我个人，怎么能无视这些客观原因，而嘲笑我编撰史书没有成效呢！近来我看到你们这些英明的领导时常热心于劝勉诱导，辛苦地考核督促，有的说"编修史事关重大，应该努力用心"，有的说"编修时间已经很久了，何时才能完成呢？"我私下认为，国史编撰的纲领法度都还没有建立起来，再怎么辛苦地督促考核也是徒劳的，即便用刺骨的刑罚相威胁，用千金的奖赏来勉励，最终还是不能编好史书的。古语说："能够贡献多大的才力，就担任多大的官职；没有才能的，就应该自动辞职。"近来我之所以向知心朋友坦陈胸怀，又一一拜见各位领导，多次请求辞去修史的任务，愿意解除现任的官职，正是因为这个缘故。……

萧至忠接到我的信以后，大为惭愧，找不到什么理由答复我，但又爱惜我这样的史才，不允许我解除史官职务。而宗楚客、崔湜、郑愔等人，都讨厌听到我说他们的短处，一起仇恨我。不久，萧至忠、宗楚客等人相继获罪被诛杀，这样我才得以幸免于难。

图书在版编目(CIP)数据

史通/(唐)刘知几著;张固也注译. —郑州:中州古籍出版社,2012.12
(国学经典)
ISBN 978-7-5348-4011-1

Ⅰ.①史… Ⅱ.①刘… ②张… Ⅲ.①史学理论—中国—唐代 ②《史通》—注释 Ⅳ.①K092.42

中国版本图书馆 CIP 数据核字(2012)第 263856 号

书名:史　通
SHITONG
著者:(唐)刘知几
注译者:张固也
出版社:中州古籍出版社
　　　(地址:郑州市经五路 66 号　邮政编码:450002　电话:0371-65723280)
发行单位:新华书店
承印单位:河南大美印刷有限公司
开本:640mm×960mm　1/16　印张:21.5
字数:280 千字　印数:1-5000 册
版次:2012 年 12 月第 1 版　印次:2012 年 12 月第 1 次印刷

定价:29.00 元
本书如有印装质量问题,由承印厂负责调换。